坐 佛 Zuofo

时代出版传媒股份有限公司
安徽文艺出版社

序

贾平凹

安徽文艺出版社编辑了这套散文，我看了一下目录，一半是三十多岁前写的，一半是近二十年来写的。我没想到竟还写了这么多。如果说散文最能体现作家本身的真家，那么几十年里，~~在这样的~~在这样的时代里，在这样的土地上，我经历了什么，思想了什么，痛苦或快乐，欢喜或隐惧，是在那些文字里，是了我的历史。

现在经常有人问道：你认为哪一时期的散文好呢？这我难以回答，说：都好吧。或说：都不好。当年轻时幼稚，年轻就是资本，一切都饱满，写作的欲望如夏天的云，稍一响动，它就落雨，又讲究点形式特点，名锤句炼字，名伏笔，名灵动，往往着别人读了说：哇，有才气呀！还可能在笔记本上摘录那几句。而年全慢之老家来，激情是少了，又多是在写完这一部长篇后和又写另一部长篇前，中间陆里，有许多拟写成散文的东西了，硬康硬康觉得意思不大又不想了，而不写就写自己在生活中~~的~~所感到的悟，能长就长，不长就短，似乎再没什么风头豹尾，

①

贾平凹
散文典藏大系（文墨本）
坐 佛

Jia Pingwa Sanwen Diancang Daxi
(Wenmo Ben)
Zuofo

贾平凹　著

时代出版传媒股份有限公司
安徽文艺出版社

图书在版编目(CIP)数据

坐佛/贾平凹著.—合肥:安徽文艺出版社,2013.4(2017.3 重印)
(贾平凹散文典藏大系)
ISBN 978-7-5396-4394-6

Ⅰ.①坐… Ⅱ.①贾… Ⅲ.①散文集-中国-当代 Ⅳ.①I267

中国版本图书馆 CIP 数据核字(2013)第 047268 号

总 策 划：朱寒冬　刘景琳	出版统筹：韦　亚
责任编辑：曾　冰	装帧设计：丁　明

出版发行：时代出版传媒股份有限公司　www.press-mart.com
　　　　　安徽文艺出版社　www.awpub.com
地　　址：合肥市翡翠路 1118 号　邮政编码：230071
营 销 部：(0551)63533889
印　　制：安徽新华印刷股份有限公司　(0551)65859128

开本：880×1230　1/32　印张：8.75　字数：180 千字　插页：10
版次：2013 年 4 月第 1 版　2017 年 3 月第 2 次印刷
定价：560.00 元(全七册,精装)

(如发现印装质量问题,影响阅读,请与出版社联系调换)

版权所有,侵权必究

坐佛

● 有人生了烦恼,去远方求佛,走呀走呀的,
已经水尽粮绝将要死了,还寻不到佛。
烦恼愈发浓重,又浮躁起来,就坐在一棵枯树下开始骂佛。
这一骂,他成了佛。

序

贾平凹

  安徽文艺出版社编辑了这套散文,我看了一下目录,一半是三十多岁写的,一半是近二十年来写的。我没想到竟还写了这么多。如果说散文最能体现作家本身的真实,那么六十年里,在这样的时代里,在这样的土地上,我经历了什么,思想了什么,悲苦或快乐,放荡或隐忍,足迹和心迹全在里边,是了我的历史。

  现在经常有人问道:你认为哪一时期的散文好呢?这我难以回答,说:都好吧。或说:都不好。当年轻的时候,年轻就是梦想,一切都敏感,写作的欲望如夏天的云,稍一响动,它就落雨,又讲究要起承转合,要锤句炼字,要优美,要灵动,企望着别人读了说:哇,有才气呀!还可能在笔记本上摘录那么几句。而年龄慢慢老起来,激情是少了,又多是在写完这一部长篇后和又写另一部长篇前的间隙里,有许多想写成散文的东西了,琢磨琢磨觉得意思不大又不想了,而要写就写自己在生活中那点真正的体悟,能长便长,不长就短,似乎再没什么凤头豹尾,囫囵的,一锅煮。写作也真有趣,年轻时是花,年纪大了是果,年轻时是清秀,年纪大了是浑沌,年轻时是有词有韵的朗颂,年纪大了是一满家常着唠叨。我之所以回答都好,因为它们都是我写的,一棵树么,开春枝条嫩而柔软,入冬枝条苍而僵硬,可它却是一棵树。之所以回答都不好,又因为这棵树就是这么个品种,它生长的土瘠水少,又多风多雨,能开了什么艳花能结了什么硕果呢?!

我前年回老家为父母修坟的时候,没有让我的孩子们去,我说:一辈人尽一辈人的责任。文学也是这样,我的生命在这块土地上经历着这个时代,既然是写作的,就写好我该写的文章,笔是第三只手,人和文尽力合一,忠诚的,真情的,几十年写过来了,再继续写下去。

2013年3月22日

目录

老西安 / 1

西路上 / 64

《美文》发刊词 / 181

读稿人语(七则) / 185

孙犁论 / 197

说话 / 199

茶话 / 201

关于埙 / 202

红狐 / 204

说家庭 / 210

我不是个好儿子 / 214

说生病 / 220

说请客 / 223

说花钱 / 226

说白烨 / 229

说房子 / 232

说孩子 / 236

说奉承 / 240

坐佛 / 244

自画像 / 245

说球迷 / 247

说足球 / 248

说打扮 / 249

说死 / 252

说美容 / 257

长舌男 / 259

我们不器重"传人" / 263

忙人 / 265

游笔架山 / 267

读张爱玲 / 269

狐石 / 272

老 西 安

当我应承了为老西安写一本书后,老实讲,我是有些犯难了,我并不是土生土长的西安人,虽然在这里生活了二十七年,对过去的事情却仍难以全面了解。以别人的经验写老城,如北京、上海、南京、天津、广州,要凭了一大堆业已发黄的照片,但有关旧时西安的照片少得可怜,费尽了心机在数个档案馆里翻腾,又往一些老古董收藏家家中搜寻,得到的尽是一些"西安事变"、"解放西安"的内容,而这些内容国人皆知,哪里又用得着我写呢?

老西安没照片?这让多少人感到疑惑不解,其实,老西安就是少有照片资料。没有照片的老西安正是老西安。西安曾经叫做长安,这是用不着解说的,也用不着多说中国有十三个封建王朝在此建都,尤其汉唐,是国家的政治、经济、军事、文化中心,其城市的恢弘与繁华辉煌于全世界。可宋元之后,国都东迁北移,如人走茶凉,西安遂渐渐衰败。到了二十世纪二三十年代,已经荒废沦落到规模如现今陕西的一个普通县城的大小,在仅有唐城十分之一的那一圈明朝的城墙里,街是土道,铺为平屋,没了城门的空门洞外就是庄稼地、胡基壕、蒿丘和涝地,夜里有猫头鹰飞到钟楼上叫啸,肯定有人家死了老的少的,要在门首用白布草席搭了灵棚哭丧,而黎明出城去报丧的就常见到狼拖着扫帚长尾在田埂上游走。北京、上海已经有洋人的租界了,蹬着高跟鞋拎着小坤包的摩登女郎和穿了西服挂了怀表的先生们生活里大量充斥了洋货,言语里也时不时夹杂了"密司特"之类的英文,而西安街头的墙上,一大片卖大力丸、治花柳病、售虎头万金油的广告里偶尔有一张两张胡蝶的、阮玲玉的烫发影照,普遍地把火柴称做洋火,把肥皂叫成洋碱,充其量有了名为"大芳"的一间照相馆。去馆子里照相,这是多么时髦的事!民间里广泛有着照相会摄去人的魂魄的,照相一定要照全身,照半身有杀身之祸的流言。但照相馆里到底是怎么回事,十分之九点九的人只是经过了照相馆门口向里窥视,立即匆匆走过,同当今的下了岗的工人经过了西安凯悦五星级大酒店门口的感觉是一样的。一位南郊的九十岁的老人曾经对我说过他年轻时与人坐在城南门口的河壕上拉话儿,缘头是由"大芳"照相馆橱窗里蒋介石的巨照说开的,一个说:蒋委员长不知道一天吃的什么饭,肯定是顿顿捞一碗干面,油泼的辣子调得红红的。他说:我要当了蒋委员长,全村的粪都要是我的,谁也不能拾。这老人的哥哥后来在警察局里做事,得势了,也让他和老婆去照相馆照相,"我一进去,"老人说,"人家问全光还是侧光?我倒吓了一跳,照相还要脱光衣服?!我说,我就全光吧,老婆害羞,她光个上半身吧。"

　　正是因为整个老西安只有那么一两间小小的照相馆,进去照的只是官人、军阀和有钱的人,才导致了今日企图以老照片反映当时的民俗风情的想法落空,也是我在写这本书的时候首先感到了老的西安区别于老的北京、上海、广州的独特处。

　　但是,西安毕竟是西安,无论说老道新,若要写中国,西安是怎么也无法绕过去的。

如果让西安人说起西安,随便从街上叫住一个人吧,都会眉飞色舞地摆阔:西安嘛,西安在汉唐做国都的时候,北方是北夷呀,南方是南蛮吧。现在把四川盆地称"天府之国",其实"天府之国"最早说的是我们西安所在的关中平原。西安是大地的圆点。西安是中国的中心。西安东有华岳,西是太白山,南靠秦岭,北临渭水,土地是中国最厚的黄土地,城墙是世界上保存最完整的古城墙。长安长安,长治久安,从古至今,它被水淹过吗?没有。被地震毁坏过吗?没有。日本鬼子那么凶,他打到西安城边就停止了!据说新中国成立时选国都地,差一点就又选中了西安呢。瞧瞧吧,哪一个外国总统到中国来不是去了北京上海就要来西安吗?到中国不来西安那等于是没真正来过中国呀!这样的显派,外地人或许觉得发笑,但可以说,这种类似于败落大户人家的心态却顽固地潜藏于西安人的意识里。我曾经亲身经历过这样一幕:有一次我在一家宾馆见着几个外国人,他们与一女服务生交谈,听不懂西安话,问怎么不说普通话呢?女服务生说:你知道大唐帝国吗?在唐代西安话就是普通话呀!这时候一只苍蝇正好飞落在外国一游客的帽子上,外国人惊叫这么好的宾馆怎么有苍蝇,女服务生一边赶苍蝇一边说:你没瞧这苍蝇是双眼皮吗,它是从唐朝一直飞过来的!

西安人凡是去过镇江的北固山的,都嘲笑那个梁武帝在山上写着的"天下第一江山"几个字,但我在北京却遭遇到一件事,令我大受刺激。那是我第一次去北京,我要去天桥找个熟人,不知怎么走,问起一个袒胸露乳的中年汉子:"同志,你们北京天桥怎么去?"

他是极热情的,指点坐几路车到什么地方换坐几路车,然后顺着一条巷直走,向左拐再向右拐,如何如何就到了。指点完了,他却教导起了我:"听口音是西安的?边远地区来不容易啊,应该好好逛逛呀!可我要告诉你,以后问路不要说你们北京天桥怎么去,北京是我们的,也是你们的,是全国人民的,你要问就问:同志,咱们首都的天桥在什么地方,怎么个走呀!"皇城根下的北京人口多么满,这一下我就憋咧。事隔了十年,我在上海,更是生了一肚子气,在一家小得可怜的旅馆里住,白天上街帮单位一个同事捎买衣服,跑遍了一条南京路,衣服号码都是个瘦,没一件符合同事腰身的。"上海人没有胖子",这是我最深刻的印象。夜里回来,门房的老头坐在灯下用一个卤鸡脚下酒喝,见着我了硬要叫我也喝喝,我说一个鸡脚你嚼着我拿什么下酒呀,他说我这里有豆腐乳的,拉开抽屉,拿一根牙签扎起小碟子里的一块豆腐乳来。我笑了,没有吃,也没有喝,聊开天来。他知道了我是西安人,眼光从老花镜的上沿处盯着我,说:西安的?听说西安冷得很,一小便就一根冰拐杖把人撑住了?!我说冷是冷,但没上海这么阴冷。他又说:西安城外是不是戈壁滩?!我便不高兴了,说,是的,戈壁滩一直到新疆,出门得光膀子穿羊皮袄,野着嗓子拉骆驼哩!他说:大上海这么大,我还没见过骆驼的呢。我哼了一声:大上海就是大,日本就自称大和,那个马来西亚也叫做大马的……回到房间,气是气,却也生出几分悲哀:在西安时把西安说得不可无一,不可有二,外省人竟还有这样看待西安的?!

当我在思谋着写这本书的时候,困扰我的还不是老照片的缺乏,也不是头痛于文章从哪个角度切入,而真的不知如何为西安定位。我常常想,世上的万事万物,一旦成形,它都有着自己的灵魂吧。我向来看一棵树一块石头不自觉地就将其人格化,比如去市政府的大院看到一簇树枝柯交错,便认定这些树前世肯定也是仕途上的政客;在作家协会的办公室看见了一只破窗而入的蝴蝶,就断言这是一个爱好文学者的冤魂。那么,城市必然是有灵魂的,偌大的一座西安,它的灵魂是什么呢?

翻阅了古籍典本,陕西是被简称秦的,秦原是西周边陲的一个古老部落,姓嬴氏,善养马,其先公因为周孝王养马有功而封于秦地的。但秦地最早并不属于现在的陕西,归甘肃省。这有点如陕西人并不能自称陕人,原因是陕西实指河南陕县以西的地方一样。到了春秋时期,秦穆公开疆拓土,这下就包括了现在陕西的一些区域,并逐渐西移,秦的影响便强大起来,而在这辽阔的地区内自古有人往来于欧亚之间,秦的声名随戎狄部落的流徙传向域外,邻国于是称中国为秦。所谓的古波斯人称中国为赛尼,古希伯来人称中国为希尼,古印度人称中国为支那、震旦,其实全都是秦的音译。到了秦始皇统一中国,"逼逐匈奴,威震殊俗,匈奴之流徙极远者往往至今欧北土……彼等称中国为秦,欧洲诸国亦相沿之而不改"。秦的英语音译也就是中国。中国人又称为汉人,中国的语言称汉语,国外研究中国学问的专家称之为汉学家,日本将中医也叫做汉医,那么,汉又是怎么来的呢?刘邦在秦亡以后,被项羽封地在陕西汉中,为汉王,刘邦数年后击败了项羽当然就在西安建立了汉朝,汉朝到了汉武帝时期,国力鼎盛,开辟了丝绸之路,丝绸人都自称为汉家臣民,西方诸国因此就称他们为汉、汉人,沿袭至今。而历史进入唐代,中国社会发展又是一个高峰期,丝绸之路更加繁荣,海上交通与国际交往也盛况空前,海外诸国又称中国人为唐人。此称谓一直延续,至今美国的纽约、旧金山,加拿大的温哥华,巴西的圣保罗,澳大利亚的墨尔本,以及新加坡等地,华侨或外籍华裔聚居的地方都叫唐人街。

世界对于中国的认识都起源于陕西和陕西的西安,历史的坐标就这样竖起了,如果不错的话,我以为要了解中国的近代文明那就得去北京,要了解中国的现代文明得去上海,而要了解中国的古代文明却只有去西安了。西安或许再也不能有如秦、汉、唐时期在中国的显赫地位了,它在十八世纪衰弱,二十世纪初更是荒凉不堪,直到现在,经济发展仍滞后于国内别的省份,但它因历史的积淀,全方位地保留着中国真正的传统文化(现在人们习惯于将明清以后的东西称为传统,如华侨给外国人的印象是会功夫,会耍狮子龙灯,穿旗袍,唱京剧,吃动物内脏,喝茶喝烧酒等,其实最能代表中华民族的东西在汉唐),使它具有了浑然的厚重的苍凉的独特风格,正是这样的灵魂支撑着它,氤氲笼绕着它,散发着魅力,强迫得天下人为之瞩目。

有一句老话:南方的秀才北方的将,陕西的黄土埋皇上。我去过江浙一带,每到一县,令我瞠目结舌的是那里的博物馆里差不多都有几个以及几十个中过状元的名单表,而漫长的科举年代,整个陕西仅只有康海和王铎两个状元,据说一个还有后门之嫌。可陕西的黄土的确也是厚的,在西安之东的黄河边,随处便见几百米高的岸层尽是黄土,无一拳大的砂石;西安郊外的水井,井台上都架有巨大的轱辘,两个人或四个人抱着轱辘绞动半天才能绞上一桶水的。在这厚土上,气脉沉绵,除了人文始祖轩辕黄帝墓和始皇嬴政墓外,单是围绕着西安的汉唐两代的帝王陵墓竟多达三十余座,如汉高祖刘邦的长陵,汉武帝刘彻的茂陵,唐太宗李世民的昭陵,唐高宗李治和皇后武则天的乾陵。这些陵墓,唐时是以真山为陵,遍布于渭北平原的蒲城、富平、三原、泾阳、礼泉、乾县,而汉陵除文帝灞陵是以土塬为坟之外,其他均是在咸阳塬上人工筑成的方尖锥形大土坟,颇有类于埃及的金字塔。坟堆经过两千多年的雨水冲击和人为的破坏,墓基业已缩小,尖锥早不整齐,可望去仍如山丘。关中平原的地下是没有什么矿藏的,它只长庄稼和皇陵,庄稼是供人生存吃粮的,皇陵埋葬着王朝的象征。如果说埋一颗种子可以生长草木,那么埋下一个王朝的象征而生长出的就是王气,这恐怕也是明清之后陕西少有秀才的缘故吧,学文从艺毕竟是一桩"雕虫小技"啊。

十五年前的一个礼拜日,我骑了自行车去渭河岸独行,有一处的坟陵特别集中,除了有两个如大山的为帝陵外,四周散落的还有六七个若小山的是那些伴帝的文臣武将和皇后妃子的墓堆,时近黄昏,夕阳在大平原的西边滚动,渭河上黄水汤汤,所有的陵墓被日光蚀得一片金色,我发狂似的蹬着自行车,最后倒在野草丛中哈哈大笑。这时候,一个孩子和一群羊就站在远远的地方看我,孩子留着梳子头,流一道鼻涕在嘴唇上,羊鞭拖后,像一条尾巴。我说:

"嗨,碎人,碎人,哪个村里的?"西安的土话"碎"是小,他没有理我。"你耳朵聋了没,碎人!""你才是聋子哩!"他顶着嘴,提了一下裤子,拿羊鞭指左边的一簇村子。关中平原上的农民住屋都是黄土板筑的很厚的土墙,三间四间的大的入深堂房是硬四椽结构,两边的厢房就为一边盖了,如此形成一个大院,一院一院整齐排列出巷道。而陵墓之间的屋舍却因地赋形,有许多人家直接在陵墓上凿洞为室,外边围一圈土坯院墙,长几棵弯脖子苍榆。我猜想这一簇一簇的村落或许就是当年的守墓人繁衍下来所形成的。但帝王陵墓选择了好的风水地,阴穴却并不一定就是好的阳宅地,这些村庄破破烂烂,没一点富裕气象,眼前的这位小牧羊人形状丑陋,正是读书的年龄却在放羊了! 我问他:"怎么不去上学呢?"他说:"放羊哩嘛!""放羊为啥哩?""挤奶嘛!""挤奶为啥哩?""赚钱嘛!""赚钱为啥哩?""娶媳妇嘛!""娶媳妇为啥哩?""生娃嘛!""生娃为啥哩?""放羊嘛!"我哈哈大笑,笑完了心里却酸酸的不是个滋味。

  关中人有相当多的是守墓人的后代,我估计,现在的那个有轩辕墓的黄陵县,恐怕就是守墓人繁衍后代最多的地方。陕西埋了这么多皇帝,辅佐皇帝创业守成的名臣名将,也未必分属江南、北国,倒是因建都关中,推动了陕西英才辈出,如教民稼穑的后稷,治理洪水的大禹,开辟丝绸之路的张骞,一代史圣司马迁,仅以西安而言,名列《二十四史》的人物,截至清末,就有一千多人。这一千多人中,帝王人数约占百分之五,绝大部分属经邦济世之臣,能征善战之将,侠肝义胆之士,其余的则是农学家、天文学家、医学家、史学家、训诂学家、文学家、画家、书法家、音乐歌舞艺术家,三教九流,门类齐全。西安城南的韦曲和杜曲,实际上是以韦、杜两姓起名的,历史上韦、杜两大户出的宰相就四十人,加上名列三公九卿的大员,数以百计,故有"城南韦杜,去天尺五"之说。

骑着青牛的老子是来过西安的,在西安之西的周至架楼观星,筑台讲经,但孔子是"西行不到秦"的。孔子为什么不肯来秦呢,是他畏惧着西北的高寒,还是仇恨着秦的"狼虎"?孔子始终不来陕西,汉唐之后的陕西王气便逐渐衰微了。民间的传说里,武则天在冬日的兴庆宫里命令牡丹开花,牡丹不开,逐出了西安,牡丹从此落户于洛阳,而城中的大雁塔和曲江池历来被认为是印章和印泥盒的,大雁塔虽有倾斜但还存在,曲江池则就干涸了。到了二十世纪,中国的天下完全成了南方人的世事,如果说老西安就从这个时候说起,能提上串的真的就没有几个人物了。

一九○○年,八国联军进北京,慈禧逃难西安,这便是西安临时又做了一回国都吧。这一次做国都,并没有给西安增添荣耀,却深深蒙受了屈辱,更让西安人痛心的是庚子之乱的结果将西安人赵舒翘处死。

赵舒翘的家是居住在城西南的甜水井街上,我曾在双仁府街居住了数年,因双仁府距甜水井极近,偶然就认识了赵氏的后人并成为熟客,常去他家吃酒喝茶。那是个大杂院,拥挤了十多户居民,但在那以砖墙和油毛毡分隔出的七拐八弯往里走,随处是搂粗的屋柱,菱花雕窗,墙头的砖饰,想见着往昔是多么豪华。我坐在唯一产权归他的那间偏房小屋,光线阴暗,地面潮湿,撑起那精致的揭窗,隐约地看到几件老红木椅柜,强烈地感受到了一种幽怨之气,疑心落在窗前一棵紫藤上的小鸟是赵舒翘的托变。赵舒翘是当时西安人做的最大的官,由刑部尚书到军机大臣,甜水井街几乎就是赵家府。慈禧西逃,就是赵舒翘护驾到他的老家的。清室代表与八国联军谈判时,联军提出必须严惩义和团的幕后支持人刚毅和赵舒翘,而刚毅在西来途中病死,赵舒翘自然被洋人盯住不放。慈禧是欣赏赵的,曾亲笔为赵题写"镜清光远"挂屏一幅,所以不想杀之,先是革职留用,后改为"斩监候"(死缓),但洋人一再威逼,慈禧才拟改斩赵取得联军谅解。消息传出,西安各界人士便群起为赵舒翘请命,数万人在钟楼下游行示威,慈禧遂改"赐自死",让他得个全尸。赵舒翘时年五十四岁,体质强壮,加之内心总在想慈禧能有赦免的懿旨追来,因而服鸦片不死,又服毒药数种不死,折腾了几个时辰,最后是被捆在木板上以黄表喷烧酒一层一层糊面憋死。赵舒翘一死,家府中的男人就鸟兽散了,仅存下一大群妇道人家靠往日积存度日。妇人多阴气重,家境一败再败,屋舍典卖从一条街到半条街,由半条街到三处院落,直至解放后,赵家的正宗后人,也即我的那位熟人只能栖身于一间小屋了。据说赵舒翘临死前遗训子孙"再勿做官",此话准确与否,没有深究,但事实是赵家的后人皆以技艺生活,再无一人在仕途上。

就在赵舒翘被赐死的时期,却有另一个被赐了"一品诰命夫人",这便是三原安抚堡的一个寡妇。寡妇是人物漂亮,处事果断,远近盛传她是金蛤蟆精变的。夫家原是当地的首富,她初为人妻,男人就病死了,村人都说她得改嫁,这户人家从此要败了,她偏就顶门立户,将一个大家治理得井井有条。难得一个妇道角色,几十年里鸡啼起身,描眉油头,打扮得容光焕发,然后提了曳地长裙,踮了三寸金莲,登坐于专门修筑于大院中的一个板楼上,监督百十号长工短工劳作。慈禧逃来西安,也正是所谓国难之时,这寡妇竟有主见,用马车拉了满满一车金银捐贡朝廷,感动得慈禧要认她做干女儿。

一个是朝里人,一个是民间事,在清朝末年,陕西人演绎的悲喜剧绝对是陕西人的特色。在西安,甚或在关中的任何县任何村,随时是可以听到秦腔的。外地人初听秦腔,感觉是"死狼声吼叫",但那高亢激越的怒吼之中撕不断扯不尽的是幽怨沉缓的哭音慢板,就如冬日常见到的平原之上的粗桩和细枝组合的柿树一样,西风里,你感受到的是无尽的悲怆和凄凉。时间又过了几十年,又是一个政坛上的强人和民间的奇才登场,这就是杨虎城与牛道濂。关于杨虎城的事迹,各类"西安事变"的文献书中已经说得太多,他原是渭北一带的刀客,为人豪爽,处事勇敢,但绝不是个粗人。我读过一篇参与了"西安事变"的某人的回忆录,其中有两处描写印象深刻。一是说杨虎城识不了多少字,但记忆力非凡,多少年前的某日某事某某参加皆清楚不误;演讲时,他可以拿讲稿,但在讲稿上折好多角,折什么样的角讲什么样的话,只有他明白,然后开讲就全然不用别人为他写的讲稿。二是说他和张学良合作,相互并不是没有存疑,张学良的出身、学养、势力自然是杨虎城不能比的,但杨虎城办事除了有豪侠之气外,因出身农家,自有农民的一点狡黠,两人决定了兵谏,他却担心张学良提前撇了他,时时注意着张的动静。一次张学良的一位重要部下在易俗社看戏,他当然也派人在剧场,戏演到一半,那个部下匆匆离去,他手下的人遂赶回将情况告诉他,他便估摸张学良要动手了,紧急召集军事会议,调动部队,即将出发前得到情报,那个部下离开剧场是去干别的事了,方停止了行动,险些出了大的事故。我们现在能看到的张学良和杨虎城的照片,一个英武潇洒,一个雄浑沉健。杨虎城的相貌是典型的关中人形象,头大面宽,肉厚身沉,颇有几分像秦始皇墓出土的兵马俑。现存留在西安城里的张学良公馆和杨虎城公馆,便足以看出两人风格,一个是西式建筑,一个是庭院式的传统结构。出身于草莽的武人在国家民族危难之际冒着身败名裂的危险兵谏,这是一种正义的力量,人格的力量,可歌可泣,但他又是传统的,农民式的,他的结局必然与张学良截然不同。我曾数次去拜谒过他的陵园,在肃穆的墓碑前,看终南山上云聚云散,听身后粗大的松树上松子在天风里坠落,不禁仰天浩叹。

与杨虎城几乎同一时期的,在城区的蓝田县里却也出了个奇人牛道濂。民间里提牛道濂是没人知道的,说牛才子则妇孺皆知。西安方圆历来出奇人异事,近多年来曾不断地传出哪儿哪儿有了个神人,我是相信神祇是混迹于芸芸众生之中的,且是对一切神祇现象都敬畏的人,所以,但凡听说,就去拜见,倒是结识一帮高士。当我来到西安时,牛才子已经作古很久了,但他的故事却常常在市民的茶摊上、麻将桌上谈说不已。一个细雨蒙蒙的中午,我在出租车里听司机给我谈天说地,"你知道终南山里隐居着三千个真人吗?"我不知道,过去有"终南捷径"之说,现在有这么多人隐居在那儿,何不显世呢? 司机说:"你瞧着吧,现在世上狼虫虎豹少了,狼虫虎豹都托变成人,这些高人就该显世在人类危难的时候了,就像牛才子当年那样!"于是,他开始讲牛才子,说河南军阀刘镇华一九二六年率军围困西安八个月,久攻不下,从城外向城里挖地道,城里人都知道地道要挖进来了,但谁也不知道地道口将在何处出现,每个街巷都埋了大瓮,灌满了水,派人日夜守在水瓮边听声看水面。牛才子就出来说话了,但他并没有说地道口要从哪儿出来,他只建议城防当局把一个叫莲花池的地方扩大,让四周的水都引过去,成为一个湖。湖是形成了,水深齐腰,竟于某一日湖水突然下泄,原来是地道出口正在湖中,湖水就把地道全泡塌了。说牛才子在蓝田老家更是有许多神奇,以致大红的日头下,他出门带了伞,村人都立即要带伞的,偶有不效法的自然就遭了雨淋。说杨虎城有一度地位岌岌可危,请教于牛才子,牛才子正在马房门街的酒馆里喝酒,他长年穿一件长袍子,在酒馆里喝酒是立在那里买上一盅仰头一口喝下。杨虎城的卫兵来请他,他不待卫兵说话,写了个字条让带给杨虎城:"重用名字里有山字的人。"云从龙,虎凭山,杨虎城果然起用了一个叫王一山的人,事业真的发达开来。

赵舒翘和杨虎城是西安近代史上两个无法避开的人物,而民间传颂最多的倒是那个安抚堡的寡妇和牛才子。赵舒翘和杨虎城属于正剧,正剧往往是悲剧,安抚堡寡妇和牛才子归于野史,野史里却充满了喜剧成分。我们尊重那些英雄豪杰,但英雄豪杰辈出的年代必定是老百姓生灵涂炭的岁月,世俗的生活更多的是波澜不起地流动着,以生活的自在规律流动着,这种流动沉闷而不感觉,你似乎进入了无敌之阵,可你很快却被俘虏了,只有那些喜剧性人物增加着生趣,使我们一日一日活了下去,如暗里飞的萤虫自照,如水宿中的禽鸟相呼。

以西安市为界,关中的西部称为西府,关中的东部称东府,西府东府比较起来就有了一种很有趣的现象。东府有一座华山,西府有一座太白山。华山是完整的一块巨石形成的,坚硬、挺拔、险峭,我认做是阳山,男人的山,它是纯粹的山,没有附加的东西,如黄山上的迎客松呀,峨眉山上能看佛光呀,泰山上可以祀天呀,上华山就是体现着真正上山的意义。

太白山峰峦浑然,终年积雪,神秘莫测,我认做是阴山,女人的山。东府有秦始皇兵马俑博物馆,西府里有霍去病石雕博物馆。我对所有来西安旅游的外地朋友讲,你如果是政治家,请去参观秦兵马俑张扬你的气势,你如果是艺术家,请去参观霍去病墓以寻找浑然整体的感觉。在绘画上,我们习惯于将西方的油画看做色的团块,将中国的水墨画看做线的勾勒,在关中平原上看冬天里的柿树,那是巨大的粗糙的黑桩与细的枝丫组合的形象,听陕西古老的戏剧秦腔,净的嘶声吼叫与旦的幽怨绵长,又是结合得那样的完美,你就明白这一方水土里养育的是一种什么样的人了。

如果说赵舒翘、杨虎城并没有在政治上、军事上完成他们大的气候,那么,从这个世纪之初,文学艺术领域上天才却一步步向我们走来,于右任、吴宓、王子云、赵望云、石鲁、柳青……足以使陕西人和西安这座城骄傲。我每每登临城头,望着那南北纵横井字形的大街小巷,不由自主地就想到了他们,风里点着一支烟,默默地想象这些人物当年走动于这座城市的身影,若是没有他们,这座城将又是何等的空旷啊!

于右任被尊为书圣,他给人永远是美髯飘飘的仙者印象,但我见过他年轻时在西安的一张照片,硕大的脑袋,忠厚的面孔,穿一件臃肿不堪的黑粗布棉衣裤。大的天才是上苍派往人间的使者,他的所作所为,芸芸众生只能欣赏,不可模仿。现在海内外写于体的书法家甚多,但风骨接近者少之又少。我在江苏常熟翁同龢故居里看翁氏的照片,惊奇他的相貌与于右任相似,翁氏的书法在当时也是名重天下,罢官归里,求字者接踵而来,翁坚不与书,有人就费尽心机,送帖到翁府请其赴什么宴,门子将帖传入,翁凭心性,上次批一字:可,这次批一字:免,如此反反复复,数年里集单字成册作为家传之宝。于右任在西安的时候却是有求必应,相传曾有人不断向他索字,常坐在厅里喝茶等候,茶喝多了就跑到街道于背人处掏尿,于右任顺手写了"不可随处小便",他拿回去,重新剪裁装裱,悬挂室中却成了"小处不可随便"。西安人热爱于右任,不仅爱他的字,更爱他一颗爱国的心,做圣贤而能庸行,是大人而常小心。他同当时陕西的军政要人张坊,数年间跑遍关中角角落落,搜寻魏晋和唐的石碑,常常为一块碑子倾囊出资,又百般好话,碑子收集后,两人商定,魏晋的归于,唐时的属张,结果于右任将所有的魏晋石碑安置于西安文庙,这就形成了至今闻名中外的碑林博物馆,而张坊的唐碑运回了他的河南老家,办起了"千唐诗斋"。正应了大人物是上苍所派遣的话,前些年西安收藏界有两件奇石轰动一时,一件是一块白石上有极逼真的毛泽东头像,一件是产于于右任家乡三原县前泾河里的一块完整的黑石,惟妙惟肖的似于右任,惹得满城的书法家跑去观看,看者就躬身作拜,状如见了真人。

从书法艺术上讲,汉时犹如人在剧场看戏,魏晋就是戏散后人走出剧场,唐则是人又回坐在了家里,而戏散人走出剧场那是各色人等,各具神态的,所以魏晋的书法最张扬,最有个性。于右任喜欢魏晋,他把陕西的魏晋碑子都收集了,到了我辈只能在民间收寻一些魏晋的拓片了。在我的书房里,挂满了魏晋的拓片,有一张上竟也盖有于右任的印章,这使我常面对了静默玄想,于右任是先知先觉,我是浑厚之气不知不觉上身的。

于右任之后,另一个对陕西古代艺术的保护和发展做出了重要贡献的人物当属王子云。王子云在民间知之者不多,但在美术界、考古界却被推崇为大师的,在三四十年代,他的足迹遍及陕西所有古墓、古寺、山窟和洞穴,考察、收集、整理古文化遗产。翻阅他的考察日记,便知道在那么个战乱年代,他率领了一帮人在荒山之上,野庙之中,常常一天吃不到东西,喝不上水,与兵匪周旋,和豺狼搏斗。我见过他当年的一张照片,衣衫破烂,发如蓬草,正立于乱木搭成的架子上拓一块石碑。霍去病墓前的石雕可以说是他首先发现了其巨大的艺术价值,并能将这些圆雕拓片,这种技术至今已无人能及了。

石鲁和柳青可以说是旷世的天才,他们在四十年代生活于西安,又去了延安再返回西安发展他们的艺术,他们最有个性,留在民间的佳话也最多,几乎在西安,任何人也不许说他们瞎话的,谁说就会有人急。在外地人的印象里,陕西人是土气的,包括文学艺术家,这两个形象也是如此。石鲁终年长发,衣着不整,柳青则是光头,穿老式对襟衣裤;但其实他们骨子里最洋。石鲁能歌善舞,精通西洋美术,又创作过电影剧本,柳青更是懂三四种外语,长年读英文报刊。他们的作品长存于世,将会成为中华民族文化遗产的一部分不动资产,而他们在"文化大革命"的浩劫中命运却极其悲惨,石鲁差点被判为死刑,最后精神错乱,柳青是在子女用自行车推着去医院看病了数年后,默默地死于肺气肿。

当我们崇拜苏东坡,而苏东坡却早早死在了宋朝,同样的,我出生太晚,虽然同住于一个城市,未能见到于右任、王子云、石鲁和柳青。美国的好莱坞大道上印有那些为电影事业做出贡献的艺术家的脚印手印,但中国没有。有话说喜欢午餐的人是正常人,喜欢早餐或喜欢晚餐的人是仙或鬼托生的,我属于清早懒以起床晚上却迟迟不睡的人,常在夜间里独自逛街,人流车队渐渐地稀少了,霓虹灯也暗淡下去,无风有雾的夜色里浮着平屋和楼房的正方形、三角形,谁家的窗口里飘出了秦腔曲牌,巷口的路灯杆下一堆人正下着象棋,街心的交通安全岛上孤零零蹲着一个老头明灭着嘴唇上的烟火,我就常常作想:人间的东西真是奇妙啊,我们在生活着,可这座城是哪一批人修筑的?穿的衣服,衣服上的扣子,做饭的锅,端着的碗,又是谁第一个发明的呢?我们活在前人的创造中而我们竟全然不知!人人都在说西安是一座文化积淀特别深厚的城市,但它又是如何一点一点积淀起来呢?文物是历史的框架,民俗是历史的灵魂,而那些民俗中穿插的人物应该称做是贤德吧?流水里有着风的形态,斯文里留下了贤德的踪迹,今日之夜,古往今来的大贤大德们的幽灵一定就在这座城市的空气里。

一九九八年冬季的一个夜晚,空气十分的清冷,我游逛到了碑林博物馆的附近,一家字画店还未关门,进去竟购买了一张康有为手迹"应无所住"的拓片。我喜欢康有为的书法,也知道这四个字的原石碑现在仍保留在兴善寺里,但回来对拓片还是看了许久,发着笑声,画下了一张画。我画的是一条鱼,鱼无鳞,遍布了青铜器上的那种纹饰,旁边题道:"鱼以人腹为坟墓,我的毁誉在民间"。我想到的全然是康有为了。

一九二三年康有为被陕西督军延请入陕,老夫子颇为风光,所到之处参观、讲学、吃宴,并要在众人的叫好声中留下墨宝,"应无所住"就是那次写就的。他乘兴而来,每到一处恭维的话听得耳朵也磨出茧了,总不免要谦虚一句"老而不死了",没想到待他离开西安却是十分败兴,西安城里从此留下了一副对联:"国之将亡必有;老而不死是为",横额"寿而康"。事情是这样的,康有为去了一趟碑林博物馆附近的卧龙寺,卧龙寺的和尚见是康有为,便将珍藏于寺的举世珍籍《碛砂藏》拿与他看,康有为当然知道它的宝贵,借口拿回寓所翻阅,竟不再言送还而匆匆离陕。待他的车马一走,寺里和尚立即呈报督军府,众人一片哗然,以李仪祉为首的一批地方名流力主要讨回珍宝,但康有为是何等人物,又怎么当面剥他那张贼皮呢?和尚们就紧追不舍,一直到了潼关追上,拦道挡马,婉言说了康夫子学富五车,见识广博,别人都不识《碛砂藏》,只有您慧眼识得,遗憾的是此经书一千五百三十二部,六千三百六十二卷,你看到的是卧龙寺分藏的一部分,还有一部分藏于开元寺,若先生喜爱,不几日将全集装订一起了给先生送到府上过目。如此云云一番巧说,康有为哈哈大笑,交出了《碛砂藏》,还说了一句"我明白孔子为什么西行不到秦了!"

康有为做了一回贼,可他是性情中人,并不羞耻而成全了一段饭后茶余的趣话。最令西安人六十多年来义愤不已的是六骏马的失盗和破坏。唐太宗昭陵上的六块浮雕骏马,算得上是中国的艺术珍品,它们为太宗生前征战时所骑的战马,各有马名,即飒露紫、拳毛䯄、特勒骠、白蹄乌、什伐赤、青骓。唐代的雕刻本来就是很写实很生动的,这六件浮雕的马,三跑三立,惟妙惟肖地表现了唐代西域名马的硕健形态,更透射出了唐崇尚雄浑重力量的时代风度。明清以后,陕西是再也没见过像样的马匹,关中平原上有的只是耕田驮货的驴和骡,驴骡那是马的附庸,所以陕西人看重这六骏马。但是一九三六年的一个风高月黑之夜,一个美国人勾结古董奸商盗运了飒露紫和拳毛䯄,又将其余四马打碎而藏匿下来。西安人闻讯缉拿,终于缴获了被打碎的四马,如今碑林博物馆展出的四骏,就是将碎块重新模制的。

从本世纪起,陕西的文物不断地被挖掘出土,每一次莫不轰动国内外,而从文物生出的故事更是灿烂又离奇。蓝田猿人头骨是因为当地人在一条沟里常挖一种石头研粉治疗外伤而引起了专家的注意,查明了那是远古兽骨化石,进一步发掘所收获的。秦兵马俑坑是临潼农民打机井打出一堆陶片而发现的。法门寺地宫是寺塔倒塌后清理地基显露的。更有那些盗墓贼一个在墓坑下一个在墓坑上,待到文物吊上来,墓坑上的丢下绳索使墓坑下的活活饿死的事,有盗窃了一颗秦兵马俑头而丢掉了自己的头的事,有偷藏了汉代稀罕陶器,一连三日夜里做梦,梦见陶器里发出声音:让我回去,让我回去!以此吓得精神失常的事。我于西安已经生活了二十七年,长长短短在九处安家,几乎见到在什么地方搞建筑,但凡挖地基都有文物出现,而那些秦代的砖,汉朝的罐、瓦当、铜钱、陶俑,虽也是够等级的文物,可实在太多,国家并不是严格管理,于是差不多的人家都有那么几件。八十年代初,我借居于北郊农家,村里许多人家的厕所墙角总有一大堆打碎了的汉陶罐片,农民是用其揩屁股的,揩过了又丢在那里,经过雨淋干净了,如此再用。秦的汉的瓦当,老太太们则是要用来拓印锅盔馍上的花纹的。九十年代初,我在城南一所疗养院治病,疗养院外的塬地上聚着一堆一堆破砖烂瓦,农民在怨恨着地里的破砖烂瓦太多影响着耕犁,原来这里曾是唐时的一座寺庙,因和尚诱奸民女,附近村民将和尚活埋地下,仅露出个光头,再用铁耙来耙,将寺称耙头寺,后又一把火毁了。我每日下午去那破砖瓦堆里挑拣,竟在病愈回家时带回来了十几块有花纹和文字的砖瓦。

西安多文物,也便有了众多的收藏家,其中的大家该算是阎甘园了。阎家到底收藏了多少古董,现已无法考证,因为"文化大革命"中,红卫兵一架子车一架子车往外拉四旧,有的烧毁了,有的散失了,待国家拨乱反正的时候,返回的仅只有十分之一二。鲁迅先生当年来西安,就到过阎家,据说阎甘园把所有的藏品都拿出来让这位文豪看,竟摆得满院没了立脚的地方。等到我去阎家的时候,阎家已搬住在南院门保吉巷的一个小院子里,人事沧桑,小院的主人成了阎甘园的儿子阎秉初,一个七八十岁的精瘦老人了。老人给我讲着遥远的家史,讲着收藏人的酸辣苦甜,讲着文物鉴定和收藏保管的知识,我听得入迷,盘脚坐在了椅上而鞋掉在地上组成了"×"形竟长久不知,后来就注意到我坐的是明代的红木椅子,端的是清代的茶碗吃茶,桌旁的一只猫食盘样子特别,问:那是什么瓷的?老人说了一句:乾隆年间的耀州老瓷。那一个上午,阳光灿烂,几束光柱从金链锁梅的格窗里透射进来,有活的东西在那里飞动。我欣赏了从樟木箱里取出的石涛、朱耷、郑板桥和张大千的作品,一件一件的神品使我眩晕恍惚,竟将手举起来哄赶齐白石画上前来的一个飞虫时才知道那原本是画面上绘就的蜜蜂,惹得众人哄笑。末了,老人说:"你是懂字画的,又不做买卖,就以五千元半售半赠你那幅六尺整开的郑燮书法吧,你我住得不远,我实在想这作品了还能去你家看看嘛!"可我那时穷而啬,竟没有接受他的好意,数年后再去拜访他时,老人早于三月前作古,他的孙子不认得我,关门不开,院里的狗声巨如豹。

  世上的事往往是有牙的时候没有锅盔大饼,等有了锅盔大饼了却又没了牙。待我对收藏有了兴趣,日子也不至于一分钱要掰开两半来使,但我却没能收藏到很好的东西,甚至有相当部分是假古董。有一次有人提供在东郊的一户人家后院的厕所墙是用修大寨田挖出的墓砖砌的,发现砖上有浮雕图案,连忙赶去,厕所墙却是新砖砌的,老太太说前日来了一个人,见过有这么好的人吗,拿新砖把那些旧砖换去了。又有一次,我买了十多个汉陶俑,正欢天喜地往书架上放,来了能识货的朋友指出这是假的,我坚决否认,骂他生了嫉妒之心。朋友说:"我也曾买过几个,和你这一模一样,我老婆不小心撞坏了一个,发现里边有一枚人民币的。"我当场将一个敲开,果然里边出现了一枚贰分钱的镍币。从此我改变了收藏观,以为凡是经我看过的东西就算我已收藏了,我更多地去国家博物馆参观。陕西的历史博物馆是非常多的,我到周原博物馆去看青铜器,到咸阳博物馆去看秦砖秦陶,到碑林博物馆去看石雕碑刻,到西安历史博物馆去看汉俑和唐壁画,到西北大学博物馆去看瓦当、封泥,到陕师大博物馆去看古帖名画。做一个西安人真是幸福啊,每一件藏品都在展示着一段曾经辉煌的历史,都在叙说着一件惊天地泣神鬼的悲怆故事。周秦汉唐一路下来的时空隧道里,一切都变得湿漉漉的,伸手可以触摸的,你就会把放大挂于墙上的秦兵马俑照片认做你自己,该去吟唱李白的诗了:"秦王骑虎游八极,举剑向天天自碧"。

我得到过一张清末民初时期西安城区图,那些小街巷道的名称与现在一模一样,再琢磨这些名称如尚德路、教场门、四府街、骡马市、端履门;大有巷、竹笆市、炭市街、后宰门、马场子、双仁府、北院门、含光路、朱雀路、马道巷,非常有都城性,又有北方风味,可以推断,这些名称起源于汉唐,最晚也该是明朝。西安是善于保守的城市,它把上古的言辞顽强地保留在自己的日常用语里,许多土语方言书写出来就是极雅的文言词,用土话方言吟咏唐诗汉赋,音韵合辙,节奏有致。它把古老的习俗一直流传下来,生了孩子要把鸡蛋煮熟染红分散给广亲众友,死了人各处报丧之后门前的墙上仍要贴上"恕报不周",仍然有人在剪窗花,有人在做面花,雨天穿了水泥屐在青石小巷呱哒呱哒地走。它将一座城墙由汉修到唐,由唐修到明,由明修到今。八十年代,城墙再次翻修,我从工地上搬了数块完整的旧砖,一块做了砚台,一块刻了浮雕,一块什么也不做就欣赏它的浑厚朴拙,接着遂也萌生了为所有四合院门墩石的雕饰拓片和考察每一条小街巷名称的计划。但这计划因各种原因而取消了,其中一个直接的原因是我去一家豪宅拓门墩拓片时被人家误以为是贼,受了侮辱,后来又患肝病住了一年医院。《废都》一书中基本上写到的都是西安真有其事的老街老巷,书出版后好事人多去那些街巷考证,甚至北京来了几个搞民俗摄影的人,去那些街巷拍摄了一通,可惜资料他们全拿走了,而紧接着西安进行了大规模的城区改造,大部分的老街老巷已荡然无存,留下来的只是它们的名字和遥远的与并不遥远的记忆。

我在西安居住最长的地方是南院门。南院门集中了最富有特色的小街小巷,那时节,路面坑坑洼洼不平,四合院的土坯墙上斑斑驳驳,墙头上有长着松塔子草的,时常有猫卧在那里打盹,而墙之上空是蜘蛛网般的陈旧电线和从这一棵树到那一棵树拉就的铁丝,晾挂了被褥、衣裳、裤衩,树是伤痕累累,拴系的铁丝已深深地陷在树皮之内。每一条街巷几乎都只有一个水龙头,街巷人家一早一晚用装着铁轮子的木板去拉桶接水,哐哐哐的噪音吵得人要神经错乱。最难为情的是巷道里往往也只有一个公用厕所,又都是污水肆流,进去要小心地踩着垫着的砖块。早晨的厕所门口排起长队,全是掖怀提裤蓬头垢面的形象,经常是儿子给老子排队的,也有做娘的在蹲坑上要结束了,叫喊着站在外边的女儿快进来,惹得一阵吵骂声。我居住在那里,许多人见面了,说:你在南院门住呀,好地方,解放前最热闹啊!我一直不明白,南院门怎么会成为昔日最繁华的商业区,但了解了一些老户,确实是如此,他们还能说得出一段拉洋片的唱词:南院门赛上海,商行林立一条街;三友公司卖绸缎,美孚石油来垄断;金店银号老凤祥,穿鞋戴帽鸿安坊;亨得利卖钟表,"世界""五洲"西药房……说这段唱词的老者们其中最大八十余岁,他原是西门瓮城的拉水车夫,西安城区大部分地下水或苦或咸,唯有西门瓮城之内四眼大井甘甜爽口,他向我提说了另外一件事。大约是一九三九年吧,他推着特制的水车,即正中一个大轮,两侧木架上放置水桶四个,水桶直径一尺,高二尺,上有小孔,用以灌水倒水,又有小耳子两个,便于搬动,在瓮城装了水才唱唱嗬嗬要到南院门去卖,南院门却就戒严了,说是蒋介石在那里视察。他把水车存放在一家熟人门口,就跟着人群也往南院门看热闹,当然他是近不了蒋介石的身的,先是站在一家茶社门口的棋摊子前,后来当兵的赶棋摊子,他随着下棋人又到了茶社,下棋的照常在茶社下棋,他趴在二楼窗子上到底是见了一下蒋介石,并不断听到消息,说是胡宗南为了显示自己政绩,弄虚作假,让店行的老板都亲临柜台迎宾服务,橱窗里又挂上一尺宽三尺高的蒋的肖像。蒋到了老凤祥,看一枚明代宫廷首饰"钗朵",顺口问:西安黄金什么价?蒋介石身后的胡宗南忙暗中竖起右手食指和中指,随又弯成钩形,店老板便回答:二百九。其实西安的黄金价已涨到每两四百元。从老凤祥出来,蒋介石这家进那家出,问了火柴又问盐,问了石油又问布,石油已涨成一元二三一斤,但仅被报成七角。

在南院门居住,生活是确实方便的,这里除了没有火葬场,别的设施应有尽有。所谓的南院,是光绪十四年陕西巡抚部院由鼓楼北移驻过来的称号,民国以后又都为陕西省议会、国民党省党部、西安行营占驻,一直为西安的政治中心。一九二六年南院西侧的箭道开辟了小百货市场,面粉巷、五味什字、马坊门、正学街、广济街、竹笆市,集中了全城所有的老字号。竹笆市早在明代就是竹器作坊集中地,至今仍家家编卖竹床竹椅竹帘竹笼之类。涝巷是传统的书画装裱、纸扎、棚坊、剪刀五金等工艺作坊区,三家五家的在门面或摊点上出售传统小吃如杏仁油茶、粉蒸肉、甑糕、枣沫糊、炒荞粉。克利西服店是洋服专卖店,那个长脖子、喉结硕大的师傅裁缝手艺属西北第一,给胡宗南做过服装,给从延安来的周恩来也做过服装。老樊家的腊汁肉,老韩家的挂粉汤圆,老何家的"春发生"葫芦头泡馍,王记粉汤羊血都在涝巷外的正街上,辣面店香油坊卖的是最纯正的陕西线线辣面和关中芝麻香油。马坊门的鸿安祥是专卖名牌的鞋店,正学街有家笔店,印石版、篆刻图章、制作徽章。广场的甬道里有西安最早的新式制革厂,有一摆儿卖香粉、雪花膏、生发油、花露水的"摩登商店",有创建于清宣统元年的陕西图书馆,有商务印书馆,中华书局,世界、大东和北新书局分店,有慈禧来西安所接受的但未被返京时带走的贡品陈列所"亮宝楼"。

南广济街有广育堂,制配的痧药和杏核眼药颇具声名,更有达仁堂、藻露堂中药店。藻露堂创立于明天启二年,该店名药"培坤丸",以调经和血补气安胎而声播海内外,日均销售额二百银元。每年春节这里都办灯市,可谓是万头攒拥,水泄不通,浮于半空的巨大声浪立于钟楼也能听见。正月十五前后的三天晚上,灯谜大会自发形成,由南院的正街、广场一直延伸到马场门,马场门就有了一家叫"礼泉黄"的算卦小屋,礼泉黄的谜面、谜底是不离经、史、诗文的,有着几根稀黄胡子的屋主肯定是坐在旁边的藤椅上,在人们的啧啧夸赞声里,呼噜噜呼噜噜一锅接一锅地吸水烟。

  南院门的衰落是民国十七年以后的事,那时西安建市,市政府把满城区划为新市区,开辟东西南北四条新街,后又是陇海线通车到西安,新市区逐渐发展成新的商业区。解放后随着五十年代中期私营工商业的公私合营和手工业的合作化,一些店铺、作坊合并,有些业主歇业、改行、迁走,南院门就再也不可能回复往昔的热闹了。它和上海城隍庙、苏州玄妙观的商业街有相似处,但上海城隍庙、苏州玄妙观现在依然繁华,而西安南院门已衰败,这是因为它毕竟偏处西安城西南隅而不在旧城中心,再是商业往往依托旅游而发展,它并不是西安的游览热点。现在的南院门街巷名字还是老名字,面目已经全非,尽是崭新的高楼大厦了,当年我居住时推着架子车咯咯噔噔去拉煤饼的那个煤炭店呢?一下雨水便积起半尺深,用木板堵住门槛,用塑料白布苫住墙头的那保吉巷呢?那长着一棵香椿树,王家老太太每到初春会给我送一把椿芽的四合院呢?每日清早推着三轮车高声吆喝"教场门的饸饹来喽!"的麻脸女人呢？那个迟早坐着的眼睛只盯过往行人脚的钉鞋人身后的木电线杆呢？但是，过去的两种传统小吃的生意却做大起来，"春发生"葫芦头泡馍已盖起了数层大楼，樊家腊汁肉铺也扩大到极豪华的两间大门面，满城的好食者搭了出租车要赶去门口排队。

我第一次来到西安的时候，是十三岁，作为中学生红卫兵串联的，背了粗麻绳捆着的铺盖卷儿，戴着草帽，一看见钟楼就惊骇了，当即草帽掉下来，险些被呼啸而来的汽车碾着。自做了西安市的市民，在城里逛得最多的地方依然是钟楼。我是敬畏声音的，而钟的惊天动地的金属声尤其让我恐惧。钟鼓楼是在许多城市都有的建筑，但中国的任何地方的钟鼓楼皆不如西安的雄伟，晨钟暮鼓已经变成了一句成语，这里还依然是事实，至今许多外地人一早一晚聚于钟鼓楼广场，要看的是一队古装打扮的人神色庄严地去钟楼上鼓楼上鸣钟敲鼓，恍惚到了远古的时代。钟楼在西安的中心，西安人讲龙脉，北门出去的北郊塬上就是龙头，现仍叫龙首村的，钟楼正好建在龙的腰上。古时候钟鼓之声响起来情形如何，四座城门的守卒是否关闭城门，来往行人是否立足凝神，不可得知。一位姓章的朋友说过这样的事，他的爷爷在民国初年是个刽子手，那时报时的方式一度是"放午炮"，当然午炮也是在钟楼上放的。他常常执行犯人必须在午炮前就临刑场，单等了午炮轰然一响，嚼一口酒噗地喷向犯人，刀起头落，然后那没了脑袋的身子从肚脐往上聚一个包，包渐渐涌上，断颈就猛地冲上一股血来。

以放炮而报时，这也只有西安人能这么干了。西安虽是帝王之都，但毕竟地处西北，气候干燥，冬天冻得要死，夏天热得要命，一年四季其实只有两季,刚刚脱下棉袄,没过几天街上就有人穿单衫了。这样的地理环境,产生了秦嬴政的"狼虎之师",产生了味道最辣的线线辣子和紫皮独瓣蒜,产生了最暴烈的"西凤酒",产生了音韵中少于三声多于四声最生、冷、硬、倔的语音和这种语音衍义成的秦腔戏曲。在大小的饭馆里,随处可以看到一帮人有凳子不坐而蹴于其上,提裤腿,挽袖子,面前放着"西凤酒",下酒的菜是生辣子里撒着盐,而海碗里的一指宽如腰带的长面,辣油汪红,手掌里还捏着一疙瘩紫皮大蒜,他们吃喝得满头大汗冒气,兴起了咧开大嘴就来一段秦腔。西安人的生、冷、硬、倔使他们缺少应付和周旋的能力而常常吃亏,但执著和坚韧却往往完成了外人难以完成的物事。二十年代"西安围城"之役就正好体现了这一点。

一九二六年的春天,军阀刘镇华在吴佩孚的支持下,又勾结了阎锡山以及陕南、陇东、陇南的镇守使,率十万兵力攻打西安。守住西安,对于策应广东革命政府的北伐有着十分重要的战略意义,但守城的军队仅有杨虎城、李虎臣、卫定一三部近万人。一万对十万,相持了八个月,这是何等的艰难!刘镇华攻不开城,就企图围死城,沿城周挖壕七十华里,壕后筑土墙,架设大炮隔绝内外,又纵火烧毁城外十万亩麦田。城中粮食短缺,斗粟百元,后到有价无市,军民挖野菜、剥树皮、餐油渣、咽糠麸,进而煮皮带、吃药材、屠狗杀马、挖鼠罗雀,甚或食死尸。有两段文字,是亲历围城之役的人写的:

一、城中死尸,到处可见,收埋稍迟,则犬来啮之,甚至有饿至难忍,假寐道旁而群犬亦向之龇牙者。余在端履门见一饿倒老妪,

孤獨者

穷则独善其身达则兼济天下
画无志者不能至者可以无悔矣
书集古句抒书房
戊子之岁末 时明光明竟平白

尚未绝气,群犬即围而争食。细观老人,若欲格之而无力格之,然待余飞身赶到从事驱逐,而老人之一臂一足已为群犬咬断,多已去也。

二、十一月十二日,风雪连天,白昼若晦,全城几断人影,是日遂以死两千人传矣。越日,余往各处视之,见屋檐之下,倒毙无数,大道之中,横陈多尸。披乱麻布者有焉,拥旧棉絮者有焉,穿破夹衣者有焉,此服色之不一也。有口含油渣而尚未咽下者,有突然倒地做欲起之势者,有若彼此互抱而取暖者,有蜷曲于乱草之中,状若安睡者,此死相之不一也。其中男子最多,妇人最少,老者最多,幼者最少,劳工最多,他界最少,此人色之不一也。余观至此,几疑此身已入饿鬼地狱中。

即使如此,西安人仍未屈服,八个月后,击败了刘镇华,护城成功。成功后,在北新街空旷地上挖下大坑,葬埋了遗散在城内各处无人收埋的死难者万具尸骨,并在大冢上修起纪念馆,杨虎城以沉痛心情写了一副挽联:

　　生也千古死也千古,
　　功满三秦怨满三秦。

城西南角有个地方叫双仁府,再往南而又西的小巷叫火药局,之所以叫火药局是因为旧时制造过枪弹。小巷是一道坡,铺有青石,巷口堆卧着一对巨大的石狮,能想象石狮后曾是实枪荷弹地站着过兵卒的。星期天,因我在一个熟人家获得一个精致的蛐蛐罐儿,来城墙根寻蛐蛐,我们踏过了小巷,在那巷外的一大片荒蒿地里转悠。蒿草半人多高,无风,一派蛐蛐烦嚣,跺跺脚,和声就住了,刚一移步,鸣音又起,但却无论如何也捉不到一只的。忽然见城墙根处一丛蒿草摇曳,甚觉奇怪,近去了,扫兴的是一对男女在那里坐地,忙避身走开,一边想爱情是不怕黑不怕旷也不怕脏的,一边竟发现那城墙的土壁上有无数的小洞眼儿,而洞眼儿里都钻有弹头!进巷的时候,一个老太太指点说那荒蒿地原是试枪打靶场,没想弹头会这么多,是清时的兵卒在这里试射的呢,还是杨虎城的将士的遗作?捧着满满的一掬出来给巷子里的人看,他们并不稀罕,指点着一所院子,说先前那屋顶上就站有岗,什么样的武器家伙都有。问:这是什么人的院子?答:李虎臣的家。我遂肃然起敬,想起了西安围城之役的往事,扒在锁着的院门口向里张望,虽什么也未看到,回家却画了一幅画。画的是一个破烂的窗户,窗户外的墙上左右爬着两只壁虎,题写了"二虎守长安"。

著名的"西安事变"发起人之一仍是那个杨虎城!可以说,全城死去四万人守护八个月的只有在西安发生,而敢以地方军的身份把蒋介石抓起来,也只有陕西人能参与。临潼的骊山我去过多次,在捉拿蒋介石的石崖上总能想见人在危急时的能量,那么至尊的蒋委员长听到枪响后大冬夜里穿件睡衣赤脚能跑上山,又能从石崖的一个窄缝中爬过去!但我更想到的是杨虎城的胆量,以他的地位和兵力,若是别人,见了蒋介石粗气也不敢出,何况他与张学良相比,又算个"粗人"。张不但喜爱骑射,且有驾机遨游的嗜好,曾驾机飞越秦岭到汉中与孙蔚如军长共进早餐,再驾机去重庆办事,又驾机往洛阳会友,然后飞返西安,何等的倜傥潇洒。杨虎城凭的什么呢,喝烧酒,吃羊肉泡馍,吼秦腔,一副厚重憨朴之相,就凭的是铮铮的民族气节,凭的是陕西人的豪胆,不干就伏低做小,要干就破釜沉舟。据民间传说,在兵变过程中,杨虎城也是怀疑过张学良的坚决性的,他也曾主张过杀掉蒋介石,只是在共产党的力主下,他顾全了大局,和平解决了西安事变,但等得知张学良亲自护送蒋介石离开西安后,他捶胸顿足,知道张学良走错了一步棋,也清楚了自己将要面临的命运,数日里沉默不语,关门不出。

一代宗师吴宓论说过陕西人的性格特征:倔、犟、硬、碰。所以陕西人很少能在中央机构里任大官,即使有也为期不长,沦为悲剧。杨虎城在西安围城之役和西安事变中都是给自己做了棺材,向家人和部下做了后事安排的,围城之役中他枪毙了力主投降的大绅士褚小毖,年迈老母在老家生命危急时,他下令凡是有关他母亲的消息,任何人不得向他报告,违者杀无赦。在动员会上他流泪表示:我不是要大家战死而我独生,我已下定决心,城破之日我就自杀于钟楼底下,以谢大家,以谢人民!他生前曾自我评价,一生只做过三件事:一是十八岁时杀了蒲城县的大恶霸李桢,为蒲城人民除了一害;二是守住了西安,把孙中山的民主革命在陕坚持到底;三是和张学良发动西安事变,达到了停止内战一致抗日的目的。他阻止部下谈他的"五马长枪"。"五马长枪"是西安的土话,指出五关斩六将之类的光辉业绩,但西安人至今民间流传最多的仍是他的五马长枪。

西安的东门里城根一带,历来是有个露水市,也称鬼市的,即天微明开市,太阳出来散市,集市上买卖破旧杂物,专为下层人开的。鬼市现在还依然,八十年代初我去那里买过一个自行车旧轮胎。这些年听说鬼市成了小偷们的赃物出售地,常发生黑吃黑现象,更有公安人员在那里卧底缉拿罪犯,我胆小,就不敢去了。一日被朋友怂恿,说是可以看到社会底层各色人等,便黎明六点赶到那里,天麻麻胡胡,城墙根下已有了些许人,或蹲或立,窃窃私语,其状若鬼,忽有人疾步奔跑,遂有十多人极快地将面前物件装入麻袋扛了也跑,不知发生了什么事故,吓得我们再不敢近去,拐进一个巷子走掉了。西安还有两个好的去处,我倒是那里的常客,一处是八仙庵,一处是朱雀南路的旧货市场。八仙庵是座道观,香火是极其盛的,每月初一和十五,城里上些年纪的老户妇人就抱了孙子要去庵里烧香磕头,万人簇拥,当然就兴旺了香火纸表鞭炮生意,热闹了小吃摊点,集中了课命卜卦之流。不可思议的竟有一条街红火着古董买卖。书院门街上是固定的文物古董市场,不知是那里门面已无法再扩增还是出售书画赝品太多坏了声名,反正是朱雀南路口就开辟了新的旧货市场。我在八仙庵买到了一沓旧时照片,在朱雀南路口旧货市场买到了十多张未署名的写生画,意外的收获使我兴奋了许久。旧照片是关于西安在民国十八年饥馑中一些赈灾内容的,尤其是那些饿死街头的灾民相片,令人惨不忍睹;而写生画则是一位谁也无法知道姓名的画家在街头的风情速写,正是这些偶尔得来的资料使我触摸到这个世纪之初西安的模样而唏嘘不已。

民国十八年,陕西遭了大旱,其严重程度在国内以及世界的历史上都是罕见,据呈报南京政府的文件显示:全省二百万人饿死,二百万人流离失所,八百多万人以树皮、草根、观音土苟延生命。南京政府成立了"全国赈灾委员会",派视察团至陕,其视察团某成员日记记载:第一天前往西安的西北二乡,东菜园、含元殿、二府庄、大白杨、西十里铺,车子行驶不到五分钟,便见路旁饿死的有十余具尸体,苍蝇营聚,白蛆咕涌。再往前行,更有奇臭刺鼻,停车见三千米外有一大坑,坑中塞满尸体,且不远处正有人用木板车和绳索拉扯往这里运死人。坑是天然的大涝池,已无水,尸体几乎填高至坑沿,有人踏着尸体过去拣扒衣服。午后再去了孙家湾、坑底寨,所有田地荒芜,蓬蒿没胫,不时发现破烂衣服与零乱骸骨。入其村,屋多泥门堵窗,无人居住。饿毙者先后相继,多至绝户,村人埋不胜埋,只泥堵其窗户,希图苟安于一时。那时赈灾,西安设立了妇孺收容所,又设了施粥厂,由赈务会发给受赈者食粥票,填明街巷及姓名,并照票据上的姓名造册留给粥厂存查。粥多为霉米,稀可见影又石子硌牙,但施粥时,检票员站在粥厂入口,验明饥者所持的食粥票,并核对与本厂底册无异,再发给一个竹签,然后排队入厂内,每人一满勺。翻阅这些照片和有关资料,我实在不忍于提起这段往事。西安人至今有两大忌讳:一是不说"出玉祥门",玉祥门是西安围城之役冯玉祥领兵解围时所新开的一道城门,而此城门外在四十年代为国民党西安当局枪决犯人的刑场,二就是不愿提说民国十八年。

经过了民国十五年的围城战争,又经过了民国十八年的饥馑,西安是元气大伤,越发不敢谈繁华之地,十多年后艰艰难难缓过劲来,愣神一望,北京、上海、南京、广州是何等派头,而自己只是更多着农村的气息。这,也就是我在那一堆写生画里看到的情景。我的两个朋友,都是旧时西安城中的豪门后代。一个朋友讲,他那时还小,出门却是坐车坐轿,前后随着四个卫兵的,他推过牌九,吸过鸦片,到翠红楼上去窥视过妓女,在饭馆里聚众砸椅桌,是有名的"十大恶少"之一。"但我后来革命了。"他说,街上有了游行队伍,反饥饿,反内战,他每日一听到街上动静就往出跑,而父亲在家他是不敢动的,父亲午休起来照例得喝茶,茶毕则和新娶的姨娘在后花园习剑健身,一等门口汽车的喇叭响,父亲戴了礼帽出去了,他就将藏在屋角的三角小旗子拿上往街上去。另一个朋友是位女士,年龄更小,她讲她的母亲是上海人,是父亲在上海做生意娶来的,父亲是传统的治家方法,从小要求她的大姐笑不露齿,行不动裙,竟在大姐的裙边缀上小铃铛,若大姐走路疯张,响了铃铛,就呵斥不已。而母亲却受的洋式教育,能诗能画尤喜弹琴,每日必要上街看电影,夫妇少不得吵架,最后离婚。"你看,你看这把琴!"她搬出一把古琴,上面刻着秀丽的三个字:张一白。这是她母亲用过的,母亲离家时她一岁半,但母亲决然地走了,据说她嫁给了一个金融家,后来定居在香港了。各个家庭有各个家庭难念的一本经,大户人家的故事在西安毕竟知之甚少,大多的市民还只是为生计忙忙。一圈的城墙外,护城河里日夜流着臭水,一早一晚风把热腾腾的酸臭味吹遍各街各巷,尤其夏季,刺鼻的蒜薹味经久不散,香囊是稍有讲究的夫人和小姐出门必备之物。进了南城门子，没有一幢高出城墙的建筑，楼垛上栖落了成群的乌鸦，将粪便白花花拉淋在墙砖上和箭楼梁柱上，天一擦黑就呱呱呱地聒叫不已。更有些猫头鹰，大白天里泥疙瘩一般蹲在城墙垛头、钟鼓楼屋脊或城河边的榆树丫上，谁也不敢打的，打了据说遭殃，看见只能仰天呸呸吐几口唾沫，这如同街上张贴的处决犯人的布告，碰见了就撕下那朱笔勾就的红钩，带回家可以避邪。猫头鹰在夜里一叫，听到的莫不心跳肉颤，很肯定，第二天必是某一街巷的什么人家死了人。死了人的奠祭就在门首挂纸把，芦席搭了灵堂在院里，请乐班吹吹打打，整夜里唱孝歌。孝歌里有这样一句"人活在世上有什么好，说死了他就真死了"，唱得一条街巷的人都心里发酸。大人们死了，两天三天后就用木板车拉着白木棺材在孝子贤孙的哭嚎中去城外的外郊埋葬了，而那些出生未满周岁的小儿夭折了，则是用破布或乱草包裹装于竹筐，放在门外，掏钱让那些"闲人"带出城去处理。西安至今有一个很著名的词：闲人，指那些浪荡于街头上的无所事事的人，但"闲人"的起源却是一种职业，即当年穿着白底皂面深帮鞋，光着头，披着件白布褂，肩头上扛了一把铁锨，专门做收埋死婴的勾当。

据史料记载，三十年代以前，西安是特别的冷，往往农历十月搭初就下雪，撕棉裂絮一般，街上积雪一尺多厚。整个冬季，地面冻得裂缝，砖瓦有的冻酥，"糟糕"二字，被当时报刊上频频使用，都是形容冻酥的砖瓦的。房檐上悬吊一尺多长的冰凌坠子，那是普遍的景色，坑坑洼洼的街路上，木轮的、胶皮轮大车时不时就碾扁了那些冻死的麻雀和老鼠,竟然都是无血。人人都讲究穿羊毛、狗毛袍子、戴耳套、蹬深腰棉窝窝。下层人的双手是要劳动的,手套当然要有,但手套只套住手腕和手背,五指是裸露的。富裕人家在家喝酒,酒得装在铜酒壶里于火盆上温热,现在土话里有一句"一壶酒冷喝了",形容一件事办得不体面不畅心,就是从那时产生的。

九月份,居民们就要准备着过冬做饭和取暖的山柴、烟煤和蓝炭了。南院门东头的德福巷是最大的木炭市场,终南山下来的炭民,两鬓苍苍十指黑,在那里要待很久时间,却舍不得烤炭,常烧茄子秆和辣角水泡手脚上的冻疮和血裂。差不多的四合院里,台阶上都是一摞两捆的堆着山柴,人与人见面,第一句问过"吃罢了没?"第二句就要说:"炉子盘了?"街上有专门盘炉的手艺人,马场门和牛市巷则有专售炉灶。用马口铁石油方桶内外涂泥制作的炉可以烧煤饼或蓝炭,铜盆可以架明火,还有大脚炉、袖炉,用的是白铜,亮泽如银,遍体刻花。炕是任何贫家和富户都少不了的,只是富户的炕上铺毡垫褥,重要客人来了,招呼上炕去吸几口大烟土,贫家的则讲究炕沿上镶一块光洁出油的柏木板,亲朋好友来了就脱鞋上炕,去人忙喊:快去买尜子啊,把炕煨热噢!尜子是晒干的马粪或柴火碎末,街上有出售。如果炕烧得并不热,就在被窝里塞个"汤婆子",那种铜制的能灌了开水的女人形东西。炕角当然有一尊石刻的狮子或老虎,若客人携了小儿来,一根红丝绳一头拴了石狮石虎一头拴在小儿腰间,大人再说话,小儿也不会掉下炕去。

太阳出来了,街上避风的墙根就必然有一堆堆人晒暖暖,有钱的主儿从街上走过,长袍马褂的,衣领处、袖口、马褂边暴露了炫白的羊羔九曲细绒。时髦的人有一条宽而长的围巾一头垂在前胸,一头搭于后背。店铺里的相公、伙计们依然立柜台内,一边跺脚哈气地一边拨响着算盘珠子,一边朝门外看缩着脖子仍叫卖不已的甑糕摊、羊血摊和卖针头线脑帽子围脖的货郎担。剃头匠的挑子真正是扁担两头翘,极夸张地往上翘,几乎成一张弓,可能是源于满人入关要求汉人剃发而不剃发者就割头的遗风,挑子一头是冷凳子一头是洗头烧水的热炉子,炉子前还是高竖一个木杆的,但木杆上已不再挂人头,是系一束红布条。大轱辘胶轮马车定时从北郊载客进城了,车夫的胡子上是一层热气哈出来又冻成的冰花碴碴,他在馄饨店里吃了两碗馄饨,又叮咛店伙计在擦黑将一碗不放胡椒的馄饨送到保吉巷的某某号去。伙计不免笑道:又给王姑娘啊?!王姑娘其实是保吉巷里最老最丑的妓女,老车夫脸并不红,一边走一边说老了老了还能干个啥,图着夜里暖暖脚嘛,头也不回地走了。冬天里,妓女的营生也是惨淡的,只有商界的军政界的有头脸的大人们才是包着开元寺妓院的几个苏州扬州的姐儿,而其他的妓女大多都闲置着,保吉巷的鸭子坑的下等娼妓就只有车夫挑夫和小贩去光顾了,便宜到一碗热馄饨即可。

我在芦荡巷的一个大杂院里采访过一个老得已走不动的人,他在解放前是个货郎,主要在教场门、洒金桥一带串巷,他没有多少文化,却无意间说出了两句当年说过的词儿:"拨浪鼓,响连天,媳妇女子一大串;过了桥,心里想,家里还有咱婆娘。"我觉得这词儿艺术性非常高,记录了他卖货时见到那么多女人,自然心里有许多想法,可走过了洒金桥那个地方要回家去了,心里就也只有自己的那个黄脸婆娘了。

漫长的冬季里,或许是孩子们最快活的,他们可以在街巷打雪仗,拿弹弓瞄准谁家屋檐上的冰凌坠子,用砖块和烂草堵谁家的炕烟囱,手脚已冻得裂口出血,头上却出了汗,卸掉了帽子,露出了马鬃头、笼系头、连毛头。城里孩子的发型和乡下孩子的发型没有差别,额头上都留长方形一块头发垂至额前或脑后也留一撮如雀尾头发,头顶又有从前至后的一绺头发,前连了刘海儿后连了雀尾。而系在脖子上的铁项圈和铁项圈下挂着的八卦钱和二十四象铜钱,就晃荡不已,叮当不已。在餐具上,中国人使用筷子,西洋人使用铁叉,有人认为历史上外国人侵略中国,光从他们以金属做餐具就看出他们的强大,而外省人的小儿脖子上一般佩戴红缰绳的,陕西的小儿却佩戴铁项圈,你可以认为是强悍,也可以说憨蠢,因为如囚徒。孩子们玩得疯狂了,要跑很远的路去西城门的骆驼巷去看热闹。甘肃、宁夏、青海的商人穿着没有上面子的老羊皮袍子,牵着几十头骆驼来贩青盐了,他们搭起了帐篷歇脚,骆驼就跪卧在帐篷外,孩子们感兴趣的并不是帐篷里男人们用大碗喝酒时女人站在那里唱"花儿",也不是骆驼跑开来从后看去拙笨滑稽,而是这些高脚头口卧下来竟嘴上套个布袋在嚼草料。

陕西是内陆省份,一般人是没有见过海的,陕北沙漠地带的人将小小湖泊就称做了海。当然,西安人也要将海字理解为大,说到谁的官大就是"他把官做海咧!"大的碗也叫做海碗。所有的羊肉泡馍馆和面馆,使用的都是海碗。西安南大街就有一家耀州海碗店,门面上刻着一副对联:人生唯有读书好,世间莫如吃饭难。

李斯在西安的秦朝时,统一了全国的文字,也规定了以秦的话语为国内通行话语,但当一九四九年新中国颁布实施了普通话,西安话却被沦丧为最难听的口音。原本同是北方语系的西安人按理较为容易讲普通话的,但西安人讲普通话显得艰难非常,这原因一方面是西安话去声多,咬字硬、重、浊,另一个原因是它的自大性和保守性作祟。普通话是普通人的话,西安人常常这么解释不说普通话的理由。可是,抛开它的保守性的弊病,这种保守却使西安话将中国上古语言在民间较多地保留了下来。我曾收集过相当多的属于上古语言的当今西安土话,总结出了其动词最多,又常常将一些现今流行的成语、词汇还原到原本含义的特点,使我的写作受益匪浅。我的文学创作使用的语言曾使许多外地人认为古文的功底深厚,其实是过奖和不了解,我仅是掌握了西安语言的特点而从民间话语中汲取一些东西罢了。现在,外省人对西安人最突出的印象是西安人把"我"念作"恶",狠劲劲的,殊不知在西安的一些传统面食店里,门口支了床一样的大案用大钢铡刀切面,店屋正墙上写一个斗大的"咥"字,"咥"为古语,是吃的意思,但吃得凶猛。还有一种面馆,挂的招牌上是"䴜"字,如武则天造"曌"字,神秘而蛮横霸道。

我在这个城市生活了将近三十年,为之得意的是我在这样一座古意浓厚的城里从事着我的写作,虽然孱弱单薄,但每每一月半载了就去登临城头,沿着南城门外走走,便气势上身,自我的感觉里也俨然成了大人。但我必然地也滋生了西安人不合时宜的毛病,比如讷言,有言则生硬,更甚者是张狂时最张狂,自卑时又最自卑。留给当今可供翻阅的史书和壁画里,唐长安城万邦来朝,生活在城里的平民百姓人高马大,宽衣松带,对待那些蓝目赤发的外国人并没有围观与惊羡,并且疑惑洋人走路腿直是不是没有长膝盖,更嘲笑他们的粗糙皮肤和恶心的狐臭味。即使文人士子如李白者,仰天大笑,醉卧酒市,连天子呼来也不上船。在汉长安,年轻的霍去病向西征战,所向披靡,将皇帝赐赏的酒倒在泉井让将士痛饮,那种场面是何等地令人热血翻腾,心扉鼓荡!面对着普遍能收集到的那些汉时石匠、泥瓦匠用锤子凿子刻成的门墩、石狮,用泥土烧制盛水装米的罐子,我们有资格也有理由去戏谑明清以降的景泰蓝、鼻烟壶和蛐蛐罐。每每在京津的公园里看见一群一群老妇人插花抹粉,手摇彩扇跳舞健身时,我就想到霍去病墓前的人与兽的那块石雕,在汉代,长安城里的人健身常有人用与熊格斗的方式,而如今西安普通人家的床头不仅有拴小儿的石狮石虎,更多的是做布老虎为小儿的枕头,从小使孩子与虎同在。在常熟市的破山寺旁,我见到过许多旧石狮,皆雕得一派媚态,就觉得西安城里的石狮太威武了,连那些常见的拴马桩,顶端上的鹰犬雕饰也凶猛可惧。我在月明星稀的夜晚沿流光溢彩的秦淮河走过,也曾参观了京沪动物园中的所谓国宝大熊猫,却涌上心头的总是西安城北日夜奔涌的古铜汁一般的渭水和汗血马。试想想,是姜太公在渭河岸头直钩钓鱼,高呼"愿者上钩";是周文王求婚于金水畔,民众传唱"关关雎鸠,在河之洲。窈窕淑女,君子好逑";是秦始皇统一了中国,得知金陵之地有王气而派去囚徒掘断那里山脉;是汉武帝在西域修建行宫,了解到负责修建的官员贪污巨款偷工减料而将其剥皮蒙鼓悬挂于城门洞上示警;是武则天可以令牡丹在寒冬里一夜开放,并能将她的坟墓造成仰面躺着的女人形状;是雷荀公敢于三次力荐苏洵父子三人使旷世的天才震动朝野……这些,凡是西安人没有不引以为自豪的。明清以后西安的衰败以至于到现在西安仍属于边城的地位,西安人之所以竭力要振兴,辉煌的历史在支撑着他们的心劲。但是,正如英国人看不起美国人而又不得不事事附庸了美国人一样,西安人将历史说得太多就露出了阿Q的秉性。当年全国学大寨,西安人包括整个陕西派代表是去了大寨参观,骨子里并不以大寨为然,以至于连陈永贵也批评说:老陕爱参观,参观回去不动弹。改革开放后,当陕西在政治、经济、文化诸多方面远远落后于国内别的省份,陕西人是蔫了,他们在国内的各方面会议上都只能坐在会场的后排和角落,听任北京的上海的广州的人夸夸其谈。口讷是有遗传基因的,而衰败使陕西人有口也说不起话。多少年来,陕西人在思考着落后的原因,西安也不知开过了多少研讨会,将重振汉唐雄风的口号喊得震天响,但西安仍未能坐拥西北,雄视天下。我曾经写过文章,提出过我的观点,认为西安和陕西在今日之滞后的原因有六:水源缺乏必然会影响到城市的发展和繁荣,西域的历史上的三十六国消亡就是断水而被沙漠淹没的,古长安城曾是八水环绕,如今除泾水渭水还可以外,其余六水不是干涸便是流量骤减,竟然城市食用水也发生枯竭,不得不从太白山下的黑河里修渠引水,这是其一。交通是经济发展血脉所在,陕西原本属内陆省份,公路铁路交通不畅,虽近些年以西安为中心东西南北开始有了通道,但仍未辐射成网络,直接影响着外商投资环境,这是其二。国内的政治、经济、文化中心的北去东移潜意识影响着西安和陕西人的心态,这是其三。以上三个原因使明清以后外国势力未能侵入,在当时当然是一种幸事,而从另一个角度讲也缺乏了先进的商业意识,这是其四。沉重的历史包袱,又因革命圣地延安的艰苦奋斗自力更生精神的长期教育而难以平和心理放下架子,制约了想象力和创造性,这是其五。关中平原的富饶使民性中滋生了懒惰和历代游牧民族与难民的进入而游牧民族仅满足于小生意,难民又多乏于温饱之后的进取且性格中多散漫、破坏成分,没有形成大生产的传统,这是其六。中国是有三长的,长江,长城,长安,长安虽然能长久地安康,可这种长久之安逐渐地销蚀了它的生气。我们常说,任何外来的东西到了中国,最后都是被中国同化了,西安正是最典型的体现,从一九四九年以后历来的政治运动中,陕西以至西安始终未有什么典型可提供给全国的,或许错误的东西它执行得慢未受到大的祸害,而正确的东西它依然疲沓对待则失去了一次又一次机会。西安城可以说年年在扩大,奇怪的现象是那些已成了城区的那些没了土地仍是农民户口的众多人群接受新鲜事物特别迟钝,许多时兴东西从京津沪粤传到西安城城圈内,先是传到陕南陕北县城,然后再传回西安城郊,至今这些地方封建意识浓厚,如新媳妇仍要在婚后多少年每日必到公公婆婆屋中去倒尿盆,令人大感难解。过去西安有八大景,说到雁塔钟声呀,灞柳风雪呀,曲江流觞呀,但很少传播开,倒是陕西八大怪却在西安问谁谁也能说,比如面条像裤带呀,锅盔像锅盖呀,辣子当做菜呀,房子一边盖呀,凳子不坐蹴起来呀。西安流行着一首谣词,可能是外省人给陕西人编的,陕西人没有恼,反而得意,我头回听这谣词是在一家面馆,一位黑胖子大声向老板要油泼辣子,然后念道:"八百里秦川尘土飞扬,三千万人民吼叫秦腔;来一碗面条喜气洋洋,没有辣子嘟嘟囔囔。"舌头舔了一下宽厚的嘴唇,样子颇得意。

还可以再说说历史上的事。汉长安城东面北头有个轵道亭,驻了军人专门稽查行人,名将李广有一晚从此经过,在轵道亭当班的霸陵尉因为喝醉了酒突然执法如山,未让李广通过。李广的随从再三说明身份,霸陵尉就是不买账,以规定将李广扣留了一夜。这个李广后来出征,有了皇帝赐给的大权,指名一定要那位霸陵尉随军,一随军便把他杀了。诗人李白得到朝廷赏识时万人敬仰,所有官宦买通酒店老板希望能与之相见,盼的是李白能为自己写一首诗文或在朝廷言一句好话,待到失意,去夜郎流放时竟无人相送,他是能喝酒的,临走时想再喝一次桂花稠酒,东门外的"将进酒"酒馆的老板不愿出面,让伙计在酒里兑白水哄他。令"三宫六院无颜色"的杨贵妃在马嵬坡断魂后,唐玄宗逃往川西还在半路上夜闻驿站风铃响有贵妃呼他"三郎"之声而痛不欲生,但长安城里人人只去马嵬坡贵妃坟上抓土回家培花,认为花能开艳,以致将坟丘抓平,抓平了修复又再抓平。司马迁执言仗义受了宫刑,族人并不是现在说的为了怕灭族而改姓,一股在司字旁加一竖成为姓同,一股在马字前增两点成为姓冯,实则是嫌蒙羞耻。荆轲刺秦王,原本秦人该痛恨荆轲的,但秦朝亡后历代将秦始皇骂为暴君,西安城里就为荆轲修墓,且一直能保护下来。而董仲舒的坟墓据说以前倒也有过,但一会儿说在城南一会儿说在城北,前几年在一大杂院的厕所坑边发现了董仲舒墓碑,但仍没能为他修起个坟丘来。慈禧逃来西安,何等的国难当头,有个姓施的人却行贿李莲英,企图得道员之职,老佛爷竟说了句:"今蒙尘在外,价可稍廉,然道员之职可擢两司,至少须万余。"一时长安城里卖官鬻爵成风。一九四七年国民党政府要召开"国民代表大会",西安的头面人物展开竞选大战,街头巷尾都贴上了"请投×××一票",有个姓马的竟雇大卡车拦在街口,大喊:"一张选票一碗羊肉泡!"拉人上车去饭馆。柳青在晚年的时候肺气肿严重,穿对襟褂子,留个光头,吭吭咔咔随时要闭过气去,他挤在公共车里到站时谁也不肯让道,竟从众人的腿下钻爬下车。石鲁在"文化大革命"中被批斗致疯,去肉店排队,别人买肉,他只要苦胆,众人明明知道他是石鲁,却哄笑他,将他推出队列。西安有让西安蒙辱的地方,以致使相当多的杰人俊才在西安的四堵城墙内是毛虫小鸡,走出去了却呼风唤雨,成龙变凤。国家改革开放以来,唯西安的各个行当流失的人才最多,曾四处惊呼"孔雀东南飞"。著名的国画大师何海霞在送给石鲁的挽联中就写过:□□□□□□,西安生人难养人;哪里黄土不埋人,□□□□□□□。他最后也出走了北京。

科举制度,使陕西并没有出过几个状元,这是事实,可综观历史,西安的文人和在西安生活过的文人,如果罗列起来,足以作为一部中国的文学史。"雁塔题名"那是唐时流行的成语,那些学子会试中了进士,在雁塔旁的曲江宴饮聚会,公卿豪贵之家也携家偕眷簇拥而来,在新贵中挑选东床,孟郊就写下了"春风得意马蹄疾,一日看尽长安花"。曲江宴后便到雁塔下题名,陕西人白居易更有了"慈恩塔下题名处,十七人中最少年"之句。新进士的得意忘形和风流韵事,姑且不论,但注重文化和全社会对文人的器重,西安却是有深厚的传统的。是西安这块地方易于滋生斯文,还是历代文人汇聚于此地使西安有了灵性,当今的事实是西安的文化氛围要浓于别处的。我到过许多极普通的市民家,多多少少都收藏有古书古画,并数次看到中堂上悬挂:"一等人忠臣孝子,两件事读书耕田","读书是福,开卷有益"的条幅。走遍全国大小城市,手写的风格各异的店铺匾额西安最多,即便那些流动于街头巷尾叫卖的小吃担,如甑糕、笼笼肉、蜂蜜凉粽,担头上晃悠晃悠的一个小木板招牌上也常是集了颜真卿的字或于右任的字。高等院校之多现居于全国第三,随处在一些并不显眼的门洞上可以看到各类少年书法、绘画、声乐、舞蹈培训班的字样。秦腔戏曲的普及是外地人难以想象的,任何娱乐、聚会或乘凉处说唱就唱,且一人唱众人和,而人家遇红白喜事,就请专业剧团的人员来办堂会。专业的业余的作家以及文学爱好者人数众多,凡有文学讲座必是蜂拥而至,若遇名家签名售书,书店门口总少不了警察来维持秩序,疏散人流。书画学会,书画研究院,多得连书画界的人也搞不清。我听说过一个笑话,说是一次警察抓赌,抓住了几个书法家和画家,警察处罚的办法是上街买了一刀纸,让各人书写绘制十多幅,然后不了了之。我是经历过一件事,是骑自行车过马路时闯了红灯,交警没收了车子并呵斥掏身份证登记,待他看过身份证,竟咔地向我致了一礼,送我穿过了马路,倒弄得我一脸的羞愧。

　　离西安不远的白水县有个仓颉庙,是中国汉文字产生的地方,仓颉造字的故事竟在西安有各种各样的说法,仓颉庙的石碑拓片甚或寺庙里的任何物事的照片都相当数量地被西安人购买收藏。三年前,南门口西侧的湘子庙街的土墙上出现过一张红色纸条,上面写着:"敬惜字纸,善莫大焉。"我觉得奇怪,询问这是谁贴的,什么意思,于是认识了一个老者。我同老者在羊肉泡馍馆里一边掰馍一边交谈,他告诉我他在年轻的时候,西安的寺庙庵观道院都设有铁炉的,每日又派出当值的和尚道人,持钉竿,挑竹筐,走街串巷收捡字纸,然后携回投炉焚化。那时的墙壁上多写着:"文字乃圣人创造,人人皆当敬惜。文人渎污字纸,文曲星降罪,则进学无门,考试不第;常人渎污字纸,则瞽目变愚,捡拾者,功德无量,增福添寿。"西安如此的爱斯文,对于祖先秦始皇嬴政的焚书坑儒又如何对待呢?西安东郊的洪庆堡据说就是坑儒的地方,洪庆就是由洪坑而改音来的,民间就一直有一种说法,即洪庆堡南侧的簸箕沟里活埋过文人,每逢天阴雨湿,冤鬼悲号,世世代代的孩子即使拾柴割草也不到那里。这里失去了文脉,自古以来没有出过名人,从秦至清末仅仅有一个秀才。此话真实性到底有多少,已无法考证,现在应届高考生在高考前特别忌讳去洪庆堡却是事实。

　　明清之际,西安是出了几个闻名海内的大儒,创办了一座关中书院。现书院已作为街名,书院的一些建筑仍保留在街口。关中书院的大儒叫冯从吾,办学的宗旨以"天地万物一体为度量;出处进退一丝不苟为风操",评论时局,抨击魏忠贤之流,他每次阐道时,环而聆听者千人之众。天启二年,魏忠贤的权力越来越大,朝内外一些依附魏党的官员献媚取宠,给魏忠贤树碑立传,修建生祠,魏在陕的党羽准备在西安修祠,冯从吾竭力反对,终使他们未能得逞,形成"天下皆建生祠,唯陕西独无"的局面。关中书院成为明清两代陕西的最高学府,不少学者,包括后来的状元王铎和那个赵舒翘都是从这里受教发迹。到了清初,西安另一个大儒出现,这就是李颙,也是在关中书院主讲,倡导"严义利之辨,审出处之宜,忧乐关乎天下,痛痒系乎生民",对陕西地区人才的培养和社会风气的养成产生了深远的影响。

大儒们经营的经国维世的理学,芸芸众生自有民间文娱。西安洒金桥北口内侧有座安庆寺,寺内殿宇按地势由东向西逐步升高于五座土台之上,由于城南终南山上有南五台,耀县有北五台,这里便称做西五台。西五台有古会,每年的农历六月十七开始,十九结束,古会中有一项重要内容就是长安古乐赛会。老西安的乐社是十分多的,它们并不是什么组织严密的音乐团体,既有宗教性质,更是业余爱好者的自愿组合,这样的赛会便为敬神和自我娱乐和谐的统一。乐社大致分两类,一类是由鼓、铙、锣、钹等打击乐器组成的铜器乐社,一类则是由笙、管、箫、笛等吹奏乐器组成的细乐社。乐谱都是用宋代的俗字记录的,流传演奏着我国古代传统音乐,特别是保留了相当丰富的唐代燕乐遗音。庙会期间,因安庆寺是尼姑住持,会期多售儿童玩具、地方小吃,商贩设摊叫卖,所以城内妇女儿童多来赶会,香火极盛,热闹非凡。这些传统的乐社至今还保留了一些,西安从八十年代举办起"长安古文化艺术节",民间乐社演奏的古乐一直是压轴戏。现已作为陕西戏剧中一个剧种的"长安道情",即是从这些古乐中继承发展而形成的,而已经名扬海外的击打乐节目《鸭子拌嘴》、《老虎磨牙》等,也正是在这些古乐中推陈出新创作出来的。如果去长安县何家营村参观"长安鼓乐陈列馆",就可以看到原在西安市区和市属长安、蓝田、周至等县街道、乡镇、会社和寺观庙宇的鼓乐社使用过的乐器,和这类古乐世代传留的谱本百余册、乐曲四十余种。提起了古乐,我不禁想到了在西安东郊的半坡遗址上发掘出的乐器:埙。埙吹奏出的是土音,刚而浊。可以说,在现今的中国再没有一个城市的乐器店中、旅游货摊上那么普遍的在出售埙。我在《废都》一书中写到埙的时候,国内能吹奏埙的专家并没有几个,当我同几个朋友带着埙夜里登城墙吹奏,城墙下涌集了那么多人倾听,它是那样的浑厚、神秘,有极强的穿透力,以致使一些年幼的少女惊恐而哭。埙的声响最能表达中华民族的性格,最能与西安这座古城氛围相融,如今城内大小文艺晚会上总有埙的演奏,那是拳大的泥葫芦形状,而巨大的埙,该称做朏的,大若水缸,现放置于半坡母系氏族村中的陶山上,却无人能吹动,只等着天风旋来吧。

该提说到棋艺了。西安的象棋一直比围棋受到重视和普及,如同北方人崇尚黄金,南方人崇尚珠玉一样,象棋粗犷、激烈和明快是宜于西安人性情的。象棋爱好者可以在家中对局,或街头巷尾聚弈,飞炮跃马的中心场所却都在茶馆,老西安著名的象棋茶馆就数骡马市的毛家茶馆,国民市场东南角的仁义茶社,城东北角的张家茶社和甄家茶馆。清末至解放前,这些茶社门前都摆一盘枣木棋子,全城名手各在馆中坐镇立擂,四方棋手报名挑战,观者如潮,就悬挂大盘,热闹时躺椅坐完,条凳坐完,数百人不得不手托茶壶站着看棋盘挂棋。这期间出了多少名手,单毛家茶馆坐镇的就有经棋艺群众评出的五虎上将。五虎的头虎叫赵栓柱,平日以卖香烟、瓜子为业,棋风剽悍强劲,威震一时。山西棋雄柴天和打遍西安别的茶馆无敌手,寻上赵栓柱,一战赵胜,二战柴输,柴天和不服,自己买蜡来夜斗,一个通宵下来,柴天和灰头黑脸出了茶馆直去车站返晋,从此不再到西安。但是,赵栓柱因谋生困难,十数年息影棋坛,西安群雄无首,各据一方,无人统一江山,到了一九四九年初春,赵栓柱突然出现在毛家茶馆,已是弯腰驼背,满头白发。消息立即传遍全城:头虎出山了! 设擂那天,馆内馆外人挤得水泄不通,外层的人看不清棋盘,只听得内层人惊呼声、赞叹声、叫绝声,便见上擂者一个一个败下阵来,直到夜幕降临,再无应战人,赵栓柱盘脚搭手坐在蒲团上,抚摸着那副玩了半生的枣木棋子,一行老泪潸然而下。待到第二天,众棋迷抬着一面匾来馆中拜他为长安棋圣,老棋手却于头天子夜悄然离城了,而从此下落不明。

到这里,不能不说说秦腔了,说秦腔又怎能避开了易俗社呢? 唐玄宗在长安宫廷中时,充分表现了他伟大的戏剧活动家的气质,他爱女人,更爱艺术,不但亲自编排曲舞与杨玉环演艺,并设立了专门训练俗乐乐工的机构,"选坐部使子弟三百人,教于梨园"。梨园是戏曲的代名词,历代的戏班所敬神主就是唐玄宗,如同妓院是设立猪八戒神牌一样。唐时的梨园就在当今市的北郊大白杨村,而西安的戏曲艺人早在二百年前就于骡马市建立了"梨园会馆"。有传统的渊源,西安的剧社代代不绝,出现了许多杰出的戏剧家,民众是听戏、看戏,自己清唱作乐更成了生活的重要内容。曾发生过一个军人因犯军法被五花大绑拉上了断头台,他突然激愤地吼唱了一段秦腔,使他的将领念其豪爽赦罪还生。辛亥革命前后,西安进步的知识分子组织了易俗社、三意社、榛苓社、正俗社,以鲜明的民主主义观点编演新戏,寓教于乐,启发民智,易风移俗,其中易俗社最为有名。一九二四年的夏天,鲁迅先生和北师大教授王桐龄、东南大学教授陈钟凡、南开大学教授陈定谟、北京大学夏元以及孙伏园等十多人应邀到西安讲学,其间就专门到易俗社看戏。先生是南方人,在西安不服水土,数天里腹泻,又听不懂陕西话,特意请在西安的绍兴人来解说,当解说人讲他们初到西安看戏,一是觉得西安人唱戏要嘴大喉咙粗,二是自己的耳膜受不了,曾相互打趣:"谁谁谁某事若是说谎,就罚他去看秦腔",先生乐得仰天大笑,却言,话一时听不懂也不习惯,但戏的内容好,表演好,尤其曲牌好。他竟在不足二十天的西安之行中五次去易俗社,并亲题"古调独弹"四字赠与易俗社。那时的易俗社里正唱红的是花旦刘箴俗,他十岁上粉墨登场,演出《慈云庵》、《忠孝图》,即被誉为"神童"和"蛇蚤红",十三岁上出演《青梅传》观者如潮,一时城内交通堵塞。一九二一年易俗社赴汉口演出,适逢欧阳予倩先生的南通伶工学社也在那里演出,欧阳予倩特别赏识刘箴俗,说,我尤喜欢刘箴俗,他实在有演戏的天才……他的身材窈窕而长,面貌并不是很美,但一走出来,就觉得他有无限动人之至……后精心排演《蝴蝶杯》、

《夺锦楼》《西施浣纱》,一时出现"北梅南欧西刘"之说。鲁迅先生在易俗社看过刘箴俗的《美人换马》返回北京不久,还是这出《美人换马》,刘箴俗再次登台,忽然一句未唱完跌倒台上不省人事,从此卧床不起,拖延到十二月去世,年仅二十二岁。天才短命,名伶早夭,公葬那日送灵的行列长达二里之遥,那个孙伏园得知刘箴俗去世,与人说起刘箴俗。刘箴俗三个字在陕人的脑筋中已经与省长差不多大小了,你如果说刘箴俗不好,千万不要对陕西人说,因为陕西人无一不是刘党。

杨虎城在西安时修了一座别墅,取紫气东来之义,起名紫园,当蒋介石撤销了他的陕西省长一职仅保留绥靖公署主任头衔,杨虎城遂产生消极情绪,改紫园为止园。蒋介石再到西安视察,他特意让蒋住他的别墅,让其明晓他的心迹,但蒋介石看到"止园"二字,立即对手下人讲,止字是中正的正字没了头,此地不祥,得择另处。蒋介石没有住在止园,头是保住了,但也就在此次西行发生兵谏事件。山西的军阀阎锡山,字百川,他到陕西,便要驻扎在陕西的宜川县。大的人物都迷信,人对于天地自然而能同一者皆能做大,西安人对此深信不疑。在一些狭窄的小巷酒馆里,我们常常看到一些衣着不鲜的人独坐喝酒,他们不事张扬,邻桌上"街娃"们滋事生非似乎视而不见,酒洒在桌子上或许会俯下头去吸吮,但说不准这些人中正有惊世骇俗角色,真人高士大隐于市,他们要么熟识《周易》,能观天象能察地理,要么身怀吐纳引导身怀特异功能,若相识交谈,个个莫不是要以天下为己任。时下的中国,政治氛围浓厚的城市除了北京应当是西安。北京的政治气氛浓是理所当然的,数年来社会上流传了多少形形色色的笑话,产生于北京的都是政治笑话,而西安虽衰败的年月太久远了,其政治情结依然存在。自从出了个李自成,又有了圣地延安,陕北的农民在黄土塬上勒紧着裤带犁地,一坐下歇息说的竟是联合国秘书长上一届是谁下一届又该是谁,中央政治局谁在电视上出现得多而谁好久未露面了。曾经有三个农民背着饸饹来找我,一个是研究天象的,将丈二的白布摊在我的家中,指点他画在上边的星宿;一个是研究哲学的,先给我大段大段背诵了黑格尔、康德的论述,然后指责任继愈的观点,再是整个下午讲解他的隐性思维,使我昏昏欲睡又不能去睡;另一个是半月前以数封电报和长信与我商讨关于世界新格局问题,我未回复,他就来分析《孙子兵法》指点我国当今的外交政策。我曾在西安城玄武门内的一间公共厕所里,听见两个蹲坑的人在热烈地讨论了如何颠覆某非洲国家的计划后又分析现中央政治局常委组合的利弊,再后,他们没带手纸向我讨要,我说,二位还这么关心政治啊?!一个说,天下兴亡,匹夫有责嘛!八十年代初西安很是流行过一阵"三老显灵"的扶乩术,但扶乩完毕总是疑惑不解:毛主席在陕北生活了十三年,建国后却从未再回陕西,甚至只字未提过延安。这让陕西人很没了面子。

陕西南部的岚皋县发生过这样一件事,森林深处的南宫山上一位老和尚坐化后,数百年肉身不腐,附近的一名游医自觉也功德无量,就用木板钉成箱子,自己坐进去,以重金买通一个山民从外钉死箱盖,可不足半年,箱板腐朽散裂,他化作了一堆白骨,让人嘲笑了一番还敲去了嘴巴里镶着的一颗金牙。而在西安城东的灞河源头，我去参观了长在那里的一棵荫遮半亩的古龙松和古龙松前的李先念旧居。当年李先念从西路军的征途上来到这里，建议中央红军以此建立根据地，攻可以进西安，退可以钻秦岭深山。党中央虽最后还是以延安作为了根据地，可李先念在这里住了三年。村人讲，当地一个识风水的先生对李先念讲过，在古龙松前的屋里住多长时间，将来即可做多长时间的皇帝。李先念当然不是为了当皇帝在这里住，但他真的后来当了三年国家主席却是事实。灞源的山民对这一段历史非常自豪，故居被保护起来，那棵古龙松则成了神树，我见到的时候数百人在那里磕头烧香，长长短短的红布条挂满了每一个枝头。

陕西人热衷政治，但政治是需要权术的，陕西人在自己内部手段运用得还能自如，出外则因性格的缺陷往往玩转不开，所以中国近代史上陕西人没有几个成为重要的政治人物。地位最高的算于右任，曾经竞选过国民党的副总统，还没有竞选上。秦始皇坐位后派人去蓝田采一块做玺印的玉，采玉人发现一只凤每每到一处地方歇落，遂在歇落地挖掘，果然获得一块宝玉，此地历来有当官的人去采玉做官印的。但即使再到那里采掘，蓝田玉再也没有刻过陕西人能做得更大的官的印章，以致现在从平头百姓到省府干部腰里只挂着一挂一嘟噜的钥匙，钥匙是他们在家的权力的象征。

我忽然想到了文人。

书院的一家字画店里曾出现过一副"文化大革命"时期的对

联,笔力遒劲,肯定出自某大家之手,但没有印章,甚至连署名也没有,联语是:"红日当空斯文扫地。"自古的观念里,诗文做得好的称"一支笔"、"笔杆子",可现在的事实是,在西安或陕西任何县市,论起"一支笔"或"笔杆子"皆是专门为党政机构起草文件的为领导写报告的人。这些人所处的角色甚为难堪,在官场上他们是文人,在文坛上他们又是官人。即使是纯粹的文人,在政治的舞台上,亦往往有两种情况出现:要么奴颜婢膝,顺风俯仰,成为附庸;要么硬骨铮铮,铁肩担道义,辣手著文章。我在江南的一个古驿站里,看到过乾隆皇帝南巡时当地接驾的资料,地方官员除了汇报政务,进贡土特产外,其中有安排本地方的秀才献颂诗三十首的记载。这种遗风沿至当今,恐怕是再没有这样的诗人了,但往往有大人物到了某地,地方却必会召集一些书画家到宾馆作书作画的。历来的文人在这方面留下了许多有趣的故事,从而定位了其品行和个性。据说齐白石在北京,吴佩孚当局了,他画一个鹰送去;蒋介石在京了,他画一个鹰送去;等到毛泽东住进北京城了,他还是画一个鹰送去。他的意思是:你们都是大英雄,我只是画画卖钱的,我不反对你,你也别影响我。清初三大鸿儒之一,西安的那个李颙,康熙三十年里加以征召他都是坚决拒绝,说得好听些,他以一颗野心被白云缠绕和松风吹冷功名心为由,闹到僵时开出病历单寄给朝廷,以致陕西地方官"至县守催"。对他的医师和邻人"胁以重刑",甚至派人用板床把他从富平抬到长安城来逼其就范,他绝食五天,滴水不进,卧怀白刃,誓欲自裁,陕西总督哈占不得已才同意以病重为辞回报康熙。在三四十年代,正是战乱岁月,西安的一批文化人,他们并不是共产党,却也做出了许多可歌可泣的事情。画家赵望云断然不肯为军阀权贵作巴掌大的画幅,豪屋不住,美宴不赴,你来硬的威迫,我惹不过我可以躲过,连夜西去敦煌。秦腔名角王天民到宁夏演出,马鸿逵要赠他一院房屋,要送他一万余元等优厚条件留他在自己身边唱戏,王天民就是要回西安。名剧作家范紫东、孙玉仁都是才高八斗的人物,数十年改编旧戏,编演新剧,宣传民主,爱国反帝,其作品成为秦腔乃至中国近代戏剧史上经典剧目。吴宓晚年回到了陕西老家,别人见风使舵"紧跟形势",他却敢讲"批林,我没有意见,因为我不了解,但批孔,绝不可以,因为孔子有些话是对的"。以致"反动学术权威"又加上了"现行反革命"的罪责而受迫害,最后双目失明,左脚残废,含冤死于冰冷的土炕上。

四十年代末,商南县有位姓王的县长,系省主席的侍卫员,凭主仆关系被外放县长,到任后贪赃枉法,无恶不作。西安有家文化通讯社报道了此事,一时社会轰动,舆论大哗。该县的议长在召集会议讨论时,姓王的县长突然破门而入,质问谁是揭发人,即拔枪射击,议长当场毙命,副议长越墙逃命,又被击中。血案的消息传到西安,省副议长在会上斥责"古今中外,无是政体",文化社再次刊印副议长讲话,陕省当局大为震惊和尴尬,迫于舆论压力,将王押解西安法办。更有一家《秦风·工商日报联合版》的报纸,经常揭露省、县行政当局贪污舞弊及有关施政方面的种种黑幕,尤其抗战胜利后,坚持反对内战,呼吁释放全国政治犯,释放杨虎城。因此西北王胡宗南亲自听从省当局特别汇报,研究整治方案,封锁扼杀,指使特务强迫西安市报贩不准卖《秦风·工商日报联合版》,并由各警察分局秘密通知各商户不准订阅该报,不准在该报登载广告。但是,读者订不到报,亲自到报社取报,邮局把报扣了,报社就将铁路公路沿线的报纸交给每日第一班车上的司机代送。当局见软的不行,最后便纠集一伙暴徒砸抢报社营业部,要放定时燃烧弹焚毁印刷厂,并派人以车撞断总编辑双腿,将记者堵在巷子以辣面子、石灰撒入嘴和眼中,直至最后绑架著名报人李敷仁,秘密杀害报纸创办人杜斌丞。

我常常想,城市是什么,是一堆水泥和拥挤的人群。当我们是骑自行车的上班族时,我们反感着那些私家小车和出租车呼啸来呼啸去地常开在自行车的道上,而当我们有了钱能搭乘出租车,甚或有了自家小车,又总是讨厌骑自行车的人挡住了车的去路。几乎人人都在抱怨着城市的拥挤、吵闹和空气污浊,但谁也不愿自己搬离城市。大白天里,车水马龙,人多如蚁,可到了夜里街灯在冷冷地照着路面,清洁工抱着扫帚有一下没一下地划动,偶尔见到夜市上归来的相互扶着的醉汉和零星的幽灵一般倚在天桥上的妓女,你无法想象,人都到哪儿去了呢?为什么竟没有一个走错了家门呢?西安的街巷布置是整齐的井字形,威严而古板,店铺的字号,使你身处在现代却要时时提醒起古老的过去,尤其那些穿着黄的蓝灰的长袍的僧人,就得将思绪坠入遥远的岁月,那汉唐的街上,脖子上系着铃铛,缓缓地拉着木轱辘大车经过,该是一种何等的威风呢?城墙上旌旗猎猎,穿着兵卒字样军服的士兵立于城门两侧,而绞索咯吱吱地降下城门外护城河上的板桥,该又是一种何等的气派呢?青龙寺的钟声中哪一声糅进了鉴真和尚的经诵?葫芦头泡馍馆门首悬挂的葫芦里哪一味调料是孙思邈配制?朱雀门外的旧货市场上的老式床椅是辗转过韩干的身肢还是浸润过王九思的汗油?上千年的风雨里,这个城市竟呼呼啦啦败落下来,中华人民共和国五十年来虽积极地重新建设,但种子种久了退化,田地耕久了板结,它已实在难以恢复王气。毕竟如今的城市规模小,城外而来的汽车和人流将泥土直接可以带到市之中心,又因为城市的经济能力有限,众多的失业者得有生存的营生而导致街巷行人道上有了地摊,卖小杂碎和饮食。所以,西安的尘土永远难以清除,一年数日里的昏天灰地令人窒息,皮鞋晌晌得擦,晌晌是脏,落小雨落下来是泥点,下大雨路面积潭,车漂如船。深秋天气,法桐的花绒便起飞了,整个城市不寒而雪;到了冬季,雪下起来又难以久驻,雪与尘土和成污泥又冻成疙瘩,街面上随处就有跌倒的行人。最难堪的是一辆自行车啪地一倒,三辆四辆、十辆八辆啪啪啪地倒一大片。一旦夏天来临呢,大天白日,小伙子们全裸了上身,脖子上搭一条湿而脏的毛巾,在小巷透着窗子一看,也常能看到一些老妪也裸了上身在案上擀面,乳房干瘪,肋骨可数。入夜的街道两旁,钢丝床、竹躺椅、凉席摆满,白花花一躺一片如晾在了岸滩上的鱼。慈禧西逃来的时候,为了祛热,派人从太白山取雪化水盛在屋中缸里,如果现在没有了空调,市府的官员们就得如过去一样坐水瓮断案了。树是越来越少,鸟愈飞愈稀,从春到秋从夏到冬,能听到的是声声紧迫的如哭如泣的猫的叫春。近年来有一句民谣:不到北京不知道自己官小,不到上海不知道自己钱少,不到海南不知道自己身体不好。一个城市有一个城市的特点,如果说那一句以"你不像上海人"来评价上海人好的话是对上海人的不恭,那么,说西安就不该是城,西安人是不太生气的,他们甚至更愿意保留下旧城重新在别处再建一个新的西安!

我一直有个看法,评价历史上任何人物是不是伟大的,就看他能不能带给后人福泽。因此,秦始皇是伟大的,武则天是伟大的,释迦牟尼伟大,老子也伟大,还有霍去病、司马迁。只要到临潼的秦兵马俑馆、乾陵、法门寺、楼观台、黄陵和延安去看看,不要说这些人物给中国的发展做出了多大贡献,为中国增加了多少威望,也不要说参观门票一日能收入多少,单旅游点四周连锁而起的住宿、餐饮、娱乐的生意繁华,就足以使你感慨万千了。一个城市的形成,有其人口、建筑、交通、通讯、产业、商业、金融、法律、管理诸多基本要素,但人的精神湖泊里的动静聚散却是仍需教化导向的,宗教就这样从天而降,寺庙也由此顺天而建。西安之所以是西安,它就是有帝王的陵墓和宗教寺庙,一个在地下,一个在地上,民族传统的文化氤氲着这座古城。据史料记载,唐长安城佛寺有一百四十四座,道观有四十一座,至今保存的名刹古寺有大兴善寺、大庄严寺、青龙寺、净业寺、仙游寺、圣寿寺、感业寺、华严寺、慈恩寺、西明寺、荐福寺、冈积寺、香积寺、草堂寺、卧龙寺、法门寺、楼观台、重阳宫、八仙庵、东岳庙、西安清真大寺,等等。中国佛教的十大宗派,除天台宗和禅宗外,其他八派都发祥于长安。富丽堂皇的殿宇内,壁画万象纷呈,慈恩寺塔西曾有尉迟乙僧画的湿耳狮子跋心花"精妙之极",资圣寺东廊韩干的散马"如将嘶蹀",王维在荐福寺作辋川图"山谷郁盘,云水飞动";吴道子在菩提寺画的礼佛仙人"天衣飞扬,满壁风动";而赵景公寺内有幅"地狱变"阴森可怖,凡是看过都"惧罪修善",致使当年东西两市的鱼肉都卖不出去。名刹古寺里多有离奇的故事传诵。唐观中便有天女降临来观赏玉蕊花的事,连刘禹锡也写下了"玉女来看玉树花,异香先引七香车;挚枝弄雪时回首,惊怪人间日易斜"。法门寺里更有司礼太监九千岁的刘瑾陪皇太后来降香,公断了宋巧姣一案,至今寺中还有双窝青石一方,据说就是当年宋巧姣告御状时跪诉冤情的地方。而"破镜重圆"的故事就发生在西明寺,西明寺原是唐隋越国公杨素的住宅,后因其子谋反被没收为官有的。杨素当红时,陈后主的三妹下嫁给陈太子的舍人徐德言为妻,当陈破亡之际,徐与妻言:今国亡家破,必难相安,以你的才色,定入帝王或贵人之家。你我恩爱,生死永不相忘。乃将一面铜镜击破,各执一半,相约于正月十五在市中贷求,破镜重圆与否,即可知生死了。陈灭后,妻果被杨素纳姬,并宠幸无比,然而此姬依旧恋徐,正月十五日令奴婢持破镜至市求售,真的就遇上了徐德言,徐将重圆之镜及诗寄给陈氏,说:镜与人俱去,镜归人不归,无复姬娥影,空余明月辉。陈氏抱镜痛绝,不复饮食。杨素问明了缘故,惨然变色,长夜思考,终遣使召徐德言,将妻返还。

　　帝王陵墓和名刹古寺现在支撑着西安的旅游业,原本是清凉世界再难以清静,街上时常见到一些僧人道士,使市民们似乎觉得他们是上古人物而觉神秘,却也能见到一些僧人道士腰间别有传呼机,三个四个一伙去素食馆吃饭大肆谈笑而感到好奇。我曾一次去某道院想抽一签,才进山门,一脏袍小道即高声向内殿呼喊:生意来了!气得我掉头就走。但初一十五日庙观中的香火旺盛,而平日在家设佛堂贴符咒却仍是许多人家的传统。他们信佛敬道,祈祷孩子长大,老人长寿,仕途畅达,生意茂盛,甚至猎艳称心,麻将能赢,殊不知佛与仙是要感谢的,通过自己的生命体验佛道以及上帝的存在而知道我是谁我应干什么。隋唐的时候,长安城里是有一个三阶教的,宣扬大乘利他精神,主张苦行忍辱,节衣缩食,救济贫穷,认为一切佛像是泥胎,不需尊敬,一切众生才是真佛,愿为一切众生施舍生命财物。开创三阶教的信行早死了,其化度寺也早毁了,但我倒希望现在若还有那么个寺院也好。

俗言讲,铁打的营盘流水的兵。城市何尝不是这样,尤其像西安这样的城。因看过国外的一份研究资料,说凡是在城市待三代人以上的男人一般是不长胡须的,为了证实,我调查了数量相当的住户,意外地发现,真正属于五代以上的老西安户实在罕见。毛泽东有一句军事战略上的术语:农村包围城市,而西安的人口结构就是农村人进驻城市成为市民,几代后这些人就会以种种原因又离开了城市,而新的农村人又进驻城市,如此反复不已。但现在是居住在城里的市民,从二三十年代开始,意识里就产生了偏见,他们瞧不起乡下人,以致今日,儿子或女儿到了恋爱时期,差不多仍是反对找城里工作原籍在乡下的对象,认为这些老家还有父母兄妹的人将来负担太重,而且这些亲戚将会没完没了地来打扰。即使父母俱在城里的,又看不起北门外铁道沿线的河南人和说话鼻音

终南山修行的一只和尚
辛卯 平囗

大江東去浪淘盡千古風流人物 故壘西邊人道是三國周郎赤壁 亂石崩雲驚濤裂岸捲起千堆雪 江山如畫一時多少豪傑 遙想公瑾當年小喬初嫁了雄姿英發 羽扇綸巾談笑間檣櫓灰飛煙滅 故國神遊多情應笑我早生華髮 人間如夢一樽還酹江月

書蘇東坡赤壁懷古 庚寅秋 半山

浓重的已是城籍的陕北人,认为他们性情强悍、散漫,家庭责任心不强。其实,河南人在西安起源于黄河泛滥而来的难民,现已成为西安极重要的市民一部分,陕北人源于解放初期大量革命干部南下,这两个地区的人勤劳、精明,生存能力和政治活动能力极强。西安基本上是关中人的集中地,大平原的意识使他们有着排外的思想,这也是西安趋于保守的一个原因。

在我的老家商州,世世代代称西安为省,进西安叫做上省。我的父辈里,年轻的时候,他们挑着烟叶、麻绳、火纸、瓷器担子,步行半个月,翻越秦岭来西安做生意,生意当然难以维持多久,要么就去店铺里熬相公,要么被人收揽了组织去铜川下煤窑。更多的,是夏收时期来西安四郊当麦客。这些麦客都是穿一件灰不几几的对襟褂子,蹬一双草鞋,草绳勒腰,再别上一个布门袋装着一个碗和炒面,手里提着一把镰。他们在太阳如火盆一样的天底下,黑水汗流地为人家收割麦子。吃饭的时候,主人一眼眼看着他们吃,还惊呼着都是些饿死鬼嘛,一顿要吃五个馒头!麦客们或许来早了,来晚了,或许正逢着连阴雨,他们就成堆成堆聚在街头檐下,喝的是天上下的,吃的则瞄着饭馆里吃饭人有剩下的了,狗一样窜进去,将剩饭端着就跑。当然,罗曼蒂克的事就在万分之一中发生了,我老家村子里就有过,是北郊一个年轻的寡妇看中了她雇用的麦客,先是在麦垛后偷情,再后来堂而皇之入赘,麦客叼着烟袋住在炕上成为这家男掌柜了。那时的商州是种大烟土的,老家的人讲过去吸烟似乎很难上瘾,不像现在吸白面,一吸上就等于宣布家破人亡了。也有想在当地当土匪而来西安弄枪的。四十年代,商州的两股土匪真的都是因在西安偷盗过一支枪而回去发展起来的,也有一个在西安买通了部队的军需,购得了五支枪,而出城时被查出,结果被杀,脑袋挂在城东门口。

吸毒、赌博、娼妓在西安的三四十年代是相当严重的,一般的有钱人家过红白喜事,重要客人进门,先招呼上炕,炕上就摆有烟灯烟具。戏班子里的艺人,唱红了的多有烟瘾,台下面黄肌瘦,哈欠连天,吸几口上台了,容光焕发,精神抖擞。许多当局军政要员暗中都做烟土生意。至于嫖娼,开元寺的高等妓院由兵士站岗护卫,出入的都是军政界、商贸界、金融界有钱有势者,据说胡宗南就患有花柳病。我见过一位鸡皮鹤首的老妓女,她谈起来,最感荣幸的是曾经接待过胡宗南。

城市是人市,人多了什么角色都有,什么情况也出,凡是你突然能想到的事,城里都可能发生。西安城里流动着大量的农村打工者,数处的盲流人员集中地每日人头攒拥,就地吃住,堵塞交通,影响着市容。麦客在五月下旬就进城了,而贩菜的、卖炭的、拾破烂的沿街巷推车吃喝,天至傍晚,穿着露而艳的妓女撅着红嘴唇拎着小皮包就开始奔走各个夜总会和桑拿房去。我在戒烟所里采访那些烟民,一个美貌的少妇哭诉她的夫离儿散,最后竟气愤地求我代她控告那些贩毒者:他们卖给我的是假货,让我长了一身黄水疮!城市是个海,海深得什么鱼鳖水怪都藏得,城市也是个沼气池子,产生气也得有出气的通道。我是个球迷,我主张任何城市都应该有足球场,定期举行比赛,球场是城市的心理的语言的垃圾倾倒地,这对调节城市安稳非常有作用。城市如何,体现着整个国家和地区的综合实力,随着人类社会的发展,城市的拥挤、嘈杂、污染使城市萎缩、异化了。据有关资料讲,在二十一世纪,人类面临的危机不是战争、瘟疫和天灾而是人类自身的退化,这个退化首先从城市引起,男人的精液越来越少,且越来越稀,以至于丧失生殖的能力。我读到这份资料时,是一个下午,长这么大还没有什么事能让我感到那么大的恐惧,我抱着我收藏的恐龙蛋化石呆坐屋中,想恐龙就是从这个地球上渐渐地消失了,一个时代留下来的就只有这变成石头的蛋体了。我把我的恐惧告诉给我的朋友,朋友无一例外地嘲笑我的神经出了问题,说,即使那样又能怎么样呢,满世界流传查尔诺丹的大预言是一九九九年七月地球将毁灭,七月马上就到了,那就该现在不活了吗?朋友的斥责使我安静下来,依旧一日三餐,依旧去上班为名为利奔忙活人。说实话,自一九七二年进入西安城市以来,我已经无法离开西安,它历史太古老了,没有上海年轻有朝气,没有深圳新移民的特点。我赞美和咒骂过它,期望和失望过它,但我可能今生将不得离开西安,成为西安的一部分,如城墙上的一块砖,街道上的一块路牌。当杂乱零碎地写下关于老西安的这部文字,我最后要说的,仍然是已经说了无数次的话:我爱我的西安。

西　路　上

一、一个丑陋的汉人终于上路

　　我在右大腿根的一块肌肉发生麻痹的那个夏天,决定着再一次去西部。去西部,每隔三四年就要去一回,这几乎成了我的功课。我向人夸耀着,我是在沙漠上见过被风吹了出来的古干尸的,并且敲打过他的牙齿,他的牙齿没有铲形的门牙,但也是黄的。是在雪山底下的胡杨林里追赶过红狐,接受过一次很年轻的活佛的摩顶。也还是在捡拾硅化木的路上遇见了强劲的沙尘而与一位维吾尔姑娘偎藏于坑窝子里,度过了一个浪漫的下午。西部的大部分城镇已经走过,每走一个城镇,写一篇日记,写毕了用钢笔尖在身上扎一个点,血流出来,墨汁渗进去,留下戳记,我说,若死后被剥下皮来,那将是一张别有意义的旅游图。西部对于我是另一个世界,纠缠了我二十多年的肝病就是去西部一次好转一次,以至毒素排出,彻底康复。更重要的是逃离了生活圈子的窒息,愈往边地去愈亲近了文学,我和我的影子快乐着。

　　这个夏天的决定,计划里是走一走丝路。

　　我的灵魂时常出窍。一个晚上,我坐在了案桌上,看着已经在沙发上一动不动了很久的平凹,觉得这个矮小而丑陋的汉人要去丝路真是可笑。古人讲做学问要读万卷的书行万里的路,他默数着已经去了西部几万里路了吧,可古人的行是徒步的或骑了一头毛驴,日出而动身,日落而安息,走到哪儿吃在那儿住在那儿,遭遇突如其来的饥渴、病痛、风雨和土匪,那是真正体验着生命的存在,而他的几万里则是坐了飞机和火车,一觉醒来从西安到了乌鲁木齐或从乌鲁木齐到了喀什到了伊犁。城市都是一样的水泥的山村,都一样的有着站着警卫的政府大院和超市。因事耽搁了吃饭时间的肚子饥和乞讨者吃了上顿不知下顿在哪儿的肚子饥绝对是两码事儿!灵魂又回归到了身体。当灵魂和身体都感到寂寞之时的西行计划里,我邀请了三位朋友,说:徒步是不现实的,那就搭上汽车,一个县一个县地行动吧。

朋友的回应轰然如雷,他们欢呼着能去印度,去波斯,去欧洲了。但我说最多只到乌鲁木齐,古时的西域十六国那仅是丝绸的集散地,而真正的丝路,就是西安到安西和敦煌。

我在家开始了大量翻阅有关丝路的资料,一边加紧治疗身体的疾病。我是脑供血严重的不足——恐怕是小时候饿坏了脑子和中年期的烦闷所致——每年的冬天要注射七天的丹参液,现在我得提前进行。怨恨的是右大腿根的麻痹一时难以治愈,虽无大碍,但接二连三做梦,都是骑了自行车不得下来,结果冲进人窝,紧张地喊:啊!啊!连人带车倒地,还撞伤了别人。

宗林,我在陕西安康的一个高颧骨的朋友(也是第一个被我邀请同行的),给我带来了一盒膏药和两张与丝路有联系的照片。膏药贴上无济于事,照片却让我激动不已。一张照片摄自安康博物馆,是一只金蛋,说在《安康志》上记载,汉朝政府推行奖励桑农的政策,凡有植万株桑者,可奖励一只金蛋。一张照片是一个村镇路口的石碑,上面隶书:高鼻梁村。这令我一下子豁然明白汉代的丝路为什么从长安城起点,那不仅因为长安城是汉代国都,也是因为长安城所在的陕西南部盛产丝绸,如今以产丝绸闻名的苏杭,那时还恐怕多是一片水泽吧。而高鼻梁村,必曾是洋人去采购丝绸的驻地了。洋人在鼻梁村如何采购丝绸,那鹰钩鼻和卷毛发怎样被山地人取笑?我想起了茂陵博物馆的汉朝官员接见外国使者的壁画,哎呀,那使者是躬腰拱手,低眉顺眼,一脸的紧张和萎缩!到茂陵去——我说——拜拜霍去病——路是有路神的,霍去病是丝路的神。在到处是受美国影响的今日,喊一声我们的祖先也曾经阔过,做阿Q也是十分的开心。

  霍去病的陵墓是高大的。过去无数次地来到这里,为的是那些举世闻名的石雕艺术,膝盖就软下去,放声大哭。现在在陵前捡起一块汉时的瓦的碎片,瓦片上恰好有一个小孔,打打磨磨,打磨了半天拴绳儿系在脖项。发问埋下一粒种子可以收获万斛的粮食,咸阳塬上埋下了这么伟大的人物,它将生长出什么呢?陵墓不是浑圆状,如山的土堆高低起伏,如燃烧的黑色的火焰。陵墓管理人员讲,陵墓是以祁连山的形状建造的。噢,这就对了!武曌以山建陵,将一个女人模样仰躺在大平原上,她是希望自己是一座高山,而亘绵千里的风雪祁连却整个儿是为霍去病存在的!我在系着的瓦片碎块上用笔写了去病二字——我不知道霍去病的名字是他的母亲为了希愿私生下来体弱的儿子强壮起来呢,还是汉武帝为他赐名,因为只有他才可以去掉汉朝常被匈奴困扰的心病?——我为我的西行成为一次身心的逃亡,或可称做一次精神出路的拓通吧。

正如死与生俱来,生的目的就是死亡一样,我总想将心放飞又怎能放心呢?在系着了写有去病字样的汉瓦碎块的第四天,哗哗的一场雨淋湿了我晾在阳台的衣服,也淋湿了西行的欲火,至少我在一日复一日地拖延着时间。已经说好了的,一块上路的三个朋友不停地打电话催促,我只是以别的事搪塞着,说还得搜寻些丝路的资料,譬如,正在读斯文赫定的《丝绸之路》。

其实,斯文赫定的书我早读罢。我之所以迟迟不能上路,是我喜欢上了一个女人。

人是有缺点的,尤其是男人,每一个男人在一生中遇见自己心仪的女人都会怦然心动,这好比结婚后还要自慰一样。我以往的好处是,对女人产生着莫大的敬畏,遇见美丽的女人要么赶快走开要么赞美几句,而且坚信赞美女人可以使丑陋的男人崇高起来。但这一次,当奇缘突至(我只能解释为命中所定),我深陷其中,不能自拔。她说:你病了?!我可能是病了,爱情是一场病。我的身子和灵魂又开始分离,好几次经过了她的房子和停留在电话亭,我已经坐在了她家的铺着花格床单的床沿上,我看见平凹在房门踏了一片脚印又走开了,我已经与她像各躺在云头上聊起天了,平凹拿起了电话筒又把电话筒放下。这女人是冷傲的,她的美丽和聪慧像湖一样清风徐来水波不兴,你走进去,扑通却没了头顶。如果她仅仅是美丽,美丽的女人在西安街头多如流云,——在我的印象里,美丽的女人是傻笨的,她们不读书,不爱艺术,追求时尚和金钱——可她是一位出色的表现主义画家。西安是传统文化厚重的城市,而她的画有强烈的主观色彩,色彩、构图都推向极致,又充满了焦虑、迷惘和激情。更令我赞赏的是她并不是无关痛痒的画家,画面处处在强调着一种时代的精神。我已经老大不小了,而且旷世之丑,我与她的交往并不是要干什么——虽然爱是做出来的——但我无法保持我平日的尊严。人到了轻易不肯说出爱的年龄,这个字说出来了,我活得累她也感到与我在一起时的沉重。在她不能应约而来的时候,我就画马,因为她属马,又特别爱马,那长发、满胸、蜂腰、肥臀以及修长挺拔的双腿,若趴下去绝对是马的人化。那些日子,马画得满墙都是,宗林、庆仁和小路已经对我的拖延感到了愤怒,他们知道了我之所以拖延的原因,一方面惊叹着这个女人对我的想象力如此激发而画出了这般好的画(我以前并未学过绘画),一方面骂我重色轻友,又以丑与老的话题实施对我的打击,更糟糕的是他们私下与她交涉,约她能同我们一块儿西行。我后来才知道,她的回答是否定的,他们就劝她不要姑息我而误了大事。所以她竟在数天里与我失去了联系,她的手机再也打不通,我失恋了。

失恋一词对于我似乎有些荒唐,但确实失恋了。我再一次翻阅关于丝路的资料,有一段记载使我苦笑不已。那记载的是年轻的瑞典人斯文赫定之所以在罗布泊长期不归,野兽一般,除了痴醉于探险事业外,还有一个秘密,是他失恋了。可以说,斯文赫定是在失恋后对自己的放逐,精神漂泊使他完成了自己的事业,而失恋中的我终于决定立即得动身上路了。这个时候,突然间感到了西安的喧闹和杂乱,空气污浊以及建筑和人人物物都面目可憎。

九月的西安阴雨连绵,沉重的雾气使天压得很低,街道两旁的杨树年纪老了,差不多的树身生了洞,流淌着锈铁色的汁,像害了连疮,而树絮如毛毛虫一样落在地上,踩入泥里。我并没有打伞,从城的南郊步行进城墙内区的羊肉泡馍馆去吃饭。(如果西安有什么最好吃的东西,那就是羊肉泡馍,我一直认为饮食文化造就的是人群的性格,秦灭六国,是陕西人吃了羊肉泡馍可以忍饥或怀揣了掰好的馍块及时熬羊汤泡吃加速了行军的时间才打败了精细炒菜的邻国。)经过西门外的石桥,有人在桥头上吹埙。自从我写了《废都》后,已经灭绝的中国最古老的乐器——埙——这个拳大的土罐儿成了旅游点上卖得最好的商品。在桥头上吹埙的家伙是个光头的中年人,他当然在雨地里吹埙是招揽顾客推销产品,但他吹得很好,声音从雨点的缝隙穿过,呜呜之音如鬼哭狼嚎,我却激动起来,目注着他自认为这是为我壮行。仰面就是西门,城楼在雨幕里巍峨,城门是封住了的,人流车辆只顺着左右的偏门通行。我突然间浪漫起来,跳上去在封闭的城门前一蹲,蹲成了一只狮子。

在那一刻里我想,古丝路就是从这里起点吗?脖铃当当的驼队驮着云彩一样的丝绸就这样打开了城门一路往西吗?商队出发时红男绿女在这里摆下酒席,霍去病开拔时武帝在这里擂鼓,玄奘取经时这里也是佛乐冲天,连那个贬官流放的林则徐在西安住过一段日子要往新疆,也是三五成群的哭送的人,而我要走了,她怎么就销声匿迹如飞鸟一样了无踪影了呢?"劝君更进一杯酒,西出阳关无故人",王维已经死了,早早死在了唐朝。雨还在下,屋檐吊线。油漆斑驳的城门上有一张晶亮的大网,黑肥的蜘蛛在空中吊着自己的丝往下来,停驻在我的头顶。沿着城门楼南北而去的城墙垛口,一排排尽是我名字中的凹字。我感觉我这尊狮子是红了眼的。

二、爱与金钱使人铤而走险

两千年前,匈奴侵占了月氏的地盘,在西北日渐坐大,汉王朝就寝食不安了,曾经软硬兼施(便有了昭君出塞的故事,也有了班超从戎的故事),但匈奴剽悍,又反复无常,一直难以制伏,于是武帝便派了张骞去已经西迁的月氏游说,企图联合抗敌。

丝绸之路就这样要始于足下了。

这一天也是个淫雨的天,张骞在西城门口的青石路面上重重地磕了一个响头,带百多人秘密西行。把渭河走尽,翻越了乌鞘岭,才在沙漠里一脚深一脚浅地走得很难,即被大队的匈奴骑兵围住,一瞧见肿泡眼、大板牙,不容分说,绳索捆了,送往单于庭的帐篷里。此一送,竟是十年之久。十年里,张骞习惯了穿羊皮袄,喝马奶,也与匈奴女子结婚生子,但张骞是汉室忠臣,终于设法逃脱了又继续西行,一年后到达大宛,到达月氏。可惜的是已经远离了匈奴的月氏,却新地肥沃,日子好过,无心再卷入战事,张骞骂了一句"小国寡民",只好怏怏而归。

归来的张骞伏在殿前痛哭流涕,以未能完成朝廷重托而请罪,并呈上了一份十数年间的个人生活汇报和一路的出使见闻。汉武帝先是摇头,半仄了身子,慵懒地翻揭着那一大沓的材料,一段话便使他突然目生亮光:"大宛有奇特的良马,出汗为血,日行千里",霍地就站起来了。当初派张骞出使,一是念其忠诚能干,二也是看中名字中的骞字——驱马出塞——难道这匹驽马要引回天马吗?汉与匈奴作战了几十年未胜,原因是匈奴有好的坐骑,而汉人能乘的只是蒙古草原的小马,装备的落后导致了战事的失利啊!汉武帝走下殿来,把张骞扶起,看着张骞花白的胡须和酱猪肉一样深红的脖脸,眼里落下一滴泪来。这一滴泪使张骞受宠若惊,当武帝让他绘制一幅更详尽的出使图,他伏案工作了十天十夜,并再次出征,率使团去了。

下来的故事是异常的漫长也异常的壮观,几乎是演义了汉朝的强盛的历史。使团带上千金和金马在大宛要讨换马种,遭到大宛国王断然拒绝。消息传回长安,武帝就愤怒了,立即发六千兵马去征伐,六千兵马在敦煌的大漠中因供应不足被渴死和冻死大半,到了大宛吃了败仗,仅六百人逃到了吐鲁番。武帝又下令,就在吐鲁番屯兵生息,谁也不能退进阳关,再派去六千人和三千匹战马要与大宛决一死战。结果汉军将大宛王府包围,迫使大宛国王献出了三十匹汗血马和一批仍属良种的牝马。有了良马种,汉朝建立了马场繁殖培育,数年后骠骑将军霍去病领军与匈奴作战,兵是精兵,马是良马,一举将匈奴赶出了甘肃的东部,一条中原与西域多国相连的交通大动脉于是形成。这条通道那时被称做御道,为了保护,沿着秦长城,新的长城继续向西延伸,百十里并建筑关寨,驻扎重兵。从此,在这条通道上,内地的商品输入西域,而西域的商品也输入内地,在出口的商品中,无论数量或地位,没有哪一样能与华美的丝绸相媲美。

这就是丝绸之路。

四年前,我因贪吃最好的苹果,去了一趟关中西北角的淳化,那里有秦直大道(这是与秦长城一样伟大的工程)的入口,也是丝绸路上的一个重镇,一只熊就站在路畔。熊是石的,汉代的。那时我想,霍去病的几十万大军是经过这里去西征的,成千上万只骆驼组成的商队也是经过了这里,为什么没有栽一块写着"泰山石敢当"的石头在这里,也没有竖一面凿着"西出阳关无故人"的碑子?石熊的体积极小,仅仅半人高,一只前爪举在头侧,一只前爪捂腹,嬉闹状的,鼻子发红(特意以有着朱砂红的石头赋形的)——我一看见这朱砂熊就乐了。

我把朱砂熊的故事说给了我的同伴,但是同伴没有乐。他们没乐,我也没有再说下去——古人的胸怀和幽默我们已经很少有了。

大家关心的只是翻地图,寻查着西行路线。丝绸之路是分为了东段、中段和西段的,西段东段又分为中路北路南路。南路从长安经天水、秦安、甘谷、武山、陇西、渭源、临洮到兰州;中路从长安经泾川、平凉、静宁、榆中、皋兰、永登到武威;北路从长安经通渭、会宁两县中的华家岭后,折向北到会宁,又从会宁至靖远渡黄河,经景泰、古浪到武威。中段是唯一一条直线,这就是甘肃的河西走廊,从武威经永昌、山丹、张掖、裕固、民乐、临泽、高台、酒泉、嘉峪关、玉门、安西到敦煌。西段的三条线,北线至安西经哈密、吐鲁番、乌鲁木齐、乌苏、伊宁至哈萨克、俄罗斯、伊斯坦布尔。中线从安西经楼兰、库尔勒、库车、喀什至塔吉克斯坦、土库曼斯坦、伊朗、伊拉克、埃及。南线从安西经石城、且末、和田、塔吉克斯坦、巴基斯坦至印度。真正的丝绸之路,就是西安至安西。对于进入了新疆以西的西段,因为我数年前几次去过新疆,而古时的丝绸贸易西域可以说是个集散地,至于西段的北中南三线,那也只是后人和商品足迹所到而已,所以,我们选择了丝路的主干线。至于主线的东段,北路是最短的一节,但由于地处大漠边缘,人烟稀少,交通诸多不便,从古到今走这条路的人不如中路和南路多,中路则是我以前去兰州时差不多经历过,那就只有走南路了。

走南路的,二十世纪二十年代有过了一个团队,名字叫中瑞科学考察团——在此以前,走的都是高鼻子蓝眼睛的人,他们是伟大的探险家,也是卑劣的文物盗贼——以骆驼为交通工具。其骆驼四百匹,每次宿营,骆驼卧成一圈,而人居之圈内,被称之为驼城。骆驼是除了牛马以外最易为人驯服的高脚牲口,它的样子丑陋,总是慢腾腾地摇晃着身子往前走,若碎步跑起来,从后边看去,样子显得笨拙和滑稽。它永远是相书上描述的那种贫贱者的步姿(它也只吃草料或数天里可以不吃),但好处是能忍耐,不诉说苦愁。我采访过一位近百岁的老人,他当年就是团队中的一员,他说,在沙漠的一个夜晚,月色明白,但他没心情去欣赏,因为口渴得厉害,拉了一匹骆驼到沙丘后想用刀子捅其前腿根喝血。他们曾经是这样屠杀过数十匹骆驼了,每次屠杀,骆驼都是前腿跪下去哀鸣不止,然后混浊的眼泪流下来通过长长的脸颊,泪水立即被蒸干,脸颊上便留下泛黄的痕道。这一次他要偷捅的是一匹最壮的骆驼,他并不敢让它死去,只是要借它的一些血解渴,骆驼就拿眼睛一直盯视他,他向左,骆驼也向左,他向右,骆驼也向右,他才说了一句"我渴……"骆驼哇的一声,脖子上涌起一个包来,咕咕嘟嘟上下滚动,噗的一下,足有一小盆容量的痰液喷出来,浇了他一头一脸。骆驼的痰是非常非常的腥臭,他当时就昏倒了。老者的话使我在西行路上从此再也不敢遗忘了水壶,但也反感起了骆驼。虽然骆驼的时代已经过去,漫长的河西走廊里,只在敦煌鸣沙山下见过一队骆驼,有武威转场的牧人,赶着羊群,把他和他的女人、毛毡、锅盆和装着炒面的口袋坐在一匹骆驼上,骆驼便只好在一些旅游点上做了供拍摄的道具,寂寞地立在那里一动不动,驼峰歪着,稀稀的毛在风里飘。距中瑞考察团又过了十多年吧,真正地只为着丝绸之路的,是斯文赫定。这位曲卷了黄毛的洋人,口里叼着一只烟斗,带着了四辆福特卡车和一辆小轿车,从北京的西直门出发到乌鲁木齐,再逆着丝路到了西安。洋人就是洋人,自古的洋人都是从西往东来的。而我们却从东往西,一辆三菱越野车就呼啸着去了。

我一直认为,汽车里有灵魂的,当世上的狼虫虎豹日渐稀少的时候,它们以汽车的形状出世。这辆三菱越野车是白色的,高大而结实。当选择这辆车时,老郑(他是负责吃住行的,我们叫他团长)有过犹豫,因为这辆车曾经吃过一个人的,我却坚持不换,古时出征要喝血酒,收藏名刀要收藏杀过人的刀才能避邪,何况唐玄奘取经时的那匹马,也是有过犯罪史的小白龙变化的。我趴在车头,叽叽咕咕给车说话,叮嘱它既要勇敢又得温顺——我尊重着它,因为它已经是我们的成员之一了。

也正是这辆车,经过了许多关卡,未经检查和收费就顺利放行,我们总结这或许得益于车的豪华,或许因了老郑——他坐在前排,方脸大耳——像个领导。但车却在一大片苍榆和板筑土屋混杂的一处村落前被挡住了。挡车的是一群农民,立即有三个老头睡倒在车轱辘前,喊是喊不起来的,去拉,他们抱住你的腿不放,呼叫:大领导,你不做主,你从我们身上碾过去,大领导!问清原委,原是村干部吃了回扣便宜出卖了百十亩地让外人盖娱乐场所,他们不愿意少了土地,更不愿意盖娱乐场所。这里到处都是妓女,反映到乡政府,乡政府解决不了,正群情激奋着,见小车过来就拦住了。我们解释这事应该去上告,我们同情你们,也支持你们,但我们并不是大领导,瞧瞧,大领导能是我们这么瘪的肚子吗?他们说:得了吧,坐这么白胖的小车还不是大领导?!我哭笑不得,而且心情极糟,同行的老郑、宗林、庆仁和小路开始反复解说,趁机让我逃脱包围,去了路边的一间厕所。在厕所里,我的手机响了。

谁?我。哎呀,你在哪里?我在路上。路上?什么路上?!佛往东来,我向西去。

突如其来的电话使我又惊又喜,但话未说清电话却断了,我喂喂地叫着,又拨了她的手机号,传来的竟是"对不起,你所呼叫的用户已关机"。我站在厕所里发呆:她怎么也说了"佛往东来,我向西去"?莫非她也在西路上,并且提前了我吗?哎呀呀,若真的她也来了西部,那这也太有浪漫和刺激了!我迅速地掐指头——我会诸葛马前课,从大安、留连、速喜、赤口、小吉、空亡推算——果然断定这已经是事实了,就在空中挥了一下手,靠住了厕所角的椿树。这才发现,椿树上有一长溜黄蜡蜡的粪垢,那是乡人蹭过了屁股。小路在厕所外大声喊我,说是问题解决了,赶快上车,我走出来,真的是公路上的农民开始散开,他们已经确信了我们不是大领导,那个老头还指了一下我,在说:看那个碎猴子样,我就觉得他不是个领导嘛!

重新回到了车上,大家还在叙说着刚才的一幕,感叹着出师不利,我却情绪亢奋起来,说咱这算什么呢,西路当然是不容易走的,想想,在开通这条路时,张骞是经过了十多年,又有多少士兵有去无还?就说开通之后,又走过了什么呢?我原本是因为情绪好,随便说说罢了,却一不留神说出了一个极有意思的话题,大家就争论起来:谁曾在这路上走过?当然走得最多的是商人,要不怎么能称为丝绸之路啊?!可庆仁疑问的是:一个商人牵上驼队一来一回恐怕得二三年吧,二三年是漫长的日子,离乡背井,披星戴月,就是不遇上强盗土匪,不被蛇咬狼追,也不冻死渴死饿死和病死,囫囵囵囵地回来,那丝绸又能赚多少钱呢?宗林就提供了一份资料,两千年前,丝绸在西方人的眼中那是无比高贵的物品,并不是一般平民能穿用得起的,其利润比现在贩毒还高出好多倍,当时长安城里三户巨商"行千里人不住他人店,马不吃别家草",都做的是丝绸生意。这样,贩丝绸成了一种致富的时尚,更惹动了相当多的人以赌博的心理去了西域。现在从一些汉代流传下来的民歌中可以看出,丈夫走西路了,妻子在家守空房,"望夫望得桃花开桃花落,夫还不回来",或许永远都不回来了,或许回来了,身后的轿子里却抬着另一个西路上的细腰。我看着宗林,突然问:如果你活在汉代,让你去做丝绸生意,你肯不肯上路? 宗林说:我不贪钱。宗林没钱,也确实不贪钱,他是凡停车就下去给大家买啤酒呀可口可乐呀或者口香糖。我说宗林你不贪钱着好,如果说,在西部的某一沙漠里,有一位你心爱的女人,你肯不肯上路? 宗林说:不肯。庆仁叫道:你这人不可交,对钱和色都不爱,还能爱朋友吗? 我说我会去的——古丝绸之路恐怕只有商人和情人才肯主动去走,爱与金钱可以使人铤而走险的。

　　说罢这话,我突然觉得我活得很真实,也很高尚,顺手打开了那本地图册。地图册里却飘然落下一根头发,好长的一根头发。慌忙看了一下坐在旁边的小路,幸好他没有注意,捡起来极快地吻了一下。大前年有个法国的记者来采访过我,他手指上戴着一枚嵌有亲人头发的戒指,印象很深,因此我见到她的第一天就萌生着能得到她的头发的念头——头发是身体的一部分,我如此认为,而且永远不会腐败和退色。这根头发就是她让我算命时揪下的。她是左手有着断掌纹的,总怀疑自己寿短(才子和佳人总是觉得他们要被天妒的),曾经让我为她算命——我采用了乡下人的算法,我故意采用这种算法,即揪下她一根头发用指甲捋,捋出一个阿拉伯数字的形状,就判断寿命为几——我在揪她的头发时,一块儿揪下了两根,一根算命,另一根就藏在地图册里。现在,这根泛着淡黄色的头发在我的手,我不知她此时在西路的什么地方?阳光从车窗里照热了我的半个身子,也使头发如蚕丝一样的光滑和晶亮,忽然想起了艾青的一首诗:"蚕在吐丝的时候,没想到竟吐出了一条丝绸之路",那么,我走的是丝绸之路,也是金黄头发之路吗?

李白说黄河之水天上来,那不是夸张,是李白在河的下游,看到了河源在天地相接处翻涌的景象。我看到的西路是竖起来的。你永远觉得太阳就在车的前窗上坐着,是红的刺猬,火的凤凰,车被路拉着走,而天地原是混沌一体的,就那么在嘶嘶嚓嚓地裂开,裂开出了一条路。平原消尽,群山扑来,随着沟壑和谷川的转换,白天和黑夜的交替,路的颜色变黄,变白,变黑,穿过了中国版图上最狭长的河西走廊,又满目是无边无际的戈壁和沙漠。当我们平日吃饭、说话、干事并未感觉到我们还在呼吸,生命无时无刻都需要的呼吸就是这样大用着而又以无用的形态表现着;对于西路的渐去渐高,越走越远,你才会明白丰富和热闹的极致竟是如此的空旷和肃寂。上帝看我们,如同我们看蝼蚁,人实在是渺小,不能胜天。往日的张狂开始收敛,那么多的厌恼和忧愁终醒悟了不过是无病者的呻吟。我们一个县一个县驱车往前走,每到一县就停下来住几天,辐射性地去方圆百十里地内觅寻古代遗迹,爬山,涉水,进庙,入寺,采集风俗,访问人家。汉代的历史变成了那半座的城楼,一丘的烽燧或是蹲在墙角晒太阳的农民所说的一段故事,但山河依旧,我们极力将自己回复到古时的人物,看风是汉时的风,望月是唐时的月,疲劳和饥寒让我们痛苦着,工作却使我们无比快乐。老郑在应酬各处的吃住,他的脾气越来越大——出门是需要有脾气的——麻烦的事情全然不用我去分心。宗林的身上背着照相机也背着摄像机,穿着浑身是口袋的衣裤,他的好处是能吃苦耐劳,什么饭菜皆能下咽,什么窝铺一躺下就做梦,他的毛病则是那一种令我们厌烦的无休止的为自己表功,所以大家并不赞扬他是雷锋,他却反驳雷锋不是也记日记要让大家知道吗?庆仁永远是沉默寡言的,他的兴趣只是一到个什么地方就蹲下来掏本子画速写。这当儿,小路就招呼旁边的一些女子过来,"这是大画家哩,"他快活得满嘴飞溅了口水,"快让他给你画一张像呀,先握手握手!"庆仁一画就画成了裸体,他眼中的女人从来不穿衣服。当汽车重新开动的时候,我们坐在车上就打盹,似乎是上过了竿的猴,除了永不说话的司机,个个头歪下去,哈喇子从嘴边淌下来,湿了前胸。我坐在司机旁边,总担心着都这么打盹会影响了司机的,眼睛合一会儿就睁开来,将烟点着两根,一根递给司机,一根自抽。抽了一根再抽一根。嘴像烟囱一样喷呼着臭气,嘴唇却干裂了,粘住了烟蒂,吐是吐不掉,用手一拔,一块皮就撕开,流下血来,所以每到烟吸到烟蒂时,就伸舌头将唾液泡软烟蒂。但唾液已经非常的少了。我喊:都醒醒,谁也不准瞌睡了!大家醒过来,唯一提神的就是说话——臭男人们在一起的时候说的当然都是女人。

这个时候,我一边附和着微笑,一边相思起来,相思是我在长途汽车里一份独自嚼不完的干粮。庆仁附过身小声问我:你笑什么?我说我笑小路说的段子,庆仁说,不对,你是微笑着的,你一定是在想另外的好事了。我搓了搓脸——手是人的命运图,脸是人的心理图——我说真后悔这次没有带一个女的来。小路就说,那就好了,去时是六个人,等回来就该带一两个孩子了!庆仁说什么孩子呀,狼多了不吃娃,那女的是最安全的了。宗林说:那得尽老同志嘛!我是老同志,但我没有力气,是打不过他们四个中的任何一个。我讲起了一个故事,那也是我的一个朋友,他在年轻的时候一次在西安的碑林博物馆门口结识一位姑娘,姑娘是新疆阿克苏人,大高个,眼梢上挑,但第二天要坐火车返回老家去了。他偏偏就喜欢上了这女子,五天后竟搭上西去的列车,四天三夜到了阿克苏,终于在一条低矮的泥房子巷里寻到了她的家。他是第一次到新疆,也是第一次坐这么长的火车,两条腿肿得打不了弯。姑娘的全家热情地接待了他,甚至晚上肯留他住在了那一间烧着地火道的房间里。姑娘对他的到来一直惊疑不已,以至于手脚无措,耳脸彤红,当房间里只剩下他们两人的时候,姑娘弯腰在地上捡拾弄散了的手链珠子,撅起的屁股形象在瞬间里让他看着不舒服,立即兴趣大变,便又告辞要回西安。结果就在这个夜里五点冒了风雪去了火车站,又坐四天三夜的车回来了。我说这样的一个真实故事,我也不知道要表达个什么意思,但大家对我的朋友能冲动着坐四天三夜的火车去寻找那个吊眼长腿的姑娘而感动着。

"那女子对你的朋友很快走掉没有生气吗?"司机原来一直在

听着我们的说话,这也是他唯一的插话。一只兔子影子一般地穿过公路,车嘎地停了一下,又前进了。

没有,我说,新疆是最宽容的地方。你就是几百万的人来,它不显得拥挤,你就是几百万的人走,它也不显得空落。新疆的民族是非常多的,各民族普通老百姓的融洽程度是内地人无法想象。而且,什么人都可以去新疆,仅仅是四九年以后,内地发生了旱灾水灾地震蝗虫而无法生活的人,各个政治运动遭受了打击迫害的人,甚至犯了刑事的逃犯,都去到新疆,新疆使他们有吃有喝有爱情,重新活人。我列举了我供职的单位,有五个人是在新疆工作了十几年后调回内地的,除一个是转业军人,其余四人皆是家庭出身不好,在西安寻不着工作,娶不下老婆却在新疆混得人模狗样。

当我们说完这话十分钟后,车的轮胎爆破了。车已经有灵性,爆胎爆的是地方——正翻过了乌鞘岭,进入一个镇子。说是镇子,其实是沿着缓坡下去的路的两旁有着几排房子,但这个镇子外边的坡上有一个烽燧,证明着它的岁数远在汉代。司机趴在车下换轮胎了,发现了轮胎是被啤酒瓶子的碎片扎漏的,便滚着轮胎到一家充气补胎的小店里去修补。小店乱得像垃圾堆,却有个胖女人坐在那里化妆,她的脸成了画布,一层一层往上涂粉和胭脂,旁边有人在说:咦,洋芋开花赛牡丹——生意来喽!胖女人还在画一条眉毛,店里却走出一个瘦子,一边将一木匣的莫合烟末拿出来,又撕下一条报纸,让司机先吸烟,一边笑着说:往新疆去啊?我们便到对面街坊的人家去讨热水冲茶。主人是让出了凳子,声明坐凳子是不收费的,热水却付一元钱,便觉得这主人不可爱。埋怨了几声,主人却说:现在经济了嘛,人家把啤酒瓶子摔在路上让轮胎扎破了再补,你们倒感谢人家,这热水是我从河里挑来烧开的,要那么个一元钱,你们倒脸色难看了?!他这么一说,老郑就坐不住了,哼了一声,把头发揉乱,横着身子往补胎店去。老郑是蹴在了店外的凳子上,凳子上有着一把锤子,拿起来往自己腿面上砸,喊:补胎的补胎的,你过来!补胎的还笑着,问大哥啥事。老郑说是你把啤酒瓶子摔在坡上的?那人脸立即变了,说哪里,哪里有这事?老郑就招呼宗林:你过来给他录录像,把这店铺牌号也录上!补胎人一下子扑过来给老郑作揖了,又返过身去,从一直坐在店门槛上喝茶水的老头手里夺过了茶杯,用衣襟把茶杯擦了擦,沏上茶递给老郑喝。老郑不喝,我们也不过去,瞧着老郑遂被请进了店里。过一会儿,老郑就八字步过来,说:他一个子儿都不敢收了!我说老郑你真是个惹不起,老郑说你怎么知道我的小名,小时候我在农村,谁要欺负我,我就哭,一哭就死,是手脚冰凉口鼻闭了气的死,别人就得依我了。我们哈哈大笑,坐在旁边吃饭的三个孩子瞧着我们也笑了笑。他们每人端了一碗蒸洋芋,剥开来白生生地冒气,蘸着盐末大口地吃。那个胖墩儿原本吃得舌头在嘴里调不过,眼睛睁得大大的,一经笑,竟噎住了,我赶紧过去帮他捶脊背。这当儿,前边的巷子口狗一样钻出个青年,接着又跑出一个妇女,妇女是追撵了青年的。青年跑得快,妇女在地上摸土坷垃,土坷垃没有,将鞋掷过去,青年却在空中接住,说:妈,妈,路上有玻璃碴哩!围观的人就说:狗细多心疼你,你还打狗细呢?!妇女单蹦了腿过来捡鞋,一屁股坐下来给众人诉冤枉:"我怎么生下这儿子!狗细,狗细,你就不要再回来,我死了宁肯给老鼠尽孝哩,我也没有了你这个儿子!"我问起给我们热水的老头这是怎么回事,老头说:你们怪我们乡下人刁,你们城里人才狠哩!原来这叫狗细的见镇上一帮人出外打工,他也就跟着去了乌鲁木齐,但他笨,没技术,只在劳务市场上等着刷墙的人叫去帮忙和灰,两个月下来,除了吃饭仅存了三百元。前半个月他回来,三百元钱不敢在口袋里装,裤衩上又没个兜兜,就把钱藏在鞋的垫子下。两天多的火车上舍不得买饭吃,肚子饥了只有蜷在那里睡,鞋就脱了放在座位下。鞋是破皮鞋,不穿袜子,脚又不洗,气味难闻,等到了离家十多里的那个站上,醒来要穿鞋,鞋却没见了。问左右的人,都是城里人,给他说普通话:那是你的鞋呀?臭气能把人熏死,从窗子撂出去啦!狗细急得哇哇哭起来,他倒不是珍惜那一双鞋,心疼的是鞋里还有三百元钱!但他打不过左右的人,骂了一句:"我塞……"城里人又听不懂,等于白骂,只好下车赤脚走了十多里路回家。

  我对这叫狗细的同情了,回头看看小路,小路眼里已经有了泪水。小路也是乡下出身,老家就在丝路的东段,他曾经说过在他小的时候,村人沿着丝路往兰州去讨饭,那时他小没人带他,一位本家哥一直讨到了武威,回来给他说,在兰州见到火车了,那火车一拐进山弯就拉汽笛,走起来又哐哐哐地响,似乎在说:甘肃——穷!穷!穷穷穷穷!我们在兰州的时候,小路是带我去见过他的那位本家哥的,这位本家哥是后来上了大学,成了博士,又下海投身于商界,他领着我们参观了他们的网络公司。我先是向他讨教网络在中国的发展前景,然后话题转到了今日中国的现状,提到了他和小路小时在乡下的生活以及现在乡下人的日子,他们两人当下是抱头大哭。也就在那个晚上,我们讨论了这样的一个问题:按人类社会的演进规律,是农耕文明进入工业文明,工业文明再进入信息文明,当然不容许一个社会有几种文明形态同时存在,但是,偏偏中国就发生了三个文明阶段同时存在的现实。正因为如此,它引发了今日中国所有的矛盾,限定着改革的决策和路径,而使我们振奋着、喜悦着,也使我们痛苦和迷茫。狗细的母亲还坐在小镇的街路上哭诉,夹杂的呐喊像母狼在哀嚎,狗细跑一段停下来回头乐乐,又跑一段,最后靠在一个店铺门前的油毛毡棚柱上,狠劲地踢棚柱,棚盖竟哗哗啦啦掉下来,招惹得店主人又是一阵大骂。宗林端了机子就去追狗细,我把他拦住了,人都有自尊心的,这时候去拍摄,不是背了鼓寻槌吗?

但是宗林却在星星峡外的公路上摄下了一组类似的镜头。

小镇上的经历,使宗林萌生了大的想法,他原本只是跟了我想制作一套西路的风情片,现在,他却志存高远,要拍摄在西路上看到的各个文明形态中生活着的人们怎样安于命运,或怎样与命运奋斗并力图改变命运的图片。我不是个平庸的人吧,这想法绝对的好!他得意着,所到之处,也就更忙了,常常我们一块出去,走着走着就不见了他,等他回来,不是说还没有吃饭,就是浑身的泥土。在武威的老街,为了拍一群像做舞蹈一样弹棉花的人,竟被狗咬了腿,伤是不重,用不着打狂犬病针剂,但一条裤腿却撕开来,像穿了裙子。

我和小路依然关注的是西路上的军事和经济的历史,丰富的遗迹和实物使我们在武威多住了几天。元狩二年,霍去病发动了祁连山之战,打败了匈奴贵族浑邪王,河西走廊并入了西汉版图,匈奴在哀唱了:亡我祁连山,使我六畜不蕃息;失我焉支山,使我妇女无颜色。对于失掉焉支山,为什么会使妇女无颜色?我去武威博物馆查询资料,是焉支山出胭脂,还是阻断了匈奴通向西域的道路,山域的各种奢侈品来不了,贵族妇女再不能乔装打扮?但是,庆仁却意外地送给我了一份收获。他是去武威老城速写时碰到了一个姓纪的女子,他当然为这女子画了一张像,而且画得极像,女子便邀请他去她家喝水。庆仁是"花和尚",坐在人家屋里,又画人家屋里的土炕,土炕上绣着鸳鸯的枕头和土炕下放着的鞋子,偶尔在其柜子上的木板架上发现了一本旧书,书上记载了一七〇〇年前粟特国驻河西姑臧的商团首领写给其主子的信,便抄回来给我,强调可以证明公元四世纪的河西走廊在中西贸易中的枢纽地位。这确实是一封有着文献价值的又趣味盎然的信。我把信的其中部分用陕西话念着——陕西话在汉唐应该算做国语吧——让宗林录音录像。我是这样念的:

致辉煌的纳尼司巴尔大人的寓所,一千次一万次祝福。臣仆纳尼班达如同在国王陛下面前一样行屈膝礼,祝尊贵的老爷万事如意,安乐无恙。

愿尊贵的老爷心静身强,而后我才能长生不死。

尊贵的老爷:阿尔梅特萨斯在酒泉一切顺利,阿尔萨斯在姑臧也一切顺利。

……有一百名来自萨马尔干的粟特贵族现居黎阳,他们远离自己的乡土孤独在外,在□城有四十二人。我想您是知道的。

您是要获取利益,但是,尊贵的老爷,自从我们失去中国内地的支持和帮助(注:中国内地正处于西晋的永嘉战乱),迄今已有三年了。在此情况下,我们从敦煌前往金城,去销售大麻、纺织品、毛毡,携带金钱和米酒的人,在任何地方都不会作难,这期间我们共卖掉了 $X+4$ 件纺织品和毛毡。对我们来说,尊贵的老爷,我们希望金城至敦煌间的商业信誉,尽可能地长时期得到维持,否则,我们寸步难行,以致坐而待毙。

尊贵的老爷,我已为您收集到成捆的丝绸,这是属于老爷的。不久,德鲁菲斯浦班达收到了香料,共重八十四司他特,对此曾作有记录。但他未写收据,您本应收到它的,但这恶棍将记录给烧了……这些钱应该分别开来,您知道,我还有个儿子,转眼之间,他会长大成人,如果他离家外出,除了这笔钱之外,他将得不到任何其他的帮助,纳尼司巴尔老爷定会尽力成全这件事的。他有了这笔钱,就能成倍地赚钱。如果这样,对我来说,您就是像救命于大灾大难中的神灵一般的恩人,在儿子成年娶妻以后,仍让他守在您的身边。

另外,我已派范拉兹荚去敦煌取三十二袋麝香,这是我个人买的,现交给您,收到后,可分为五份,其中三份归我儿子,一份归皮阿克,一份归您。

我念完了粟特人的这封信后,知道了当年这条路上熙熙攘攘往来的商人是怎么生活的,也知道了这个汉时称做姑臧也称做凉州的武威在西路上如何的显赫,一时引发了曾经歌咏过的岑参的《凉州馆中与诸判官夜集》:弯弯月出挂城头,城头月出照凉州。凉州七城十万家,胡人半解弹琵琶。琵琶一曲肠堪断,风萧萧兮夜漫漫。河西幕中多故人,故人别来三五春。花门楼前见秋草,岂能贫贱相看老。一生大笑能几回,斗酒相逢须醉倒。凉州的格局是阔大的,气氛也极安定,说人聚会于花门楼,一曲琵琶却是肠要断了,喝醉在地,是真要"一生大笑"呢还是借酒消愁,愁更愁了?近两千年前的姑臧城里的那个夜晚我想是一个夜晚——纳尼班达在写着信,烛光跳跃在他那瘦削的额头和满是胡须遮掩的狡黠的嘴角,他想到他的儿子是流泪了。于是,我推测着被匈奴囚禁了十多年的张骞逃脱后在继续往西去的路上,是如何在念叨着被丢弃的与匈奴女生下的儿子的名字;推测着那个逐放在北海的汉使节苏武看见了老牛舐犊,又如何想到长安城里的娇妻幼子,肝肠一节节地碎断。人是活一种亲情的,为了亲情去功名去赚钱走上这条路,这条路却断送了亲情,但多少人还是要上路,这如同我们明明知道终有一天要死,却每日仍要活得有滋有味。

西路的沿途,很少能见到大片的村庄,常常是在一处沙梁之后,白杨树丛旁,突然地就站着几个大人和孩子看着我们的车辆呼啸而过,使你生满疑窦,不知道他们是从哪里钻了出来。大人们差不多是满头是脸满脸是头的那种,孩子们却如花一样的鲜嫩,然后在汽车带起的尘雾里消失。或许,我们的车就停下来,要锐声地鸣着喇叭,因为又一户转场牧民所赶动的羊群和牛覆盖了一段公路。牧人在急促地吆喝着,吆喝声中充满了对我们的歉意,骑在马上的妇女已经下来,弓着腰将牧羊狗夹住在双腿之间,狗向我们龇牙咧嘴地吠一声,她就用手在狗头上打一下。但另一匹马背上的儿子却默然地看着我们,羊群和牛通过了公路,公路上落上了一层黑豆似的粪蛋,儿子的脖子扭成了四十度还在看我们。我永远记住了这一双白多黑少的大眼睛,总觉得它在向我们窥视,以致多少个夜晚睡在旅馆都要将窗帘拉严,疑心那眼睛已变成了星星就在室外的树梢顶上。

宗林实在是希望能跟踪了一户牧民一天或者数天,拍摄一套他们生活状态的照片,"只要让我拍,绝对会得一个摄影大奖的!"他反复强调着,但这是不可能了,因为老郑已联系好了前一站的住宿,而且我上了火,牙疼得半个腮帮已肿起来,极需要寻到一个有医院的城镇。庆仁说,农民牧民渔民的生活方式还不大致一个样吗,你回去到陕南的山区,专门拍一个村庄从早上到晚上的活动纪实片,什么都知道了。我也附和:这就像你要想了解怎样给佛上香,就看看自己如何吸烟便行了——烧香供佛,吸烟自敬嘛!宗林嘟嘟囔囔了一阵,没脾气了,却附过身来要为我治牙病。他在我耳朵下的穴位掐,牙暂时不疼了,疼的倒是耳朵,等到耳朵的疼过去了,牙又开始疼。他轻声说:你想想她。我瞪了一眼。他又说:记住,你想她的时候,正是她在想你。我骂道:我病了难道她也病了?!口里这么骂,心里却真的想到了她,就那么将头枕在宗林的腿上,任他一边轻按着耳下的穴位一边说:让平凹牙疼,牙是咬了你娘的×了?!我就迷迷糊糊睡着了。

但车过了星星峡,他把我推倒在了车里。

车过星星峡的时候我是在迷糊着,再行了百十里地,我们似乎是进入了月球,山全成了环形山,没有一株树,没有一棵草,更见不到一只鸟。车在一个山包转弯处遇着了几辆手扶拖拉机,先是谁也没留意,庆仁惊叫了一声"金娃子!"金娃子就是淘金人。宗林当时就让停车要拍照,老郑的意思是车继续开,远远超过了拖拉机,停下来再拍摄一是可以拍摄得详尽,二是不至于惊吓了人家。车就急驶狂奔了一阵在一片如魔鬼城的地方停下来。这一切我都是不知道的。等下了车,到处是灰白色,用脚踩踩,却硬得疼了脚,原来是如石板一样的碱壳子。小路对着天空伸懒腰,浩叹着天上如果有一只苍鹰,这里就是最雄浑的地方了。我说都拉拉屎吧,一拉屎苍蝇就来了——在那时,想想有个苍蝇,苍蝇也是非常可爱的——但屎拉下了,并没有苍蝇出现。这时候,三辆手扶拖拉机一前一后开了来,第一辆已经开了过去,我才发现第二辆上堆放着铁桶、木架、被褥,被褥中间坐着三个人,两个男人,一个女人,都形如黑鬼。我当然醒悟这是淘金者,但祁连山脉里哪儿有金矿,这些淘金人又是哪儿人,从哪儿来要往哪儿去呢?在张掖住店的那个晚上,窗外有着呜呜的风,隔壁房间里成半夜的有着床板咯吱声和女人的颤音,害得我浮躁了一夜,天亮坐在走廊要看看那是一对什么男女,如此驴马精神?但男的形象却并未令我反感,因为他说话鼻音重,是个陕北人,前去搭讪了,才知他是金客(从此懂得淘金的叫金娃,收买金货的叫金客)。他并不避讳我,说那女人并不是他的老婆,但他一直爱她,爱得心疼。女人的丈夫也是他的同乡,因偷割电线电缆去卖铜卖铁,被逮捕了在新疆劳改,劳改中就病死了。女人一定要来把丈夫的尸首运回去,埋葬在其父母的坟地里,说为丈夫的墓都拱好了,拱的双合墓,她将来死了就也睡到右边的墓坑里。他是在新疆做金客的,当然就陪了她,他有钱可以让她坐一趟飞机,但那样陪她的时间短,他就和她坐了火车。劳改场里病死的人是埋在一片沙窝子里的,等他们去时,劳改场的人却弄不清了哪一个沙堆下埋着的是她的丈夫,她只好趴在沙地上哭了一场,把一捧黄沙装在布口袋里。是昨天晚上,她终于才让他圆了二十年的梦。"她是个好女人哩。"他低声说,"她答应把那一堆旧衣服和黄沙带回老家埋了,就跟我再来,伴我在这里收金呀!"我感叹着这白脸子大奶子的女人对那么一个丈夫还有这份情意,或许那丈夫对于别人是贼,对于妻子却是个好丈夫吧。我笑着说:你们昨晚可害得我没睡好呀!金客嘿嘿了一阵,说:人嘛,就要过日子哩。我说这与过日子何干?他说那女人答应要为他生个娃娃的,日子日子,它倒不是柴米油盐醋,主要是日出个儿子繁衍后代嘛!

金客有金客的日子,眼前的金娃却是这般形状,第二辆手扶拖拉机要开了过去,宗林就立在公路当中先拍照片,然后绕着录像。驾驶的是一个三十左右的青年,衣衫破烂,你怀疑是风吹烂的,也可能整个衣衫很快就在风里一片一片地飞尽;头上是一顶翻毛绒帽,帽子的一个扇儿已经没有了,一个扇儿随着颠簸上下欢乐地跳。他的脸是黑红色的,像小镇上煮熟了的又涂抹了酱的猪头肉。

当发现宗林正对着他录像,他怔了一下,拖拉机差点熄火,虽还在驾驶着,速度明显减缓,如蹒跚的老太太。我们都围近去看,在高高的杂物之上,四个年轻人腿叉腿身贴身地围住了一圈,全都袖着手;全都是酱猪肉的脸,而且似乎被日晒和风寒爆裂;恐怕是数月未洗过脸和头了,头发遮住了耳朵,形成肮脏的绵羊尾巴状。他们对我们的靠近和拍照,惊恐不已,浑身僵硬,那系着绳儿拴在腰带上的搪瓷碗叮叮当当磕打着身边的木架。小路把纸烟掏出来往拖拉机上撂,说:兄弟,是去淘金呀还是淘了金回家呀?语调柔和,企图让他们放下被打劫的担心,因为前边的那一辆拖拉机已经停下,人都下来,并从拖拉机上抽出了锨在手,而后边的拖拉机也停下来,驾驶员虽还在位上,手里却操了一根铁棍。小路的话他们没有接,扔上去的纸烟又掉下来,拖拉机继续向前开,前后的拖拉机也重新发动马达。宗林一边拍摄一边对我嚷道:太好了,太精彩了,照出来绝对漂亮!我看着拖拉机上的人,他们对宗林的拍摄没有提出抗议,但脸上、眼神里没有了惊恐,却充满了一种自卑和羞涩气,想避无法避,就那么像被人脱光了示众似的难受和尴尬。我心痛起来,想起我在乡下当农民的情景:那时我沦为可教子女,每日涉河去南山为牛割草,有一次才黑水汗流地背了草背篓到河堤上,瞧见已经参加了工作,穿着制服骑了自行车的中学同学,我连忙连人带背篓趴在河堤后,不敢让人家看见。我立即摇手示意宗林不要拍摄了,拍摄这些镜头有什么精彩的呢,难道看着同我们一样生命的却活得贫困的人而去好奇地观赏吗?

拖拉机嘟嘟嘟地开远了,戈壁滩上天是高的,路是直的,能清楚地看出我们生活的地球是那样的圆,而且天地有了边缘,拖拉机终于走到了最边处,突然地消失——我感觉到边缘如崖一样陡峭,拖拉机和人咕咚全掉下去了。这数百里没人烟的地方,淘金人走了多久,路上吃什么喝什么,夜里住在哪里,淘出的金子由谁掌管着,刚才在我们围观和拍摄时掌金袋的人是何等的紧张,而那数月里所淘取的金子又能值多少钱呢?卖了金子分了钱,是买粮食呢还是扯一身衣服?或许为着找一个媳妇吧。我给大家讲一个我的老师去美国访问时的故事,老师在一处海滩上碰见了一个美国男人推着小儿车,小儿有两岁左右,非常可爱,他就对那男人说想和小儿拍照留影。那男人说你等一下,便俯下身对小儿叽叽咕咕了一阵。老师是懂英语的,他听见那男人在说:迈克,这个外国人想和你照相,你同意吗?小儿说:同意。那男人才对老师说儿子同意了,你们拍照留影吧。

  我说的故事是在讲了对人的尊重,宗林反驳说咱们现在还用不着那一套,生存是第一位的,我或许那样拍摄让他们难堪,但拍摄出来让更多的人看见了来关注他们的生存状况,而不是去取笑和作践他们,我当年未参加工作前,在乡下去拉煤,比他们还悲惨哩!宗林说的是真情,他小时是受过罪的,我何尝不是这样呢?出生于农村,考上大学后进入城市的单位,再后是坐在家里写作、玩电脑、炒股票、交往高科技开发区的一批大老板,如果说农耕、工业、信息三个文明形态是一个时间的隧道,那我就是一次穿越了,而不管我现在能爬上了什么高枝儿,我是不敢忘也忘不了生活在社会最基层的人。我说,我什么苦没吃过,你这些镜头应该是为庆

愿望

己丑 丰子

忘却煩悩即真如

仁他们拍的。

"要我像金娃子这么活着?"庆仁歪着头,"我就一头撞在石头上死了!"

"鬼怕托生人怕死,"小路说,"人是苦不死的,你要到了他们这个份上,你也是挣着挣着要活下去,不但自己活下去,还要想法儿娶媳妇生下孩子,一溜带串地活下去。何况,瞧你这样子,当和尚是花和尚,当日本人也是朝三暮四郎。"

"我有你那么骚吗,我只是狂丑了一点。"

汽车中的浪话又开始了,我掏出了日记本,在颠簸中记下了小路的话,并写道:丝绸之路就是一条要活着的路啊,汉民族要活着开辟了这条路,而商人们在这条路上走,也是为了他自己活得更好些,我之所以还要走这条路,可以说是为了我的事业,也可以说是为了她吧。

三、路是什么,这重重叠叠的脚印

离开西安的那天,恨不得一日能赶到天水,当八百里关中平原像一只口袋一样愈收愈紧,渭河在两道山峦之间夹成了细流,这已经是走过了天水、秦安、甘谷、武山和渭源,走过了,却觉得西安的宏大和繁华。坐在西安城里写乡村,我是已经写过了一系列关于商州的故事,如今远离开了西安,竟由不得又琢磨起了这座我生活了二十八年的古都。两千年前的汉朝和唐朝,西安在世界的位置犹如今日美国之华盛顿吧,明清以后的国都东迁北移,西安是衰败了。日暮里曾同二三文友去城南的乐游塬听青龙寺的钟声,铜钟依旧,钟声却不再悠长,远处的曲江已没花红柳绿,我们也不是了司马相如或杜牧,——寒风悚立,仰天浩叹,忽悟前身应是月,便看山也是龙,观水水有灵,满城草木都是旧时人物。前些年,突然风传城西南的一家宾馆门口的石狮红了眼,许多市民去那里烧纸焚香,嚷嚷着石狮红眼,街巷要出灾祸了,虽然街道办事处的干部数天里驱散着去迷信的人群,我还是去看了一回。我并未看到石狮是红了眼的,但石狮确实是一对汉时石狮,浑圆的一块石头上,粗犷地只刻勒了几条纹线,却形象逼真,精神凸现,便想这石狮会成精作怪的,它从汉代一路下来,应是最理会这个城市的兴衰变化的。出发的前一天,在家看戏本《桃花扇》,戏里的樵夫唱:"眼看他起高楼,眼看他宴宾客,眼看他楼塌了",便觉得这樵夫是在为这个城做总结。也就在刚刚合上戏本,一位朋友送来了一只大龟,是在旧城改造时,于拆迁的一座四合院的柱顶石下发现的。你要上路了,他说,杀吃了壮行吧。这龟如铁铸的颜色,我看着它,它也伸出了头看我,那眼神让我瞬间里感到了熟悉,而半夜里便梦见一个和尚,又在梦里恍恍惚惚认定这和尚就是汉代的那个鸠摩罗什,天亮就再不敢宰杀,将它放生在了城河里。离开西安的第二个晚上,睡在了天水宾馆,窗外的一片竹使风显形了一夜,远处的大街上灯火还是通明——正逢着过什么西部城市商品交易会,狮子龙灯还在舞着,秦腔还在草台上生旦净丑地演动——我是谢绝了接待人的观赏邀请的,想,陕西号称秦,秦又号称狼虎之国,但真正的秦人却算做是天水人,秦始皇的先祖就是在天水发祥后迁往了关中,如果说陕西现在已失去了中国政治、经济、文化的中心地位,而在天水,却也是舞狮子龙灯,穿明清服饰,粉墨登场,以示振兴传统文化了。对于传统文化是什么,应该如何继承,整个社会的意识里全误入了歧途,他们以为练花拳绣腿的武术,竹条麻絮做成的狮子戏弄绣球,或演京剧、秦腔、黄梅,就是继承传统,又有多少人想到一个民族要继承的应是这个民族强盛期的精神和风骨,而不是民族衰败期的架势和习气呢。世界上任何人都在说自己的母亲是伟大的,任何人都在热爱自己的民族,但是,我不得不说,汉民族已经不是地球上最优秀的民族了,仅二战期间出了那么多的汉奸,在全世界也是罕见的!一间房子里两张床,小路的一张嘴是刚刚歇下来就响起了鼾声,他的鼾声是毫无规律的,吼一阵,吹一口气,又吧嗒吧嗒咂嚼。在远处的锣鼓声中和身边的咂嚼杂音里,我开始记当天的日记了——我必须每天记我的日记——日记上有这么一段话:

  一踏上西路,即便已经是公元 2000 年的秋天,你也不能不感叹这条路是多么的艰难!公路和铁路并排地贴着渭河的两边穿行,而这里的渭河没有滩也没有岸,水直接拍打着山根,用炸药和钢钎开凿出来的铁道和公路也仅仅能通过一列火车和一辆汽车。洞子奇多,几乎在黑暗中进行,盼望光明而光明又是那么的短暂,使你感觉到车不是向西走,而是越走越深,进入万劫不复的地狱。终于这一个洞子与另一个洞子距离略长,可以把整个脸柿饼一样地压扁在窗玻璃上,看到了对面正在通过火车,山根的石坎上站着一位穿了黄衣的路警,并没有行礼,却站得直直,流着清涕,旁边是一堆燃着的柴火。路还在往前钻,山越来越连着套着,河几乎在折行,崖头上坍下来乱石埋住了路面,可能是昨天发生的崩塌吧,有几十人在那里撬石头,乱石里露出一辆被砸瘪的小车前半部,三个人在那里用锯锯车门,把一具脑袋嵌入了肩里的尸体往外拉……我紧张地看着司机,司机没有说话,大家都一时无语。老郑递一个苹果让我吃——吃或许能缓释紧张和恐怖——我没有吃,拿油笔在苹果上画了一尊佛,放在了驾驶室的前窗台上。车似乎直立着爬上了那一堆山石土堆上,苹果就掉下来。重新放好,车又立栽般地下山石土堆,苹果又掉下来了。再一次放好。终于通过了塌方路段,车一停下,我们立即从车门逃出来,随之便瘫坐在地上,没有了一丝儿的力气。小路让大家都对天吐唾沫,呸呸呸,说这样可以避邪,不至于让刚才的死者阴魂附着了我们。我是不怕鬼的,因为要怕鬼,开凿这条路不知死了多少人,行走这条路又不知倒下了多少人,而铁路和公路未凿开之前,赶一队骆驼从这里经过,能不是死亡之旅吗?这是一条鬼路。在这条鬼路上,我们的祖先拨着鬼影而走,走出了一个民族曾经有过的博大和强盛,开放和繁荣。现在,一条渭河日夜不息地流动,它流动的是历史,我们逆河而上了,我怀疑我们是当年西征军营里的马或商队中的犬要去觅寻往昔的一点记忆吗?

小路翻了一下身,睡熟的油乎乎的脸,看着令人害怕,但他的鼾声却停了。鼾声的停止突然使我不适应起来,以为他是憋住了气,年轻轻就要过去了,忙下床用手去试他的口鼻,却是哼儿一声鼾声又发动了,气得我拉下床头上的一双绣花鞋放在他的鼻前,让鞋臭熏死他!

金莲小绣鞋是小路白天收集到的,还有一双麻编鞋——小路是有收集鞋的癖好的。当车行到毛家庄,正好一列火车也停在那里,分散在石坡上的山民就把门户打开了,男的女的,老的少的,忙不迭地提着篮子从便道上往下跑。篮子里装着苹果、核桃和五味子,涌在车窗外"同志,同志",殷勤叫卖,像河岸上的一群鸭子。五味子是一嘟噜一嘟噜的,颜色可人,但味道不好。当我们在品尝山货时,小路是不见踪影了,一会儿他从一家矮屋里出来,就笑嘻嘻地提着这两双鞋的,宗林叫道:你这嫖客,有爱破鞋的癖好?小路说,你不懂,这里边哲学上和美学上的学问大哩,西行的路上如果能收集到一些从未见过的鞋就是本人最大的得意了!

一路上,小路果然是收集到了两大纸箱的鞋。这些鞋当然多是各地的旅游点上的商品,他们在出卖风俗,冬夏四季的都有,老少男女的都有,也有各个民族的,逮的就是像小路这样的文化人的好新奇。那些脸蛋两团红肉的胖女人信誓旦旦地说:就这一双了!小路刚一转身,摊位下面又取出了一双摆在那里。两箱鞋分别在邮局打成包裹寄回了,我打击着他:最大的收藏是眼睛收藏,凡是拿眼见过了就算已经收藏过了;丝路是什么,就是重重叠叠的脚印,那该是走过了多少鞋?!

三天之后,我真的是把我的一双鞋和一颗牙丢掉在了路上。牙是严重的睡眠不足上火发炎而疼痛的,半个脸已经肿起来。这使大家十分紧张,因为任何一个人犯了毛病,行程计划将被打乱,沿途没有口腔专科医院,甚至像样的综合医院也没有,疼痛又使我耗费了忍耐能力,终于在一个小镇上被一位游窜的牙医拔掉了。这位牙医同时是卖老鼠药的,那一个大塑料盘里一半放着干硬的老鼠尾巴,一半放着发黑发黄的牙齿。他让我张开了嘴,黑糊糊的手伸进去摇动着所有的牙,当确定了病牙后,在牙根上涂了点什么药膏,然后手一拍我的后颈,牙就掉下来了。我把我的牙没有丢在那一堆牙齿中,牙是父母给我的一节骨头,它应该是高贵的,便抛上了一座古寺的屋顶去。鞋是在家时略有些夹脚,没想到在古浪跑了一天,脚便被磨破了,血痂粘住袜子脱不下来,好不容易地脱下来了,夜里被老鼠又拉进了墙角的洞里。路还长远,还得用脚,这鞋是无论如何也不能再穿了,但鞋还未到破的程度,我并没有把它扔进河里,也未征询小路要不要收藏,只是悄悄将它放在路边。在我们老家的山区,路边常会发现一些半旧不新的草鞋或布鞋,那是供在山路上行走的人突然鞋子破了再勉强替用的。我继承了老家山民的传统,特殊的是我在鞋壳里留下字条:这鞋没有什么污邪,只是它对我有些夹脚,如你的婚姻。

用棉纱包扎了我的脚,穿上了新袜和柔软的旅游鞋,我是走过了兰州周围的各县。我个头矮,穿上白色的旅游鞋,显得个头更矮了,但凡经过村镇,竟总有人瞧着我,小路问:我们这小伙怎么样,帅吧?回答的却是:鞋好。这是全国最贫困的地区之一,山上无树,黄土深厚,沿路的洋芋都开了花。钻进了一条有着无数的陶窑的土沟,一抹夕阳照来,整个沟坡的高高下下的田如一团巨大的石团被刀片胡乱地削过一样,在一派金黄色里闪亮。一群羊在沟底游移,牧羊的孩子坐在地上,脚手四乍,做着无聊的杂技。有老头和一头毛驴从坡垴处往下走,他双手抄在身后拉着毛驴的牵绳,路又如一条绳把他牵了过来。毛驴的额上有红的带子,是整个山沟最鲜艳的色彩,老头在吼着野调,漏齿的牙使口语不清,好不容易听明白了,吼的是:地里种的洋芋蛋,街上走的红脸蛋,炕上坐的糖糊蛋。我等着老头走近了问糖糊蛋是啥？他指了指路前一个没有长草的坟堆。这使我莫名其妙,又看了看坟堆,原来坟堆前垒着的不是一堆胡基,而是坐卧着一个人。人已经老得不像个人了,嘴皱得如婴儿屁眼,眼角糊着眼屎。这么老的人孤零零坐在坟前做甚？上前问:你老在这儿干啥？老人说我看我新房哩。又问你老多高寿了？老人说活得丢人了,丢人了,九十二了阎王爷还不来领么。老人对生死的心态令我们惊叹,我要背他回坡下的村去,他硬是不肯,便掏了百元钱塞在他的怀里,我们便往沟畔我们要拜访的那户人家去。这人家在一处圆土峁下,五间的砖房与所有的人家土墙土屋顶不同,砖房的两边又各安了大木格窗,再加上刷黑的钉着大黄铜泡钉的大门,山峁如卧虎,这门窗就是卧虎的眉目了。主人的门前虽未有公路,他却是沟外镇子上的一支长途货运车队的车主,足迹和车辙终年在家乡与乌鲁木齐之间往复,那鼻子高耸的老婆也就是在酒泉的一个歌舞厅里认识而带回来的——他强调她不是坐台的小姐,是服务生。我们就坐在客厅里烧罐罐茶(用玉米棒芯儿在铁火盆里架火,将陶壶装满了砖茶在那里煮沸,然后一一倒在小陶杯里),北方没有新鲜茶,但陈茶这么熬出石油一样黑汁来,却是另一种味道。问起这么多年搞长途运输有没有出什么危险,他说这当然有啦,彭加木是死在罗布泊的,余纯顺也是死了,他在沙漠上就看见过已经被晒干的现代人的尸体,他们是科学家或探险人,只是和大自然作斗争,运输车队却装着货,还得防那些强盗哩。他说他在一个夜里经过觉金山,突然前边有人挡车,他才要停下来,蓦地发现前边不远还有一个人提着一根木棒,立即明白遇上坏人了,刚踩了油门,挡车的那人就扑上车门外的脚踏板上,并已拉开了车门。他是一手把握着方向盘,一手斜过去紧拉车门扶手,两人就那么对峙着。亏得他脑子清楚——他说,我的长处是越在紧急时脑子越清白——就将车往崖根靠,既要靠近崖根,又不能把车碰在崖根,车就离崖根半尺宽,强盗便被挤伤了掉下去,然后一口气将车开下了山,才发现拉车门的那只手皮肉都拉裂了。

　　生生死死的搏斗,车主的描述是非常简单和轻松的,他不停地为我们熬茶,宗林就喝醉了——酒能醉人,茶也能醉人的——跑在门前的场边咯咯哇哇地呕吐。沟畔里就上来一个人,大声吆喝着"三娃"。"三娃"吆喝了半天没回应,那人说:"志高——!"车主就走出去问啥事,叫魂似的?那人说不叫大名就不出哇?!车主说就因为背运才改了名,你还是叫小名,叫得我还得和你一样穷吗?两人开始了一阵像吵架一样的对话。原来来人问车主几时去张掖,他的儿媳是张掖人,小两口去那儿弹棉花呀,墙高的人在家闲着,去挣几个钱是几个钱,在家闲着总不是个事呀!车主说明日一早就有车去张掖一带,但驾驶室里已经有人说好了,要搭顺车可以坐到卡车箱上面,如果不嫌风大,明早五点钟在沟口路上等着。车主就请那人来家坐坐,那人说他要走呀,身子不合适,头疼。车主说来喝口茶么,一喝头就不疼了。那人进来没有喝茶,却从怀里掏出个醋瓶子抿了几口,车主就作践你这个山西人,来这里做女婿三十年了,还不改吃醋的德性,便又对我们说来的这人叫松松,待儿子不好待儿媳妇好,儿媳妇生孩子时难产,他拿了醋放在儿媳妇的腿中间,嚷道山西人的后代要闻醋的,孩子果然闻见了醋味头就冒出来了。

到了张掖,最让我吃惊的是棉田,早知道河西走廊乃至整个新疆产棉,但走过一排杨树,迎面的竟是棉田一眼望不到头。棉花棵子并不高,棉桃硕大,吐着白花,拾棉的人几十个一溜儿摆开,衣着、说话都不是本地的模样,我也就想起了在陶窑沟车主家见到的松松,莫非这里边就有着松松的儿子和儿媳?我们走近去询问一位胖腰短腿的妇女,妇女竟是陕西南部我的同乡。嘿哟,乡党见乡党,我话一出口,她激动得就哭了。我问她是怎么来的,她还是夸我说话咋这么中听哩,然后才说她是一伙十二个人坐了火车来的,在家时听招工的人讲来拾棉花,心想拾棉花多轻省的活儿,又能挣得好钱,高高兴兴来了,来了工头把他们领到地边,说,拾吧,她一看见铺天盖地的棉花,吓得当下就软坐在了地上。"我吃不惯羊肉。"她说,"水土又不服,弯腰拾一天,夜里睡在床上全散架了,腿不是了我的腿,胳膊也不是了我的胳膊!"我同情着我的乡党,但我不知道该怎么来安慰她,不敢看她,仰了头看天上的云,云很高,挽了一疙瘩一疙瘩。老郑忙岔了话头,问这里有没有甘肃文凳的小两口也拾棉花?她说和她一块儿拾的除了乡党,有六个河南人,还有一个湖南妹子,就指了一下远处的一个小女子,那女子是撅撅嘴,像吹火状。我说,噢,还有南方人,就她一个?乡党压低声音说:英英才可怜哩,年轻轻的守了寡,家里不要,孩子也被夺去了,一个人流浪过来的。

她说着,又后悔自己不该把朋友的隐私翻出来,不说了,不说了,但她还是忍不住又说给了我们,她或许是个藏不住事的人,也或许见了乡党只把憋着的话说出来痛快。因此,我们便知道了这个叫英英的湖南妹子家住在铁路沿线,地少人多,日子苦焦,村人就集体偷扒火车。隔三岔五了,男人们三更半夜爬上经过的货车,疯了似的,见什么就往下扔什么,老汉和妇女是藏在路基下的荒草里,见车上扔下东西来,便捡着往村里搬,搬到村里平均着分。因此,这村子也富裕开了,也因此从火车上摔死过三人,也因此被当地派出所抓去了三人。村人有个协定,凡是谁家的男人出了事,坐了牢或亡了身,集体来养活这一家。英英有一个两岁的孩子,丈夫在一次扒盗中从车厢上往下跳,跳下来落在一个水坑里淹死了。丈夫死了村人当然要管他们家,但丈夫是个笨人,历来的扒盗中仅是个喽啰人物,而且他的死完全是他的笨造成的,村人就将四万元钱一次付给她家罢了。公公婆婆想,大儿子死了,还有个患摇头风的小儿子,就要英英和小儿子结婚。英英看不上小叔子,小叔子头摇着还罢了,那常年流涎水让她恶心。公公婆婆便翻了脸,要把孙子留下,让英英出门,钱是不给一分的。英英寻过村里的老者,老者说,你既然迟早要结婚,孩子留下是人家的根呀,至于钱,按法律也得判给儿子啊! 英英就提了装有换洗衣服的包袱流浪出来了。

英英的遭遇使我唏嘘不已,想给她出主意回去状告她的公公婆婆,可她的丈夫本身是个犯法的人,政府能支持她?想给她写个信去找找张掖市的马老板,能否安置她在那个大公司寻个工作——马老板和老郑熟悉,请我们吃过一顿饭——可她的形象太差,私企老板是不会接收的,信写了一半又揉掉了。我能帮她的,是我将一只吉祥葫芦让乡党转交给她。吉祥葫芦鸡蛋大,上面刻绘了菩萨,是在兰州的黄河边上特为避邪买的。乡党说:你也不送我一只?你看上英英啦?

我看上的是至今仍不肯说出一句"我也爱你"的人。
我们在兰州,仍是未得到已经在西路的她的任何消息,我度过了最浮躁不安的几天。这座在中国占有重要位置的边城变化得天翻地覆,七年前我曾在这里走遍了巷巷道道,闭着眼睛也能走到那几家著名的拉面馆,但如今街路拓宽,新楼矗立,车流堵塞,人乱如蚁,你压根儿不知了东南西北。在黄河桥边去看水车——我的生命里永远有着农民的基因,一看见犁过的地就想上去踩踩,一看见青草就想去割了喂牛——水车只剩下了一座,仅作为个象征物让人参观。往昔的兰州城是很小的,黄河南岸仍是大片的田地,十六米直径的大水轮成百座在日夜车水,轰轰隆隆,天摇地动,是何等的壮观! 时代变迁了,城市扩建了,没有了农村的贫穷和落后,也消失了纯朴而美丽的风景。我坐在那里,茫然地往对面一家宾馆门口看,门口外马路上停满了小车,三个蓬头垢面的孩子立即提了小水桶和抹布去擦车。有车主大腹便便地出来了,大声呵斥:谁让你擦的?瞧瞧,越擦越脏了!孩子停驻在那里一语不发,看着车头一处的水痕还用袖头又揩了一下。车主钻进驾驶室了,孩子却一下子趴在门窗口,一声声叫"叔叔,叔叔",车主又骂了几句,掏出一把钱来,从中抽了一张五元票,扔出车窗外,车就开走了。而宾馆左边的小巷口,是一辆已经停得很久的三轮架子车,架子车上装着垃圾,拉车的人坐在车上,先是毫无表情地看着那些为人擦车挣钱的孩子,后来脑袋就搁在车帮上睡着了,你无法想象车上的垃圾的臭味如何使他沉睡不醒,以至于孩子们为那五元钱争执着跑过身边,他还未醒来。这时候,巷子里另一个女孩走出来,她是沿着巷左的一排商店橱窗走过来,站在那里不动了,傍晚的落日正照在那橱窗的玻璃上,或许她奇怪了怎么每一块玻璃上都有一个发红的太阳,就立在那里发愣了,而夕阳的余晖和玻璃的折射使她罩上了一星亮光。我霍地站起来,难道是她?!但女孩毕竟是女孩,虽然特别像她,也只是她的缩小了的一个坯模罢了。我又坐下去,继续往巷子里看,自己笑自己犯神经,却自此有了一种异样的感觉:她是来过了兰州,或者,她也正在兰州。

  这样的感觉使我情绪倍增,在兰州多待了一天,而且走街串巷。庆仁瞧我的浮躁样,曾经问:你要买什么?我说碰见什么能买的就买呗。庆仁就赞叹兰州上市的瓜果品种这么多的,我说是多,都不甜么。

几乎是从甘谷起,西兰公路上就时不时长有一些柳树,柳树一搂粗,空裂着腹。沟底或村畔的柳是每年有人砍去枝条搭窝棚和做柴薪,树长得就是一个粗短的黑桩和一蓬鲜绿的树冠,像是大的蘑菇一般,而公路上的柳却是肆意生长,这就是左公柳。西路上到处有着汉以来为打通这条路和疏通这条路的遗迹和故事,天水是见到了李广墓(墓现在荒芜在一所小学校的角落,墓前的石马无头断足。李广的武艺超群,曾醉中将卧石看做伏虎,能一箭射透。但他的命运不济,元帝时朝廷重用老将,而他年轻,到了武帝时朝廷又重用少将,他却又老了。一生虽经百战,终未封侯,他是个晦气的人物,所以当年蒋介石号召国民党将领向李广学习,甚至亲自约部下来为李广扫墓,应者寥寥,陪同的仅侍从数人),在秦安是踏勘了三国时期失街亭的战场,又于陇西登临了北宋年间防御戎夏的"威远楼"。而左公柳是左宗棠西征时沿途植栽的,现在这种柳树还存活着多少,已经无人知道,但它肯定是历史保存给西路最多的也是最鲜活的证据。我们经过文峰镇时遇见了一位长者,他讲起清同治年间的西部回汉仇杀,仅陇西城原有居民十四万,仇杀后仅剩几千人,城外有两个大坑专埋尸骨,开头还整整齐齐排放,后来来不及了,就用粪耙子扒,坑外是沟壑,人血竟从壑壁的裂缝往外渗。左宗棠就是那次去西征平叛的。但因他一路又杀的回民太多,现在的回民对他避而不谈,当在路上问起左公柳的事,凡是戴小白帽的,全都说:鬼知道那是啥树!民族的感情我们是理解的,可想一想,国家的形成,王朝的建立,哪里不是用鲜血产生的?所谓的民族区别——其实人都是一样的人——只是集中居住的地理环境不同而逐渐形成了各自的性格、语言、风俗和宗教而已。读《西游记》，读到西域各国烧庙杀僧；那正是伊斯兰教进入的历史。现在汉人多驻于中原，回民集中于西北，新疆的维吾尔生活在河川，哈萨克游牧于深山，西路上是众多民族汇合地，保住了西路的安全，也就是稳定了各个民族间的团结和繁荣。

我们早已知道了出塞的那个昭君，也知道了文成公主的进藏，闻名于世的吐鲁番的额敏塔是额敏和卓帮助清高宗平定准噶尔有功受封而建造的，哈密瓜的称谓也是北京城人对哈密回王每年向清廷进贡的香瓜的冠名。但是，世人对于唐世平公主几乎要遗忘了，这位公主是嫁给了武威王的，她是怎么样个金枝玉叶身，又是如何来的，一生又在武威过的什么样的日子，史书没有记载，民间也无传说，我们只在武威的博物馆里看到了一块小小的她的墓志石碑。再是那个鸠摩罗什，从西域到了武威，一住就是十六七年，组织译经，开凿石窟，然后东下，沿途传法，以致陇西至天水一带成为中国佛窟寺院最多的地区，单是甘谷旧城就有二十四座庙，以至于一条大街上一半是东禅院，一半是西禅院。还有苏武呢，小时候站在乡间的土场子上看高高戏楼上演《苏武牧羊》，一声"汉苏武在北海身体困倦"，然后一个老头颤颤巍巍地出来唱着没完没了的词，令人厌烦，到了西路，方知道他作为汉使者被匈奴扣留并逐放于北海牧羊了十九年，十九年是个什么数字呢？丝绸瓷器是到了西域，葡萄、番茄、琉璃、地毯、琵琶、筚篥、腰鼓却来了东土。河西被封设了五郡，五郡的城头上飘扬了大汉旗帜，匈奴休屠王的太子竟又在汉朝做官封侯。在甘肃的永登，我们专门去看了一个人称

己丑华也朴夫

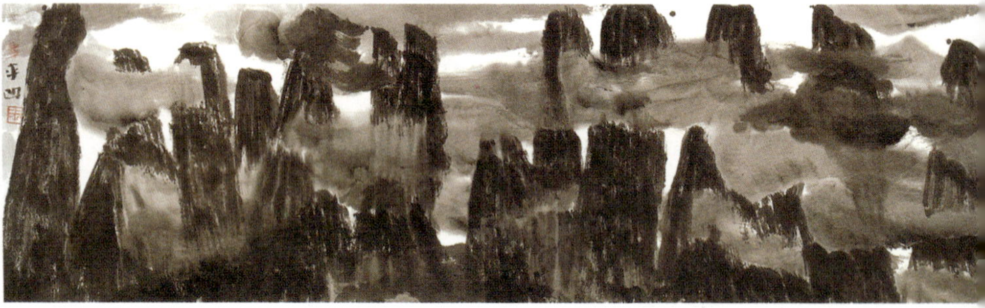

吉卜赛的村,果然村人生活习惯与吉卜赛酷似,尤其是女人皆识手相之术,经年累月结伙出外以看手相谋生。还有永昌县的牛头镇,全镇男女体格高大,碧目耸鼻,也不避讳其祖先是古罗马人,当年贩丝绸流落在此的。与这些人相见,小路免不了要与那些看手相的女人厮混,她们查看他的掌纹,过去的事一说一个准,他也目测她们,说某某身高多少,胸围几尺,也是从不失误。可宗林要给他与那些古罗马后裔照相时,小路是坚决不照的,他丑陋,不愿意陪衬她们的美。我也是西路东段的人,他说,怎么我的祖先就那么保持纯粹血统呢?怨恨不已。

一条路,从东往西,从西往东,来来去去了多少人呢?

敦煌去安西的戈壁沙漠上,我们的车极致了它的兽性,速度每小时一百六十公里,可是三个小时过去了,路上并没有见到一个行人。第四个小时吧,似乎前面有个踪影,还以为是只野兽,黑糊糊的一团,两条腿叉拉着缓缓移动,后才确定是人,形容枯瘦,衣衫肮脏,背有一个行囊。车是一闪而过的,但大家都看到了,是逃犯还是乞丐,我们竟讨论了半天,最后的结论不管这是一位什么人,必定不久就渴死饿死的。同是大漠上的人,能面对着一个将会渴死饿死者一闪而过吗——邂逅是有着缘分的,应该格外珍惜,对于一株奄奄一息的戈壁植物我们都曾注目一阵,企图要读懂它的存在的意义,何况一个人呢?——我们的车调转了方向又往回开,停在了那独行者的面前。

"喂,你从哪儿来呀?"我们问道。

"从乌鲁木齐来的。"他回答着。

"哎,要往哪里去呀?"

"要到西安去!"

我立即过去要替他取下行囊,说我们正是从西安要到乌鲁木齐去的,如果愿意,请上我们的车,再往乌鲁木齐去一趟了就可以一块儿回西安。

但他说声谢谢,拒绝了,他告诉我们,他是特意徒步行走的,可他不是探险者,他的夫人一直开着宝马车在前一站,她不让他看见她,却每隔一百公里在路边做了记号为他埋藏着水和吃食。原来是这样,我倒有些不好意思了,我将一支烟递给了他,他将烟塞在那一蓬脏兮兮胡须下的嘴里噗噗地吸,然后一起立在那里撒尿。他尿得比我高,也比我有力,我却因热尿泄出更感觉身子冷。坐在车上的时候太阳隔窗照射,热得脱了毛衣,下了车气候竟那么冷,手僵得裤带解不开,解开了又掏不着那个东西,好长时间方尿出来,以最快的速度尿,似乎慢一点那尿就成了冰棍要撑住身子哩。

告别了独行人,我们坐车继续西行,宗林和小路依然对独行人产生着兴趣。如果那人说的是实话,他俩说,那夫妻绝对不是一般人了,妻子能开着宝马车在前,丈夫徒步在后,肯定是发了财的老板! 当老板的却如此这般行走,是有着什么难以发泄的不被外人知晓的痛苦呢,还是他们有着一段浪漫的契约? 或许,他们是疯子。更或许,那人压根儿是不真实的,我们看到的并不是真人,是西路上的一个幻变了的漂泊鬼魂?! 他俩的各种疑问并没有激起我说话的欲望,我回想着刚才与独行人的问答,觉得那问答是那么熟悉,蓦地记得了,在禅宗台案里有这么一段描写,一个人问禅师:

你从哪里来的？禅师说:顺着脚来的。又问:要往哪里去？禅师说:风到哪里去我到哪里去。更记得了耶稣基督也是走到哪里总有人问:你从哪里来,要到哪里去？基督的回答从来一样:我来自地狱之城,要到天堂之城去啊！

四、是谁留下千年的祈盼

在我们从西安出发的时候,车里是钻进了一只苍蝇,宗林和庆仁曾忙活了半天去扑打,苍蝇却总是打不着,它站在庆仁的光头上,甚至就蹲在宗林当蝇拍摔打的那本杂志上。我便说这苍蝇有知识,恐怕也要随咱们一块儿上路呢,就留着吧。苍蝇便一直跟着我们。没想愈往西走,苍蝇愈觉得可爱,直到那天在戈壁滩上跑了一整天,我们要下车来小解,心想苍蝇这下会顺车门而溜掉的,但上了车,它仍趴在驾驶室的照后镜上,一条前腿跷起来极快地抚摸着脑袋,便知道它是个女性,不仅可爱,而且是很伟大的了。车经过一个镇落,庆仁专门下去买了一个西瓜,切开了就放在后箱角,对苍蝇说:你吃吧,咱们已经是一个团队了,我们会带你安全返回西安的。

过了兰州,黄河折头要往南而去了,我们没有乘坐羊皮筏子去体验水上的乐趣,而豪壮地往河里撒了一泡尿——让黄河涨了水去,把一切污秽都冲到海里去——头不回地往西,往西。黄土堆积的浑圆的山包没有了,代替的是连绵不绝的冰冷峥嵘的祁连。祁连应该是中国最逶迤的山,千百年来风如刀一样日复一日地砍杀,是土质的全部都飞走了,坑坑坎坎,凹凹凸凸,如巨木倒地腐化后的筋,祁连就成了山之骨。在全程的西路上,我们的车翻越了三个要去的山,一个是乌鞘岭,一个是党金山,一个是星星峡,另外有天山和火焰山。翻过乌鞘岭,可以说真正是另一个天地,长城离我们是那样的近,往日电视里看到的八达岭的长城是高大和雄伟,在这里却残败不堪,有的段落仅剩下如土梁一般的墙基,它是一条经过了漫长的冬季而腐败得拎也拎不起的瓜藤。伟大的永远是大自然,任何人为的东西都变得渺小,但这里却使你获得了历史的真实和壮美。山并不是多么险峻(这如河在下游里无声),车却半天爬不上去,而且开锅了数次。在山下还都穿着衬衣,到了山顶太阳依然照着,却飘起雪花,雪花大如梅花。忽然看见了一只鹰,斜刺着飞下来落在一块石头上,如又一块石头。停下车来吟了古句"偶呼明月向千古,曾与梅花住一山",人一下来衣服立即宽了许多,匆匆在路碑前留一张影,赶忙开车又走——是逃走了一般——感觉里自己的影子还被冻僵在那路碑石前。下山转了多少个弯子,已不知道,我们在车里东倒西歪,像滚了元宵,却看见了就在前边,似乎很平坦的地段上,有两辆车翻了。事故发生的时间可能不长,一辆仰面的卡车车轮还在转,伤者或死者已被运走,有人凶神恶煞地提着皮带站在旁边,监视着已经围聚过来的虎视眈眈盯着散落货包的人群。我们的车也停下来。老郑跑过去问提皮带的人需要不需要我们帮助,回答是已经派人去前边的公路管理站报告了,马上会有人来处理,只问有没有烟,能否给他吸吸。老郑是不吸烟的,来向我要烟,我抓起三包扔了过去,并拆开两包天女散花般撒向围观的人,喊道:多谢大家照顾了!人群抢拾着烟支,轰地回应:"没说的,没说的。"会吸的把烟点着了,不会吸的将烟夹在耳朵上,差不多散开,踅进村去了。村就是路北坡沟的一簇屋舍,——这是我第一次见到的别于内地的村舍——不长树,没有砖瓦,没有井台和碾盘,一律低矮如火柴盒似的土墙土顶的土。若不是那每个土顶上的土坯烟囱冒着黑烟,我会以为那是童话里的。

但是,到了古浪,山却出现了极独特的形状:其势如卧虎,且有虎纹,是从山顶到山底布局均匀的柔和的沟渠。卧虎卧着的不是一个,是一群,排列成序,序中有乱,如被谁赶动着的,呈现了的不是一种柔弱,而是慵懒,大而化之,内敛了强大的爆发力。过了古浪,我们看到的又是恢复了骨质的那种山,魔幻般的一会儿离我们很近,一会儿离我们又极其遥远,庆仁才惊呼着山是被硫酸腐蚀过的,怪不得祁连也称天山,却又有一段山峦突然间失去了峥嵘,浑浑圆圆有着黄土高原土峁的呆样。车发了疯地狂奔,细沙在玻璃窗上如水沫一样流成丝道,山极快地向后退着,变化着,如此几个小时后,山就彻底地死亡了,是烧焚过一般,有一层黑沙,而更多的山口出现冲积洪积扇的沙滩,同时路北的腾格里沙漠如海一样深沉。宗林突然锐叫:那边有炊烟!已经是老半天未见到人的踪迹了,有炊烟就有人啊,我们都趴在车窗上看,烟确实是直直的一柱,却未见到房子、毡包和人影晃动。而盯着烟柱,神秘地屏了气息,倏忽间烟柱在游动,真的在游动,且愈游动愈快竟就到了我们车边——原来是小的龙卷风!于是,我们讨论了古人的诗句:大漠孤烟直,长河落日圆。哈,一定是古人犯了错,古人也会犯错的,错把龙卷风当做炊烟了!(以此,我们重新解释了一些古人诗句,如用性意识分析李清照的《如梦令》:昨夜雨疏风骤,浓睡不消残酒。试问卷帘人,却道海棠依旧。知否?知否?应是绿肥红瘦。又新释了毛泽东的"题仙人洞":暮色苍茫看劲松,乱云飞渡仍从容,天生一个仙人洞,无限风光在险峰。)我们是好得意的,一得意就忘了形,把车停下来去拍摄壮景,宗林甚至说他要写一篇论文,这论文绝对会得奖的,然后司机却大声地呼叫着快上车,沙尘暴要来了!要来沙尘暴?我们看天,天上并没有特别异样的变化,但司机是经常走这条路的,他平时又不苟言笑,而他那么紧张地叫喊,我们是不能不听的。坐上车呼啸着就跑,风是果然就强硬起来,隔着窗玻璃听见哨子响,便见戈壁沙漠里起了无数的沙道儿,从骆驼草、沙棘、红柳根部刷刷地方向不定地窜,如蛇群狂舞,同时感觉到车时不时就飘起来。公路上有三辆载着货物的卡车已经停住,从车上下来七八个人慌不迭地往车帮系粗长的绳索,然后一起跑到风的反方向处使劲拉紧绳索,但一辆卡车还是翻倒了。远处一个维吾尔老人骑着毛驴,人与驴几乎朝着风倾斜了四十度,出奇地还在走着,犹如电影中人在太空的镜头。小路的喉咙发炎了多日,时不时就咳一口稠稠的东西,他下意识地将车门刚开一个缝要吐出去,门哗地张开,虽紧急关闭了,吓得司机脸都白了,并厉声呵斥:这么大的风你敢开门,车门掀掉了不要紧,把人吸出去了还想活不活?!小路再也没了笑话,老老实实地瓷了半天。

我们的车终于在半小时后驶进了一丛杨树林子。车轮上溅有血迹,这令我们百思不解,可能是奔跑中碾着了急不择路的什么小野物,但似乎并没有发现有野物横穿公路,庆仁则认为这车是汗血马的魂灵附体了,它跑得太快,也出了血汗。

杨树林子后原本是一处村落,能依稀看到往昔的屋基和田地的模样,但现在滋养人与植物的水分在减少,湿地已紧缩,所有的人都搬迁了,仅除了一处房子住人,操持着给过往车辆充气补胎的营生。补胎人年纪并不大,光脑顶、大胡子,小路叽咕了一句:满头是脸,满脸是头。补胎人可能正与老婆怄气,一边收拾门前的修补工具,一边骂人,见我们车嘎地开进林子下,不骂了,招呼我们从车上快下来到屋子里去。门外天一下子灰了,黑了,接着像冰雹一样噼里啪啦地响。屋门是关了的,使劲地被风沙摇撞,后来吱吱吱如老鼠在啃,塞在门脑上的草把子一掉下来,而木梁上吊着的一个大柳条笼就秋千一样地晃。一只狗卧在那里一声不吭,灶洞口却出来了一只猫,它是从外边的烟囱里钻进来的,白猫成了黑猫。"没事了,没事了。"补胎人招呼着我们往炕上坐,又生硬地让老婆给我们倒开水。一人一碗水,喝到最后,碗底沉积着一小摊沙。宗林有些稳不住气了,问司机这样的天气可能会多久,会不会被困在这里?我说,没棋么,有棋就好了,陈毅元帅战场上还下棋哩,大丈夫临危得有静气啊!我知道我脸上的肌肉还在僵着,却煞有介事地问起补胎人的生意了。他说:还可以,就是没有喷漆设备,要不真的发了财喽。我说:喷漆设备?他说:喷漆设备。我莫名其妙。这样的灰暗和嘈杂约莫过了四十分钟,外面渐渐明亮和安静下来,我们开了门,屋东边墙下涌聚了一堆沙,一只老大的四足虫四肢分开地贴在墙上,一动不动,用棍儿戳戳,掉下来,已经死了。而一只破皮鞋在高高的树梢上晃悠。树林子里的车完好无缺,我们就重新上路了,但一辆车很快地向补胎房驶来,这车令我们先是一惊,总觉得不像车,后来就噗地喷笑,原来车皮上的绿漆都在沙尘暴里剥脱了,像害病脱了毛的鸡,丑陋而滑稽。

还在家时,读过于右任一首诗,对其诗的序文觉得神奇:"甘州西黑水河岸古坟,占地十余里,土人称为黑水国,掘者发现中原灶具甚多,遗骸骨皆长。余捡得大吉砖,并发现草隶数字。"到了张掖,方知道黑水国就是张掖古城,也知道了张掖是古丝绸路上全国最大的国际贸易大市场,即公元六〇九年,隋炀帝在此曾会见了二十七国的君主和使臣,亲自主持举办了万国博览会。但万国博览会并没有留下任何遗迹,黑水国虽有两座古城堡,一座已被沙埋没,一座堡内建筑荡然无存,唯有大量的砖块、瓷片和石磨,拣了半天,也不见一块上有什么文字。出了城堡,本意是寻个避背处方便,却见城堡外有一片蒿子梅,全开着蓝色的花,在微风中轻盈如蝶。哇噻!我呼叫了一声。我一向讨厌港澳一带的人大惊小怪的语气,现在竟这么呼叫觉得是最能表现我的情绪了。真是奇异的事,到西部来外人一定以为我关注的是大的印象,殊不知在天高地阔的丝路上,却常常是一些细小柔弱的东西激起了我的注意。几乎是近二十天了还未看到过花哩,这一片蒿子梅令我愉悦了,我坐在那里看它的颜色,闻它的香气。看着闻着,我却伤感这么好的一片花却开在这荒僻地,而且是深秋,快到败时。宗林端着摄像机跑过来,摆弄着我在花前照相,风便把一朵花送到我的腮前。我说:

咦呀,这花要给我说话了?!小路就说:这花前世一定是个美丽女子!就这一句话,使我立在那里发了一阵呆。她在第二次来我家的时候,我正在书房里写作,重而脆的脚步声从楼梯第一层踏起,我就觉得是她来了,屏气听脚步响到了六层,门铃响了,开门果然是她。她怀抱着偌大的一堆花,全是蓝色的勿忘我。我说,呀,让我不要忘了你呀?她说是勿忘我吗,我真的不知道这是什么花,路过花店,瞧这花美丽就买了一大抱,若真是勿忘我,那得收回了!我说,你说的是真话,我也要以为你是有心买这种花的,现在这花进了我家,就是我的东西,你已无权带走它了。蒿子梅的颜色竟与勿忘我一个颜色,这是什么意思呢?神灵要暗示着什么吗?是不是她来过这里,还就在张掖一带?我不让宗林再拍照了,小心翼翼地采了一大束蒿子梅回坐到车上。当我要取一支烟吸时,让小路帮我拿花,小路顺手将花放在车脚下,我便火了,大发了一通脾气,小路受了没头没脑的责备,说我神经。我把蒿子梅抱在怀里,一路到了宾馆就寻插花的瓶子,寻到的却是一只很憨朴的陶瓶,这花就陪我在张掖度过了三天。庆仁笑我瓶子是旧瓶,花是快败了的花,若是人也该称做徐娘了,我便在瓶子上写了:旧瓶不厌徐娘老,西路风月剧清华。并称蒿子梅是西路之花。

西路上的花,只有蒿子梅。自从在张掖黑水国旧址见到了那一片蒿子梅,留神起来,竟在以后的行程中时不时碰着它。它可以是野生,一片树林子后,一弯沙梁的低洼处,或大或小地就有了那么一丛,而沿途的城镇村落,人们又喜欢在院子里种植或花盆里栽培。西部的所有草木都可能是皮干粗糙,形状矮小,唯有蒿子梅纤细瘦长,它不富贵,绝对清丽。因为老郑大半生是在西部的军营度过的,现在还仍是部队驻西安某干休所长,一路上基本上和部队联系,吃住都靠沿途军营来安排。

可以说,西路上我们走的是军线。在×团的驻地里,我们认识了黄参谋,他正在修补着驻地院子里一片蒿子梅的篱笆,这一片蒿子梅的花什么颜色的都有,风吹过来,摇曳着如五彩祥云。我大声地夸耀着蒿子梅,说是这里有土有水,蒿子梅是我在西路见到最美丽的蒿子梅。黄参谋却说十八年前你要来这里就不会说这话了,在这里建营房时满地卵石和骆驼草,为了保住一丛蒿子梅,他们每日节约着生活用水来浇灌,直至以后从远处拉来了土,又引来了祁连山上的雪水,蒿子梅才发展成了这般阵势。黄参谋的话让我心里咯噔咯噔地跳,蒿子梅虽然是生长在戈壁沙漠,但它是娇贵的,她虽然让我在今生很容易地相遇,但她又岂能是一般的女子呢?西路以来,总是不见她的踪迹,可她似乎又无处不在,云在山头登上山头云愈远,月在水中拨开水面月更深,却总有云和总有月吧。我这么想着,真希望黄参谋多说说关于蒿子梅的事,他说:不说花了,说军事上的事吧,我毕竟是军人啊!我当下脸红了,警惕了我在爱恋上的沉溺,就提议黄参谋多介绍些这里的情况,多领我们去看看一些景点。这位爱花的黄参谋,果然是满腹的西路上的军事故事,他讲了张骞出使西域时的向导是一位叫甘父的匈奴人,扣压张骞的是匈奴贵族单于庭,单于庭逼迫张骞娶妻生子,在张骞出逃后单于庭是把张骞的儿子用马刀劈杀的。张骞从大宛返回时,为了避免途经匈奴,改走了路线,沿昆仑山北麓向东,经莎车、和田、鄯善,这完全是犯了路线错误,因为那里道路更难走,且羌人更惧怕匈奴,才又一次被抓住当做了讨好单于庭的礼物。他讲了霍去病为什么在元狩二年出征能杀败匈奴的兰王和卢侯王,是霍去病没有直接攻取乌鞘岭,而是偷渡庄浪河,撕开了匈奴防线。到了元狩二年夏再次出兵,是从祁连山突进的,一场恶战俘获单于单桓、酋涂王及相国、都尉以众降下者二千五百余人。又到秋天,采用离间计,浑邪王率部下四万人投降。霍去病是有勇有谋,不是李广战而败,败而战。河西走郭是一个世界上最大的古战场,是霍去病张扬了武力,现在最重要的两个城镇之所以取名武威和张掖,武威就是汉王朝在此耀武扬威,张掖就是"断匈奴之臂,张中国之掖(腋)"。黄参谋最有兴趣的——当然更是我们的兴趣——是领我们去看长城,去看长城沿线的关隘和烽燧了。

从春秋战国开始,随着各诸侯国的兼并战争的加剧、军队成分的改变和军事技术的发展,为了适应边境设防的需要,利用山脉、河流或堑山填谷,逐渐形成烽燧相望、城障相连的完整的军事防御工程体系。在秦朝,匈奴就在北方频繁袭扰,防御工程便从辽东修到了甘肃岷县。到了丝绸之路打通产生后,长城(当地人称边墙)自然延伸到了嘉峪关。当我们在古浪时,是顺路见识了石峡关,在武威却未去各关隘,经黄参谋介绍,又调车头返回去了扁都口关,目睹了那里的峭壁陡立,领略了那变幻无常的气候,庆仁就是在那里感冒了,清涕长流,喷嚏连天响。黄参谋说,隋炀帝当年到张掖路过这里,正值风霾晦冥,士卒冻死了大半。小路瞧着谷径险狭,还要往深处去,被老郑骂了一顿,才赶紧退出。到山丹看峡口关,峡中湿云峥叠,呼吸也觉得困难,听说附近产石燕,若遇大风,石燕联翩飞舞,可惜我们未见其景,仅拾得鸡蛋大一块石燕,还缺了燕头。再去看红寺山关,看铁门关。到高台县的红崖堡,石灰关。去酒泉的胭脂堡,传说是北宋的佘太君率十二寡妇西征,在此梳妆打扮,筑城建堡,堡内泉水泛红色,可观赏而人不能饮。还有镇夷堡,两山口,断山峡口,还有像双目和蟹钳而在西域门口对峙的玉门关和阳关,一直追寻到万里长城的西端最重要的关隘嘉峪关了。

嘉峪关是坐落在祁连山与黑山之间的一个岩冈。汉时在今石峡关口内设有玉石障,依山凭险,加强防御,五代时在黑山设天门关,现在的关城是建于明洪武五年。我们登临关楼,正是风起时节,放眼关内外峻山戈壁,壮怀激烈,近观城廊楼台,砖土一色,静穆肃然,顿时感觉历史其实就是现实,时间在凝固着,不知了今是何年?关楼前的场子上是一座关帝庙——关帝永远是中国人的威武象征。如果嘉峪关是口内的大门,修关帝庙在这里就如同秦琼敬德一样做了门神——庙前是小小的一座戏台,正有一个秦腔班子在那里演出。台前观看的人不多,仅是刚从关楼上下来的一伙,全都外套系在腰内,墨镜架在额颅上,可能这些东南沿海的人欣赏不了秦腔,便指指点点台上演员谁个腰粗,谁个腿短。我们却看得痴醉,庆仁已经盘腿坐在尘土地上画起速写了。一个戴着硬腿椭圆水晶镜的老者就从台口的木梯上猫腰下来,他一直看着我,眼珠往上翻着,额颅上皱出一个王字:我看你像一个人!我说:是吗?他说:你姓贾?我就这样被认出了。原来这是从陕西过来的一帮民间艺人,行头简陋,衣着土气,但唱腔做工到位,已经在这里演出半年了。我遂被邀上台去。戏继续在演着,台下几乎只有宗林小路他们了,但演员仍是挣破脸地唱,敲板的那个老头双目微闭,摇头晃脑,将木盘上的那张牛皮敲得爆豆一般。秦腔虽然是发源于陕西的地方戏种,但流传整个西部,外地人看秦腔,最初的印象是嘴张得特别大,声吼得特别粗,但秦腔在这么个地方演唱是最和谐于天地环境了。那天清唱的都是古戏,内容差不多与西部的历史有关,如果嘉峪关是个老人,这戏文该是它的一种回忆了。戴水晶镜的老者也吼唱了一段《苏武牧羊》,问我唱不唱,我说我声不好,如果有羌笛,我吹一段龟兹曲吧。(我是个蹩脚的音乐爱好者,但我知道炀帝时定天下九部乐,即清乐、西凉、龟兹、天竺、康国、疏勒、安国、高丽、礼毕,而九部乐中六部皆来自西部。我的家乡至今有无数乐班,走村串镇为百姓家的红白事吹奏,人却俗称乐班为龟兹,那曲调我也就会那么几段。)演出几乎要变成一种聚会了,老者赶忙取羌笛,这时候,我的手机响了,看了一下显示的号码,立即扔下羌笛"噢"了一声。

电话号码是她的,打开手机到了化妆室,那里三个女演员正在换裙衩,我那时的急迫样子她们一定会发笑,但我什么也不知道了。

你还活着?

我在你心中已经死了吗?

不,不,是我快为你急死了!你在哪儿?

我在鄯善。

天哪,你真的也到了西部!我在嘉峪关,嘉峪关离鄯善多近啊——你在鄯善等着吧——我们明天,最迟后天就到!

我已经离开鄯善到敦煌,然后去青海油田,要走的是油线。

油线?

电话突然地断了。我以为地处偏僻,信号不良,低头看时,竟是我的手机没电了。偏偏在这个时候没了电,使我十分沮丧。下了戏楼,用宗林的手机再拨,然而,她的手机已经关闭了。

这个中午回到宾馆,我给手机充上电,开始坐在那里用扑克预测——将扑克暗排一至七层的塔形,然后用手中的余牌配十三数而揭,看能否全部揭开。当我们在一起的时候,共同玩过这种把戏,我说我们能成为朋友,朋友中的朋友吧,扑克是一直未能打通过,这个中午,应该说是几十天来最兴奋的一天,虽然有着遗憾和烦恼,但毕竟知道了她的具体行踪,我相信扑克会通的。我给自己说:生活就是这样,要享受欢乐也要享受烦恼,念念叨叨中摆了一次,没有通。一次不算,以再一次为准。还是不通。最后一次吧,绝不反悔!牌在一层一层打开,马上就可以到塔顶,我的手抖起来,呼哧呼哧直喘气……但剩下的三张牌仍没能揭开。我扑塌在沙发上,感觉脖脸发烫,视力有些模糊,小路推门进来,问下午去不去文殊沟,文殊沟里有个关堡的,很重要的一个关堡。我看着他,没有言语。他说,你又发呆了?我说,你瞧瞧,那边墙上怎么长出棵树来?那不是树,小路说,是墙裂开的缝。我再看墙的时候,果然不是树,是一条大的裂缝。我吁了一口气,一下子将扑克从桌面上掬了一捧,扔到了窗外。

小路回他的房间休息了,说好两点钟来敲我的门。他临走时警告着让我睡觉,说你睡眠不足,眼泡肿得很难看了。他一走,我又走到了窗外,一张一张捡起了那堆扑克——人在六神无主的时候信赖神灵——我毕竟还离不开扑克。一只麻雀在窗外的杨树下看我,我心里说:你敢笑话我一声,我就捡石子砸你!那麻雀到底没有叫,沙土上给我写了一溜"个"字。

我们的车往戈壁深处急驶,路还算平,一个小时后进入文殊沟。沟里驻扎着某装甲团,因为有部队在,小小的河岸这一片那一片是藏人、裕固人和维吾尔人开设的毡房,毡房门口支着货摊,守摊的姑娘衣着鲜亮,摊位上的熟肉酱着颜色。越往沟里走,路越不平,到处是坦克和装甲车的履带压轧出的硬土痕,而且游串的鸡步伐悠然,根本不让道,车就走得特别慢,货摊前的姑娘就招手,挤眉眼。小路说:她在叫我哩!也招手回应,一只狗就叼着骨头从车前跑过,车轮撞着了狗腿,狗叫声如雷。沟几乎走到头了,却往左拐钻一个山道,山道极窄,崖壁几乎就在车外,伸手可以撑住。远看这崖壁玄武色,十分威武,近来却只是沙砾的黏合,这让我有些失望,而水流冲出的渠道上是一蓬一蓬沙棘,沙棘的根已经相当苍老,又让我想到了四五十岁的侏儒。在山道七拐八拐了十几分钟,天地突然开朗,出现在面前的又是一望无边的戈壁!这是我见到最为丰富的戈壁,五颜六色的沙棘、骆驼草和无名的野花,塞满了从南边文殊山峰流下的河道两旁,而河道没有水,沙白花花如铺了银。一辆摩托车就从远处顺了河道而来,先是一个黑点,黑点后拖着一条白色的尘烟,终于与我们擦身而过了,骑摩托的是一位黑红脸膛的年轻人,后车座坐着一个穿短裙的女子,吊着两条腿,丰腴得像白萝卜。摩托在河道上跳跃着,女子的裙子就一掀一掀,暴露了并没有穿裤头的屁股,小路脸上的表情就滑稽了,大家没有理他,因为车上有黄参谋。

戈壁上有无数的沙墩,我们以为是残留的烽燧,黄参谋却说那叫大墩,是坦克演习时的靶点。说这话时东北角尘烟冲天而起,正有着一排坦克在演习行军。为了不影响演习,将车一直开到文殊山根,山根下就出现了一座残破不堪的古堡。堡墙上没有门,但有曾经安过门的洞。从墙洞钻进去,有一大片歪歪斜斜的土屋,似乎还有巷道,草丛里是干了的羊屎和驴粪,一些破碎的酒瓶和一只干瘪翘起的破皮鞋。却没有一个人。小路说:那一男一女就是从这里下去的,他们住在哪儿? 我说:你还没忘掉那个光屁股呀?! 黄参谋才告诉我们,这古堡原来是一个关隘,清代曾驻扎过四十多名守兵,后来一直居住着裕固族人,十多年前裕固族人搬到戈壁滩外的沟里了,仍有大量的羊群在文殊山深处,但放牧的都是雇来的汉人,他们每十天半月进山去看看,那一男一女就是去监工的。大家都哦了一声,无言以对。小路趴在堡门洞外的小泉里吱儿吱儿猛喝水,老郑提醒这里水性凉,喝多了坏肚子的,小路拍着肚皮仰躺在地上,说:我在这里当裕固族人呀! 老郑说:那可不行,就是给裕固族人当女婿,人家也是有条件的,眼睛小的不要!

已经是太阳如金盆一样悬在了西边的地平线上,戈壁上的草全部沐浴在金黄色的光辉里,我们驱车回返。我打问着那些草都是什么名称,黄参谋说过了五种,自己也再弄不明白,我和宗林就下车去为每一种草拍照,并采下标本。草的叶子各式各样,但没有一种是丰厚的形状,而且枝干坚硬,正感叹人的性格就是命运,而环境又决定了草木的模样,庆仁就在车上锐叫:鹿!鹿!我先以为他是在叫小路的,抬头看时,我身左二十米的地方竟站着一对小兽。但这不是鹿,是黄羊,黄色皮毛,光洁油亮,小脑袋高昂着,一对眼睛如孩子一样警觉地看着我。这突然的奇遇使我如在梦境,竟发了一个口哨向它们召唤,它们掉头就跑,跑过了一座小沙丘,却又站住,仍是回过头来看,那并排的前蹄正踩在一蓬开了小繁白花的草上,像是踩了一朵云。我们在车上的时候,甚或下了车为草拍照了那么长时间,谁也没有看见黄羊,而蓦地就出现在面前,犹如从天而降,这令我和宗林都怔住了,以至于手脚无措,当意识到该拍张照片了,相机却怎么也从皮套里取不出来,越急越坏事,相机又掉到地上,终于将镜头对准了它们,又激动得"噢噢"叫,黄羊这次跑去再不回首,极快地消失在远方,和那咕咕涌涌的骆驼草一个颜色了。

　　见到黄羊,我称之为惊艳,它对于我犹如初次见到了她。黄参谋浩叹他服役十数年了,没有见过黄羊,甚至也未听说过谁看见过,在这连一个苍蝇都碰不上的装甲车坦克演习地,竟出现了黄羊,这说给谁谁都不会信的。他说:或许你是神奇人,你来了瑞兽才出来。我兴奋异常,这倒不是因为他恭维我,而是我想起了她,今日如此吉祥,是上苍在暗示我在西路上能碰着她了!

　　回到驻地,我没有先去洗澡,关了门就拿扑克算卦,要证实我的预感。扑克打通得非常快!我挥拳在空中打了一下,就去了小路的房子,一下子将他掀翻在床上,我说:咱们吃消夜去!庆仁看着我,说:真是稀罕——是她来了消息了吗?我那时表现得极有控制,知道高兴过早往往事与愿违,沉住气是非常重要的,另外,同在天涯路上,我如果太张扬,他们会嫉妒我的。我说:别的你不管,你要去就去,想吃什么就点什么!我们在酒泉街上吃泡炒。饭馆很小,每张桌子都坐满了人,我主动地去占座位,站在一对快吃完的男女身后。这一对男女面对面地坐着,而女的脚却从桌子下伸过来放在男的膝盖上,男的将一块带骨头的肉咬了一口,递给了女的,女的手没有接,脑袋凑近去,嘴撅得老长地咬了一口。然后在一个盘里吃粉条,粉条太长,吃着吃着两人同吃了一根,一头在男的口里,一头在女的口里。我把头仰起来看前边的玻璃门里的厨房,六个厨师手里拿着面团,一齐扯着面片往一口滚沸的大锅里丢。骚情,我想,就那个满是雀斑的脸也值得在公众场合这么肆无忌惮吗?如果她在这里出现,这女子,这条街,这座城怕都没颜色了!

我终于觉得我的了不起了,竟从下午到半夜,没有给她去电话——男人嘛,应该有男人的尊严啊!我们吃完了消夜回坐到了宾馆的院子里。院子里有一个花坛,开放着蒿子梅(又是蒿子梅!)这个夜晚是中秋节的夜晚,月亮是非常明,但并不圆,我将手机从口袋取出了三次,看机子开着没有,我是怕我不经意间把手机关掉。细心的庆仁小声说:她没有来电话?什么电话?我反问着他,显得平静,心里却说:我现在踏实得很哩,馍馍不吃,馍馍在笼子里存着的。果然电话就在这时响了,我一看显示的号码,给庆仁挤了

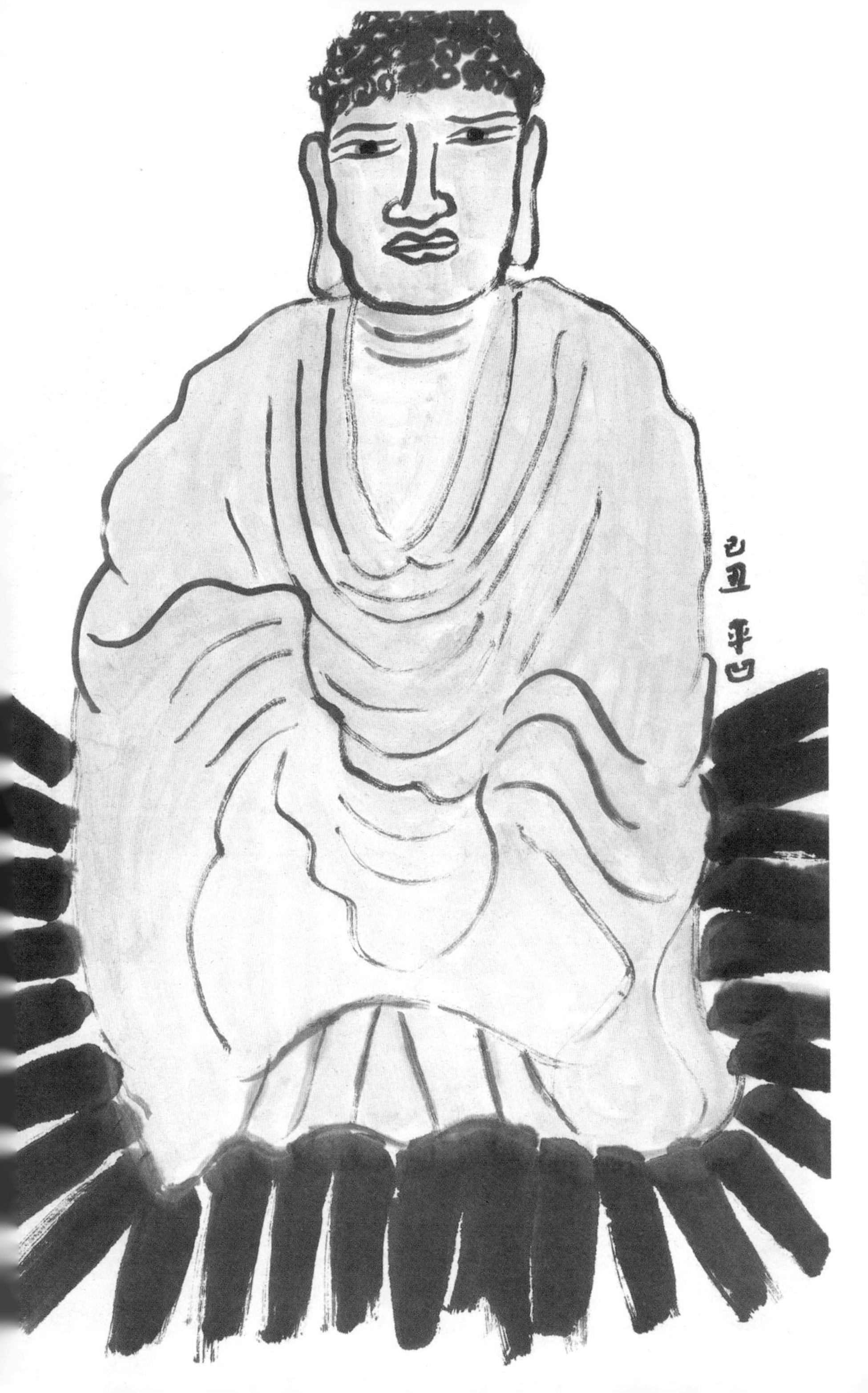
己丑 平凹

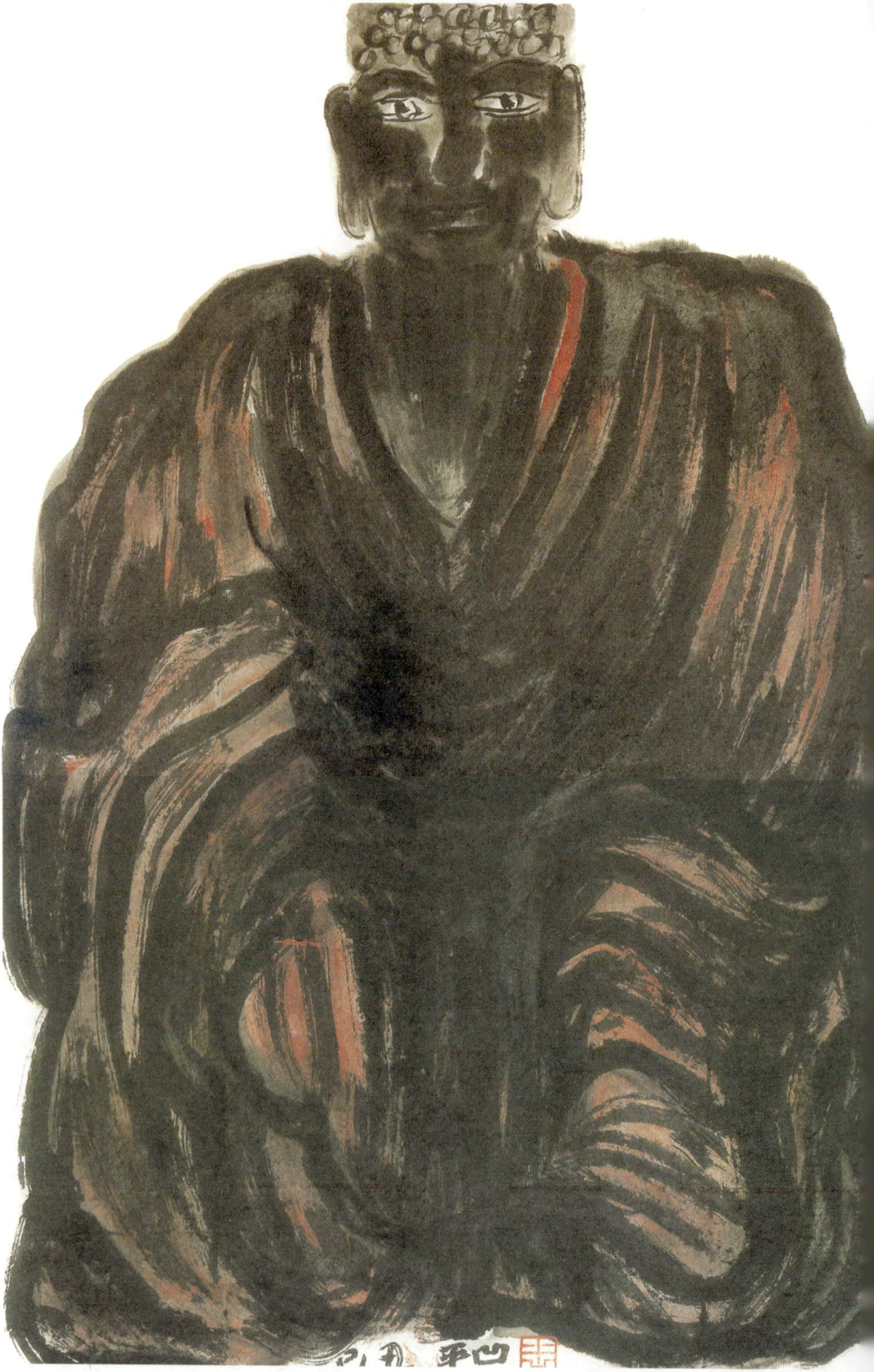

个眼,幸福地跑到一边,喂,一个熟悉的中听的声音就从天外传过来了。

我知道你会来电话的!你是说今天好日子吗?是中秋节!可这儿的月亮不圆。这里也不圆,报纸上讲了,今年的中秋节月不圆明日月圆哩。这月亮是汉时的月亮。明月当空照,千里共婵娟。这我听不懂了?是吗?听不懂?听不懂就听不懂吧,你现在在哪儿?在敦煌,才洗澡,撩窗帘一看,树梢上一个月亮。那月亮是我。流氓。你等着吧,明日我们去敦煌,你告诉我在哪个宾馆?你寻不着的。那你瞧着吧。

就在这个夜里,我们召开了紧急会议,我提出下一站往敦煌。大家都觉得吃惊,我又说往敦煌。按原定计划,我们直接去乌鲁木齐,然后从乌鲁木齐再到吐鲁番、哈密和敦煌,如果改变行程,就得通知乌鲁木齐的接待人员,又要联系敦煌的接待,而现在已是晚上,那又怎么联系呢?大家对我极有意见,但我固执己见,最后是乞求大家,说不必联系了,去敦煌的吃住由我负责,没人接待就住街头小店,费用我掏。一番讨价还价,最后达成了协议:可以去敦煌,但上午必须去参观酒泉的魏晋画像砖博物馆。

魏晋画像砖博物馆其实是一个大的墓穴,展出的是酒泉地区挖掘的一大批有画像的墓砖。说老实话,我是没心情来看的,准备着到博物馆门口了我就坐在茶摊上喝茶,等着他们就是了。可老郑拉我进去转了一圈,我竟在那里逗留了足足两个小时。一进入墓道,画砖就整齐排列着,而且一个砖一个内容,仿佛进入了一座色彩纷呈的艺术宫殿,令我们惊愕,眩惑,叹为观止。庆仁又激动得说不出话来了,嘴唇颤动着,脑门沁出一层细汗。小路说:大画家,你要哭就哭出声来,别憋着个什么病儿吓我们,我们要走的路还远哩!庆仁默不作声看了一遍,又看了一遍,他终于招手让小路到他跟前来,他一板一眼像讲课一样地说,我告诉你小子吧,中国传统人物画,描绘的多是帝王将相,才子佳人,或佛道鬼神,这些砖画全以魏晋社会的现实为题材的,使当时的犁地、秋收、打场、采桑、养殖以及生产工具、劳动组合、人们的服装、发型、房舍、井饮表现得一览无余。魏晋的时代,佛教是盛行的,却也正值中国的北方军阀混战,人民流离失所,纷纷背井离乡逃往河西走廊来避难,正是饱受了战争之苦的民众,给佛教的蔓延滋生了温床,而墓葬、死人、灵魂等方面很容易和宗教迷信关联在一起。可这里的砖画,几乎找不到一块带有宗教色彩和迷信观念的影子,你明白是什么原因吗?小路说,不明白,小路真的是不明白,再请教庆仁,庆仁却不愿再说,他又问我,我才不去探求那些形而上的问题,我兴趣的是这批画粗笔大墨,随意挥洒,尤其是无数的马的形象。在西安,我临摹的是"昭陵六骏"石刻,是唐三彩马,在武威,我临摹的是木刻和陶烧的凉州大马,以及单足踩燕的铜飞马,而现在面对的则是马阵,十数匹数十匹的,各是各的形态,各是各的神情,剽悍、驯良、勇猛、忠实、漂亮,表现得淋漓尽致!我站在那幅《出行图》前,看并排的五匹马,笔走龙蛇,一气呵成,而马头画成四个,马尾画成五个,感叹着其手法的奇妙,立即就想到她了。可怜的小路没有答复,哀叹自己没有上过大学,又不会绘画,说:求知识难呀!却又站在一旁批评我现场临摹得不好,把马的屁股画成了人臀,把鬃画成了人发。我说是的,我画的是我心中的马,却想,马是有她的影子,她或许就是汉时的马,一路奔跑到了现在。

这个上午,是我和庆仁最有收获的上午,而宗林却倒霉了,因为在墓道里,管理人员不让他摄影,他只好扛着机子在博物馆门外为那些维吾尔人拍照,当他边拍边退时竟从一个土坎上跌了下去,将胳膊和腿碰出血来。我们闻讯从墓道出来为他包扎,他说:那个姑娘太漂亮啦!

午饭后,我们并没有休息,在烘烘的热气里往敦煌去,车上的那只苍蝇又出现了,趴在车棚顶上一动不动。小路又开始作践起了宗林的伤有所值,拉开了精神会餐的序幕,我独自将脸贴在窗上,感受着玻璃的婴儿屁股一般的光滑和细柔。路依然是箭射出一般的直,远处的山、天上的云急速地向身后退去。经过一处山,车靠得那么近,看得清是一层一层石质的,山坡上附着年复一年的苔衣吧,死亡的业已死亡,新生的却是久未有雨又干瘪了,呈现着灰色、绿色、黑色,三色渗合,如在木器上烙画,又如做旧的文物。再往前走,山又似乎被一下子推开,推开的山越推越远,越远越多,像是凝固了的一面海之波。波的左边那一角,算是微波吧,山还是山的模样,小得如坟丘连着一个坟丘,又有点像城市远郊倾倒的垃圾。我渐渐地睡着了——人睡如小死——迷迷糊糊里被车上的笑声惊醒,涎水竟流湿了前胸,忙揩了,便听见庆仁在说一个笑话:有两头牛,一头公牛,一头母牛,犁完地后并没有立即回村,直到天黑下来,公牛先独自回去了,不大一会儿,公牛就又跑了出来,母牛问怎么又来了,公牛说村里来了县上干部了,干部提出要吃牛鞭哩!母牛说,哦,那与我没事,你待着吧,我回去呀。可不一会儿母牛也跑了出来,公牛说,你怎么也跑出来啦?母牛说,干部说啦,吃完牛鞭,晚上还要吹牛×哩!庆仁是不大会说这一类笑话的,但他说了,乐得大伙都扑上去拿拳头砸他。……不知不觉里,夜幕降临了,天空成了灰色,无数的云像剪纸一样贴在上面,开始着变换颜色,由白到淡蓝,由蓝到浅黑,与铸铁一般的山交接,交接处呈一种橘黄。山下的河则愈来愈宽,干涸无水的河滩在发着寡白的光。车灯哗地打亮了像喷出的水银,路面就再也不平坦,一个塄一个塄的,感觉里车是在上一面台阶。把脸扭过来往左手的方向看去,先是一片黑,浑起来,迅速漫开,色气由重到轻,又由轻到重,山顶上的黄色也就暗淡了,天地之间只有电线杆的一根一根黑的线段。

敦煌终于到了,车在大街上兜了几个圈子寻找着住宿的地方,等一切安顿下来,已经是下夜三点了。我借口去厕所,给她拨了电话,她的手机是关着的,快快地从厕所出来,老郑在和小路他们商量着明日的活动,小路就给他在敦煌的朋友挂电话。这些朋友竟以最快的速度赶了来,大声叫喊着去街上吃消夜。"老街上有夜市,彻夜不关门的,你去瞧瞧那卖烤肉的西施,真的是维吾尔族的西施!"我却不愿去,屁股疼,痔疮并没有好,加上一路颠簸,感觉老要有大便,我说我得用热水洗洗,要么明天就趴下不能动了。

他们一走,我掏出硬币在床上掷,默想掷三次,若两次是有图案的一面,我就再为她打一次电话,若两次是字的一面,电话就不打了。硬币掷下去,两次是图案,我再一次拨她的电话,而她的手机仍在关着。这鬼地方,预测不灵的。站在窗前却又想,这种预测是汉人的把戏,不一定适应别的民族的,在这里应该看天上的星座吧。可我是狗看星星一片光明,连北斗星都没寻着。

楼下却清楚着街道,左边的一条巷子,巷口有一根电杆,电杆上并没有电线,或许要拆除而还未拆除吧,有人东倒西歪地走出来,在电杆上看贴着的广告纸片儿。这是个喝醉了酒的人,抬起脚狠劲地踢电线杆,踢不动,又过去将脚往巷墙上踢,一下,又一下,努力地要把肮脏的脚印踩到墙的高处。然后又过来踢一个白天里摆货摊的帆布棚柱,棚上的帆布卧着一只猫,赶忙跳下跑了。右手的那座楼前,有两辆自行车相对骑过去,空空落落的大街上,竟撞上了,同时倒地,同时站起来开始叫骂,声音并不清晰,但口音是汉人。站在大楼旁的一个人,原本在行走,在两辆车子相撞后就站住一直看着,两个人吵得没完没了也觉得无聊了,就向那人诉说而求主持个公道,结果这一个说我是怎么怎么样,他又怎么怎么样,那一个也说我是怎么怎么样,他又怎么怎么样,说毕了,那人倒生了气:"我一直在这里看着的,这是打的事情么,你们吵什么?!"我笑了一下,关上了窗,回坐在床上,一只猫不知在什么地方如怨如诉地哭着。

莫高窟永远是行走在沙漠中的人的一个梦吧。据说当年一个和尚经过这里,又饥又渴实在是再也走不动了,他已经做好了死的准备,俯身趴下去,将脸面贴在地上,以免死后被太阳晒裂了脸而死相难看,但他突然听见了仙乐,抬头看去,对面的沙崖上霞光灿烂,于是他来了精神,又往前走,走到了一个镇上。他活下来了,感念是佛救了他的命,便来沙崖上凿窟念佛。从那以后,来这里修行的人越来越多,佛窟也越凿越多,成了一块圣地,凡是来西部的人没有不来朝拜的。现在,我来到敦煌,原本是为了一种解脱而来的,万般的烦恼未能一推了之,生命中的尘埃却愈积愈厚了。昨天的夜晚,又是未眠,早起又不能明说去找她,只有随着同伴到莫高窟看壁画。数年前,为了考察中国的舞蹈,我是特意来过一趟的,记住了开凿在砾岩上的那一片石窟里的三千多彩塑和五万平方米的壁画的,甚至知道着二百七十五窟里的高脚弥勒菩萨,四十五窟的西龛佛坛彩塑一铺,一百九十四窟的立式菩萨,二百五十九窟的微笑的菩萨,四十五窟的胁侍菩萨,三百二十八窟的游戏座菩萨,二百零五窟的断臂菩萨,一百五十八窟的涅槃像,二十五窟的乐舞图,二百二十窟的胡旋舞伎,三百二十窟的华盖四飞天,四十四窟的持琵琶飞天。去莫高窟的路上,我对庆仁说:我想起一首诗了。庆仁问什么诗?我说诗是我的一个文学朋友在青春期时写的:"我需要有一杆枪,挨家挨户搜查,寻找出我的老婆!"庆仁说:她到敦煌啦?我说是的,她在敦煌,但我不知在敦煌的什么地方?庆仁说:你这老同志让我感动。我一下子脸红起来。我这么疯狂地寻她,实在与我的年纪不符了,我说:我是有些荒唐。庆仁却说爱是没有年纪限制的,我们也羡慕在西路上有爱的折磨,但来西路却并不是为了这种折磨来的,现在什么都先不去想,好好看莫高窟壁画吧。于是,我打消了坐在茶水亭里等候他们去参观的念头,特意去三百二十三窟观看《张骞出使西域图》,然后就久久立在藏经洞,凝视那个相貌丑陋、行为猥琐的道士王园箓像。光绪二十六年农历五月二十五日,当王园箓在十六窟清理甬道积沙时忽然发现"壁裂一孔,仿佛有光,破壁则有小洞豁然开朗,内藏唐经万卷,古物多名",这就是惊世骇俗的藏经洞的发现过程。藏经洞的宝物藏了多少年,等待的就是五月二十五日,那么,世上的万事万物也就是这样吗?她与我认识的那天,算得上是藏着三百三十多年,而现在她又藏起来了吗?!

庆仁将她人在敦煌的消息告诉了小路、宗林他们,我们从莫高窟回来便四处寻找,似乎哪里都有着她的气息,但就是没有她的人。宗林开始怀疑消息的真伪,认定了是她在诳我,就嘲笑有恋情的人都是聋子、瞎子,脑子里有二两猪的脑子,推搡着我去放松放松吧,或者去洗个澡,或者去让人按摩。小路的朋友则提议去歌舞厅:现在什么年代了,还有害相思而受这么大的累,小姐有的是,要汉人的有汉人,要少数民族的有少数民族,既便宜又放得开,男女之间不就是那么回事吗?我不搭理他们,但我并没有说他们什么,我只说要去你们去吧,让我在这儿坐坐。

我坐在街边的一个花台边上,目光呆滞地观望着来来往往的人。这条街似乎是条老街,门面破旧,摆满了小商品,顾客并不甚多,一棵弯脖子树下,四个男人先是坐在那里喝酒,啤酒瓶子在小桌下已经堆了一堆,接着就开始玩扑克。可能玩的是"红桃4"吧,每玩一次,就结算输赢,钱币都放在桌面上,围观的人越来越多。我坐在花台上,能看见北边那位差不多都是在赢,把百元的票子高高拿起对着空中耀,一边说:这是不是假钞?一边眉眼飞动,对着围观的人说:俗话说钱难挣屎难吃,这屎真的难吃,钱却好挣么。

围观的人中有三人站了好久了,突然间同时从腰里取出三副手铐,就当地丢在扑克上,温和地说:玩得好,真的玩得好,自个把自己铐上,去所里一趟吧。玩牌的人都傻了眼,说:我们只是玩玩。那个稍胖的说:是玩玩,并没有别的事呀,就是去罚罚款呀。玩得好,比我们派出所的人玩得好多哩。四个玩扑克的人跟着三个派出所的人走了。我也起身要走,小路嬉皮笑脸地从街的一头向我跑来。

　　小路是要我去见一位小姐的。小姐是在一家歌舞厅,夜里睡得晚,他们去的时候,她还在包厢里睡觉———小姐是夜生动物,白天里要一直睡到下午三点钟———一见面,首先声明她是坐平台的,不出高台,小路说当然只让你坐平台,我有个老板(我第一次被冒充了老板),人好得很,钱也多得很,但就是怕性病和艾滋病,出门住宾馆都是自己带了床单,时时都戴了安全套哩。我就这样被小路拉扯进了歌舞厅。小姐是个极高个子的女子,腿长是长,瘦得却像两根细棍,我一落座,小路却拉闭了门出去了,这令我十分生气,感觉是在把一对野物关在了笼子里。说实在话,如果在我心情好的时候,或者这女孩是我所心仪的,我也会有了兴趣与她攀谈,但这小姐的脸我不敢看,一股浓重的只有洋人身上才有的香水味向我冲来,就认定她是有狐臭的。半个小时里,我不知我在说了些什么,小姐似乎说了一句:你在给我做政治报告吗?我们就全然没话了。

　　回到宾馆,天差不多黑了,而月亮却饱满地升在空中,我开始检点着我对她是不是太那个了,剃头担子一头热而让我羞愧,手机就响起来。懒得去接。手机响过一遍,又响起来。还是不接。仰躺在床上了,手机还在响,才一打开,听见的却是她的声音。

你为什么不接电话?谁呀,你说是谁?!看见月亮了吗,今晚的月亮还是圆的。低头思故乡。你怎么啦,现在在哪儿?你在哪儿?我在阿克塞。阿克塞?我跑来敦煌了你却去阿克塞。

我走的是油线啊!

她说起话来,依旧是那么快活和紧促,她并没有自我解释为什么没有在敦煌等我,也没有说什么让我怦然心跳的话。她怕没有这条神经,我这么猜测,有些生气,但我奇怪的是她却依然会给我电话,是要欲擒故纵呢,还是真的在实施只做好朋友的诺言?她给我讲她怎样去了塔里木,在沙漠公路上已经瞌睡了车还在开,一次竟将车开出路面,歪在沙堆里,亏得来了辆车帮她把车拖了出来。她说她在等待救援时曾经失望了,因为车上只带了三瓶矿泉水,没有馕,也没有饼干。但是到了塔中油田,那里却有了一片花草,花开得十分灿烂,那是工人省下矿泉水浇灌起来的。她那晚上睡在像列车一样的工房里,门窗关得严严的,第二天起来,还是满脸的沙,连被窝里都是沙。她说,她登上了六七层楼房高的钻塔上,她是和钻探工拥抱了的,她的浑身都沾着油污,脸已经大片大片脱皮,红得像猴的屁股,看不得了。在返回时路过了塔里木河畔的胡杨林,她脱光了衣服自拍了十多张照片,是躺在沙浪上拍的,觉得那些沙浪起伏柔和如同女人的胴体,她也是爬在倒下千年不死的胡杨林上拍照,感觉里她是一条蛇。她说,去了塔里木油田,才知道中国正实施西部石油、天然气向东部输送的工程是多么了不起,现在输送管道正向东铺设,将一直铺设到东边沿海地区,或许将来,西头可以接通西亚和中东地区,东头再将输往日本、朝鲜半岛、台湾和东南亚。你考察丝路,丝路的现在和将来将会是油路,可是你并不了解这些,你是缺乏时代精神,缺乏战略眼光。或许你不久会写一本书的,但我估计你只会写丝路的历史和丝路上的自然风光,可那样写,有什么意思呢?

她的批评令我吃惊,你不能不佩服她头脑的锐敏和宏观的把握,我为我的行为羞愧,一时间对她的怨恨转化成了另一种倾慕。我的回应开朗而热情起来,她却在电话里咯咯大笑,说我是可以救药的,应该算个异性知己。

"我之所以从塔里木一出来就决定了走油路,经过了吐哈油田,经过了敦煌油田,又到青海来,我也要写一份油路考察。当然,我是画速写考察的。"

"那你也该等等我,咱们一块儿走油路呀!"

"在一块儿就不那么自在了!"她说,"你想,能自自在在去考察吗?"

她说的是对的,如果我真与她一块儿行走,那就极可能不是考察而是浪漫的旅游了。既然事到如此,我猛地也感到了一种说不清的轻松,我说,好吧,那咱们就互相传播着考察的见闻吧,如果可能,我们每天通一次电话,我说说军线上的情况,你说说油路上的情况,这样,我们等于考察了整个西部。

她的回答是出奇的肯定,但声明了,我得负责她的电话费。

于是,在以后的日子里,她是沿着油线经过了阿克塞县,到冷湖,到花土沟,到格尔木,又从格尔木到德令哈,香日德,荣卡,青海湖,到西宁。我则继续往西,从敦煌到哈密,到吐鲁番到乌鲁木齐到天山。她告诉我,阿克塞县原是建在党金山脚下的,居住着哈萨克族,有一个天然的牧场,后来才搬迁到了大戈壁滩来。而她在翻越党金山时,空气稀薄,头疼得厉害,汽车也害病似的速度极慢。那石头冻得烫手,以前只知道火烧的东西烫手,原来太冷的东西也烫手,她是在山顶停车的时候,抓一块石头去垫车轮,左手的一块皮肉就粘在石头上。路是沿着一条河往山上去,弯来拐去,河水常常就漫了路面,而就在河的下面埋着一条天然气管道,你简直无法想象,在铺设这些管道时怎么就从河下一直铺过了山顶!翻过了山顶就是青海省了,那里有更大的牧场,她是第一次见到这么大的牧场,而牧场不时有筑成的土墙围着,那位从阿克塞搭了她顺车去花土沟的姑娘告诉说那是为了保护牧场:这一片草吃光了,再到另一片牧场去,等那一片又吃光了,这一片的草却就长上来——就这么轮换着。姑娘还自豪地说,这里的羊肉特别好吃,因为羊吃的是冬虫夏草,喝的是矿泉水,拉下的羊粪也该是六味地黄丸。这姑娘尽吹牛,但羊肉确实鲜美,她是在山下一个牧民家里吃了手抓羊肉,她吃了半个羊腿。

我说我到了哈密,参观了哈密回王陵,参观了魔鬼城,这些都是你去过了的地方,但你绝对没有去过左宗棠驻扎的孔雀园。一八八〇年左宗棠率领六万兵马,抬着自己的棺材来的,就是那一次平息了叛乱,收复了这一带疆土的。你也是没有去看那块《唐碑》的,去了就会知道纪晓岚也是到过哈密。而哈密人提到纪晓岚,都在传说他的亲家将要遭到抄家,——他当然得报信,但又不能太公开,——便在一个小孩手心写了一个少字(少字与小孩手合而为一则是抄字),结果亲家逃脱,他也因此被乾隆帝以泄密罪贬到西域。这些历史上的故事可知可不知也便罢了,你遗憾的,也是肯定没有去过白石头村,这个村是以一块奇异的白石得名,细雨蒙蒙中,这石头像卧着的骆驼,晶莹剔透,宛若白玉。那天,我们在白石头村的一家哈萨克人帐篷里做客,这人家十分殷富,有着从和田买来的丝毡,有着缀嵌了金属箔片的箱子,我们刚一靠在那绣花的靠垫上,主人就端来了炕桌,铺上了桌布,摆上水果、干果和馕,还有冰冻的茶,略有咸味。女主人是个大胖子,她的长袍子下似乎一直藏着两只大绵羊,但她却说了一个故事让我唏嘘不已。她说在很久以前,住在这里的哈萨克部落里一位公主与一位小伙热恋了,上苍对此妒火中烧,派出遮天盖地的蝗虫,顿时树枯了,草黄了,人们惶恐万分。那位小伙抱住一棵古松痛苦地摇晃,没想这棵树忽然变成了绿地。小伙子很是惊喜,又去摇另一棵树,又是一片绿地,小伙便一棵接一棵地摇下去,把自己累死了。公主恸哭不已,泪水滋润了脚下的土地,草儿渐渐复苏,公主流干了泪,流出了血,溘然与世长辞。部落的人将他俩合葬一起,不久,一次闪电雷鸣后,墓地上便生出了这块白石。"那小伙多么会死。"我说,"我不如那小伙。"

她说,她到了冷湖。冷湖在六十年代是闻名全国的油田,也曾是青海石油局前线指挥部,但现在已经废弃了,嘎斯库勒湖畔重新发现了油田,前线指挥部也搬到了花土沟。她去的时候,戈壁滩上空落着如山区小县城一样的一片房子,到处是砖头、水泥块,被掀开的屋顶,挖去了窗子的墙壁和发锈的铁皮筒,硬化了的破皮鞋。现在五分之一的房子里还住着人,是油田留守处,因为花土沟油田的工人四个月轮换一次回敦煌的生活基地,过去路不好,得一天赶到冷湖住上一夜,再用一天从冷湖到敦煌,如今路好了,一天可以到达,中午饭却必须在这里吃,否则一整天再也没有吃喝的地方了。她说,她去的时候,正好有一个小车也停在接待站门口,原来有位已经调到了北京的油田老领导来故地重游。这位领导穿得臃臃肿肿,脖子上套着橡皮软圈,他就是当年在这条坑坑洼洼的路上被颠坏了脖子,一累就头脖发肿,也正是患下这病才被调回北京。石油上退休的工人差不多都是返回内地安了家,前十几年,回内地的工人常常发生了这样的事,退休时身体还好好的,一回内地不出三年人就死了。后来考察了,原是十八九、二十岁来到新疆、青海,适应了稀薄的空气,一回到内地氧气增多,肺却又不适应了,所以导致死亡。于是,退休的工人回内地住上一年就又都返到油田,住三个月四个月倘或一年,然后到内地再待一年,再来油田,如此反反复复。对高原油田的感情,是身体的感情,生命的感情。老书记当然也需要来调整适应自己的肺,但他更想着回来再看看,她就同老书记在废弃了的城里转,她给他在曾住过的土屋子里留影,那墙上还留着他的小孩用铅笔写的 $1+1=2$,有他的老婆和泥用手抹成的土烟囱,而泥抹得不光,上边清晰着手指印。她让他坐在那土门洞照相时,她看见他眼泪流了下来。城区的东北角是一片乱砖地,有一簇杨树已经干枯了,而旁边正好是通往接待站的水管,水管漏水,从一条小沟流下去,老书记弯下腰把漏出的水引着往树下走,他说这是当年唯一的一簇树,是在医院门口的,全靠生活用水浇灌大的,现在树却死了。她就和他一块儿动手引水。她说,从冷湖出发后,她仍是和那个姑娘驱车往花土沟走,这里海拔二千七百米,人说喝空气屙屁,这里连空气也喝不够,人是这样,车也是这样。在茫崖,那里有一个大湖——青海高原上时不时有湖,但都是盐湖,只有这个湖是甜的——六十年代油田工人骑着骆驼来到这里,就在湖边的戈壁滩上搭了凉棚住下了四万人,若站在东边的山崖上,白花花的一片帐篷,人称帐篷城。她说她站在山崖上往下看,当然那里什么也没有了,但她眼前还是一片白,一辆从敦煌来的车也停在那里,司机或许要小便了,或许看见了她们是女的觉得稀罕,反正就过来搭讪。他是油田上的,他告诉说看见那山下的一排废窑洞吗,窑洞是看见了,有的已塌,有的沙涌了洞口,他说那是当年的油田医院,他的爹就是患了肝硬化死在窑洞里,爹在油田上干了三十年,三十年里来来往往只在三百里方圆跑动,现在爹还埋在那山梁上,每年清明前后,他开车路过这里给爹烧纸。

我说,我到了吐鲁番,这个世界上海拔最低的地方,你肯定是领略了它的热度,但你并不一定知道在古时,这里的县官是在大堂上放一口大缸,人坐在水缸里办公的。艾丁湖你也是去过了,我痛苦的是过去那么一面大湖,现在差不多要干涸了,当我驱车去时,看到的是灰蒙蒙一片,那些偶尔出现的盐碱滩,在强烈的阳光照射下,发着炫目的白光。世界上最低的海拔和世界上最高的气温,使我想起了在一本文献上对这里的记载:"飞鸟群落河滨,或起飞,即为日气所灼,坠而伤翼",而同时幻想:如果从吐鲁番向我国东海之滨开一条水平渠道,东海之水就会哗地一下子流过来,将亚洲中心的内陆底盆注满的。我说,我登临了交河故城,那深深嵌入地下的大道,封闭的高墙,迷宫似的庭院,庭院内的窖藏、水井,便觉得当年来过这里的张骞就一直站在我的身边。我说,我给你背诵一首交河诗吧,是唐人写的:白日登天望烽火,黄昏饮马傍交河。行人刁斗风沙暗,公主琵琶幽怨多。野云万里无城郭,雨雪纷纷连大漠。古雁哀鸣夜夜飞,胡儿眼泪双双落。闻道玉门犹被遮,应将性命逐轻车。年年战骨埋荒外,空见蒲桃入汉家。我说,高昌、交河的废墟故城和众多的地面地下的文物构成了一部可泣的史书,那吐鲁番地貌又无疑是一幅色彩斑斓的巨型画卷。有人写道:新疆是世界上最大的一座博物馆,那里有无数的馆藏,陈列的物什件件都是艺术品,但却不是为了收藏。那么,我就说说我在火焰山的奇遇吧。去火焰山的那天下午,太阳照射过来,远处的山是蓝的,山下起伏不定的丘壑却是黑的,而丘壑过来则一片白,那不是戈壁,是水流湍急冲刷出的石质的河床,但没有水,流动的是黄的细沙,起着下了雨一样的雾气。而火焰山,全部吸纳了夕阳,我坐在一大片曾经积了水而又干涸的地面上,地表裂开大大小小的却也似乎整齐有序的泥片,你想象那是一个偌大的瓦房顶,是放大了的裂纹瓷,于是,沿北边延绵不绝的山红得像炉中的铁,且从山头竖着下来的沟痕一道一道,密密麻麻,你感觉整个山都在燃烧了。山的背后,就是千佛洞,相传唐僧取经就经过这里,遇见了牛魔王和铁扇公主。我们都是丑人,人员组合和相貌简直可以说与唐僧他们甚为相似。小路长得如猴,又性情活泼,自然是孙悟空,庆仁厚重木讷,算是沙和尚了——而他长个大脑袋,又剃得精光,极像个和尚。我和宗林,他若不是猪八戒,便是我为猪八戒了,不,他应该是猪八戒,他能吃能喝,又爱表功。宗林是乐意称他是猪八戒的,因为高老庄就在张掖,而整个西路上,猪八戒的形象出现在许多地方的壁画上,勤劳又俊美。就在我们争争吵吵转过一个山头,山路上迎面过来了一个怪兽,头是大的盘羊,那羊角粗极了,起码四只手也合不拢。羊头就这么走着。走着的是下面的两条腿。我们都吓了一跳!仔细看了,原来是一个人将盘羊头顶在了头上,又竟然是个女人。这女人从哪里来,到哪里去,我们不知道,方圆又没有村庄和人家,我们被神秘和恐怖镇住,连小路也不敢前去打问。宗林到底有猪八戒的秉性,近去说:这么漂亮的人让羊头坐在头上?女人嫣然一笑:那你给我拿着吧!宗林果然就接过了羊头,过来对司机说,让那女人搭咱们的车吧。老郑坚决不同意。宗林赌了气就抱着羊头陪着女人走。我们赶忙把宗林拉开,就那么默默地看着那女人走了。我至今仍搞不清那是真人还是别的什么尤物。

　　她说,她到过了嘎斯库勒湖,参观了那里的炼油厂和输油管站,到达花土沟已经是傍晚了。天特别的蓝,西边山上一片黑云,裂开一缝,一束束光注下如瀑布。花土沟又是一个小型城市,规模比冷湖要大,搭车的那个姑娘下了车,而她就开车往花土沟里去看世界上最高海拔的油井(是三千七百八十米)。这土沟是五种颜色,而沟是层层叠叠的土壑,如一朵大的牡丹。壑与壑之间的甬道七拐八拐往沟上去,车又如蜂一般在土的花瓣里穿行。到处是磕头机。有一辆大卡车拉着大罐,不能上,似乎倒退着要下滑,工人们就卸下一些罐,大声地吆喝。到了山顶,看万山纵横,一派苍茫。此沟是一九六八年开发的,往山上架线,修路,把井架一件一件往上运,背,拉,拖,山上缺氧,人干一会儿就头疼气闷,让羊驮砖,在羊身上缚六七块砖,一群羊就往山上赶,黑豆一样的羊粪撒得到处都是。最高处风是那么大,头发全立起来,不是一根一丝立,是黏糊糊一片地竖立。在那个破烂的帆布篷里,我遇见了两个工人,而在同他们说话的时候,帐篷外站着五六个工人一直往这边看。招手让他们进来,他们却走了。那个长着红二团的女子并不是工人,却是工人家属,她是在山上做饭的,山上的工人二十天一轮换下山,提起现在的条件真是好多了。女子说她是甘肃平凉人,结婚后第一年来油田看望丈夫,帐篷是几个人的大帐篷,没有个地方可以待在一起,结果就在大帐篷外为他们重新搭了小帐篷。但是,一整夜听见外边有人偷听,丈夫竟无论如何做不了爱——爱是要在好环境里做的——越急越不行。天一亮,丈夫就又上山去了,爬在几十米高的井架上操作,贴身穿了棉衣,外边套了皮衣,还是冷得不行,她是将灌着热水的塑料管缚在他身上后再穿上皮衣的。下午收工回来,丈夫是油喷了一身,下山中人冻成硬冰棍,下车是人搬下来的,当天夜里就病了。新婚妻子千里迢迢来探亲,为的就是亲亲热热几回,回去了好给人家生个娃娃,但那一回什么也没有干成。她说,她在下山时半路上碰着一个工人,工人长得酷极了,却一身油污,你只看见他一对眼睛放光,她停下车要为他拍照,他先是一愣,立即将油手套一扔,紧紧握了我的手。她说,你别生气,在那一刻里,如果那人要拥抱我,强暴我,我也是一概不反对的。她说,那天晚上,她累极了,可睡下一个小时后就醒了,心口憋得慌,知道这是高原反应,隔壁房间里一阵阵响动,开门出来看人,原是新来了一个小伙也反应了,人几乎昏迷过去,口里鼻里往外吐沫,是绿沫,我庆幸我只是仅仅睡不着。听说身体越好越是反应强烈,你如果来了,恐怕一点反应也没有了吧。我走出招待所到街上去转,天呀,现在我才知道这么个不足两万人的油城里,夜里灯火通明,通明的是一家一家歌舞厅、桑拿室、按摩房和洗头屋。我去了一家歌舞厅门口,门口有一个摆小摊的妇女在卖纸烟,她竟然把我当成了小姐,问我生意好不好?我说我不是,我这么清纯能是小姐?那妇女说,越不像小姐越是小姐哩!妇女还说,这里大约有五千小姐,看见斜对面那个邮局吗(那是个小得不起眼的邮局)?前天一个小姐给她的家乡姐妹拍电报,电文是:人傻,钱多,速来。我问她这么瞧不起小姐,怎么还在歌舞厅门口摆摊?妇女说,她是敦煌市的下岗工人,丈夫就在油田上,油田四个月一轮换,男人辛辛苦苦干四个月,回去却落个精光,她反正闲得没事,来了一是可以看守自己的男人,肥水不能流入外人田么,二来摆个烟摊,我也能养活自己了。她说,就在她与那妇女说话的时候,歌舞厅门口一个姑娘送一个男人出来,娇声道:张哥你好走哇!男的在那姑娘的屁股上拧了一把,姑娘用拳乱捶:张哥你坏!你坏!她看时,那姑娘竟是她用车捎的那位姑娘!她赶忙低了头不让姑娘看见了她而难堪,其实人家或许并不难堪,这就像在城河沿上散步时猛地经过了一对谈恋爱的男女,不好意思的并不是他们而是我们自己。她说,我那一时里想了,花土沟到敦煌八百公里,是没有班车的,这些小姐是怎么来的呢,都是搭乘了像我这样人——或许在这条路上开车的只有我一个是女性——的车吗?!

我说,从吐鲁番出来,汽车穿过了一片雅丹地貌,又是戈壁,又是盐碱地,在远远的地方,有推土机在那里翻动地面,白花花的土块像堆放着水泥预制板。我下了车去拉屎。我的肚子已经坏了,早上起来一阵屁响,觉得热乎乎的东西出来,忙上厕所,一蹲下就泄清水,而早晨出发到现在,屁股上似乎生了湿疹,奇痒难耐,又总觉得要拉,每每下车,除了噼噼啪啪一阵屁带出些清水来,又什么也拉不出来。没想,庆仁、小路、宗林也都拉了肚子,就一直骂昨天晚上的手抓饭不干净。因为我们都是男性,而那些远处劳作的人也是男性,就肆无忌惮地撅了屁股蹲在那里。但这里依然没有苍蝇。跟随我们的那只西安城的苍蝇它懒得下车。劳作的人见了我们就跑过来,——他们是见人太稀罕了——我们立即就熟如了朋友。那一个戴着白帽子的人告诉我们,他们是碱厂的,这里的碱厂是全国最大的,才建厂的时候,生意非常的好,产品大都销售到东北的一些军工厂,福利当然也就好了,可以天天有肉吃,有酒喝。可后来,俄罗斯那边也发现了碱矿,离东北近,价格又便宜,那些厂家就全进了俄罗斯的货,他们的生意就难做了,每月只二百六十元的工资(原本是二百五十元,嫌不好听,厂长狠了狠心,多发了十元钱。)二百六十元仅仅够吃饭,可不继续干下去,他们又能干什么呢?那汉子给我们摊摊手,笑了一下。这时候就有了音乐声,声音是从那里的一台收放机里传出来的,所有的人都趴在了地上。汉子说:我得去祈祷了。匆匆跑了去。宗教使这些人的精神有了依托,他们趴在地上感谢着主呀,赐给了他们的工作和工资。我说,这天的晚上,我们是住在了一个小镇上,小镇的那棵大桑葚树下男男女女的维吾尔人在唱歌跳舞,我以前只以为维吾尔族歌都是欢乐的,没想他们唱的是那样的哀怨苍凉,我们听不懂歌词,但我们被歌声感动,眼睛里竟流出了泪水。也就在这一夜,我是发了火的——我是轻易不发火的,但要火了,却火得可怕——差点抓了茶杯砸向了宗林。因为跳舞的人群中有一位极美丽的姑娘,她的头发金黄(是不是染的我不知道),而两条腿长又笔直,跳起来简直是一头小鹿,宗林和小路就喊喊咻咻说着什么。当舞蹈暂歇的时候,宗林说:你不是爱长腿女人吗,我给你和她照个相吧。我瞪了他一眼,他却还说:我给你叫她过来。姑娘就在邻桌,我知道她已经觉察到我们这边喊喊咻咻是为了什么,但姑娘始终不肯正眼瞧我们,我们已经被她轻看了,若她能听懂汉语,一定是极讨厌了我们。我就发出了恨声,茶杯要砸过去时停住了,一个人生气地离开了那里,先回住处去了。我的房东,一个长得如弥勒佛一样的汉人,却给我讲了许多故事。我说,我讲给你吧,虽然有点黄色。房东说,你知道不知道,疯牛病的原因已经查出来了,原以为问题出在公牛身上,不,是母牛的事。你想想,母牛一日挤三次奶,却一年只给配种一次,那母牛不急疯才怪哩!

她说,从花土沟沿铺设的石油输送管道一直走,她来到了格尔木,你无论如何也难以想象出这一路色彩的丰富!先是穿过一带盐碱的不毛之地,你看到的是云的纯白,它在山头上呈现着各种形态,但长时间地一动不动,你就生出对天堂的羡慕。又走,就是柔和的沙丘,沙丘却是山的格局,有清晰的沟渠皱纹,而皱纹里或疏或密长了骆驼草,有米家山水点染法。再走,地面上就不平坦了,出现着密密麻麻的土柱,每一个土柱上都长着一蓬草。这土柱似乎也在长着,愈往前走土柱愈高,有点像塔林了。在内地,死一个人要守一堆土的,这里一株草守一堆土,这当然是风的作用,你却恐怖起来,怀疑那里栖存着从这里经过而倒下的人的灵魂。到我乌图美仁,多好听的名字,天地间一片野芦苇,叶子已经黄了,抽着白的穗,茫茫如五月的麦田,你便明白了古人的诗句"风吹草低见牛羊"一定在这样的草中,但这里没有牛,也没有羊,继续走吧,沙丘又起伏了,竟有十多里地是黑色的沙,而在黑沙滩上时不时就出现一座白沙堆,近去看了,原来这里沙分两种,更细的为白沙,颗粒略大的为黑沙,风吹过来将白的细沙涌成堆,留下的尽是黑的粗沙。沙丘又渐渐没有了,盐碱地上又是野芦苇,野芦苇中开始有了沙柳,沙柳越来越多,形成一大丛一大丛的,橙色,浅红,深红,紫,绿,黄诸色,铺天盖地远去,你从此进入了五彩花田,天下最美的花园中。车开了两个钟头,这花园仍是繁华,并且有了玉白色的沙梁,沙梁蜿蜒如龙,沙柳就缀在梁坡上,像是铺上了一块一块彩色的毛毡。兴致使你走走停停,你发觉有了发红的山,发蓝的山,太阳强烈,有丝丝缕缕的热气往上腾,如燃烧了一般。她说,我现在才明白,这地方的阳光和阳光下的山、地、草是产生油画的,突然感觉我理解那个凡·高了,凡·高不是疯了,凡·高生活的地方一定和眼前的环境一样,他是忠实地画他所见到的景物的。而中国的那些油画家之所以画不好,南方的湿淋淋天气和北方那灰蒙蒙的空气原本是难以把握色彩的,即就是模仿凡·高,也仅是故意地将阳光画得扭曲,他们没有来过这里,哪里能知道扭曲的阳光是怎样产生的呢?她说,她是歇在了一个石油管理站里吃的午饭,六百公里的输管线上有着无数的管理站,而这个管理站仅两个人,一男一女,他们是夫妻。荒原上就那么一间房子,房子里就他们两人,他们已住过了五年。他们的粮食、蔬菜和水是从格尔木送来的,当冬天大雪封冻了路,他们就铲雪化水,但常常十天半月一个菜星也见不到。他们的语言几乎已经退化,我问十句,他们能回答一句,只是嘿嘿地笑,一边翻弄着坐在身边的孩子的头,寻着一只虱子了,捏下来放在孩子的手心。孩子差一个月满四岁,能在纸上画画,画沙漠和雪山,不知道绿是什么概念。

我说,我们登上了天山,看着那湛蓝的湖水,我就给你拨电话,但天山顶上没有信号。是的,每见到一处好的风光,我就想让你知道,这如富贵了衣锦回乡,可拨不通电话,有些穿棉衣夜行的滋味。我们钻进湖边一个山沟,沟里塞满了参天的松,松下就是巨石,石上生拳大的苔斑,树后的洼地里住了一户哈萨克人。我们在哈萨克人家做客,拿了相机见什么拍什么,都觉得兴趣盎然。帐篷的前前后后,这儿一堆巨石,那儿一堆巨石,石上还是苔,但颜色丰富多了,有白色,黄色,铁锈色,你觉得石头发软如面包。一块巨石上竟也生一种树,类似石榴,又不是石榴,枝条折着长,有碎叶,发浅黄。帐篷右前的一丛树与乱石中堆有燃煤,树干上吊着一扇羊,羊是才杀的,羊头和羊皮在草地上,有四只鸡缩在树下,与石头一个色调。

帐篷后不远的一丛树下,劈柴围了一个圈,住了六只羊,一走近就咩咩叫,凑在一起,惊恐地看我。再往右,有一个木桩,长绳拴着一头小梅花鹿,长颈长腿。女主人胖得如缸,一直坐在那里往铁钳上串羊肉,男主人瘦小,没有长开,在灶上做饭,一锅煮羊肉,一锅是手抓饭,一锅烧水。女主人一直在发牢骚,说小儿子上学,学校要求学生去捡棉花,不愿去者,必须掏二百元,她不让儿子去,就掏了二百元。在我们家吃饭吧,女主人说,挣下饭钱了给学校交去,这也是为"希望工程"做贡献哩。但我们没吃。女主人当然有些不高兴了,脸上的肉往下坠,腮帮子就堆在肩膀上。我们想买那只小梅花鹿,她不卖,说鹿是逮着的,自逮住了梅花鹿,她的腰疼病不怎么犯了,宗林拿摄像机去拍,她说:不能照的,照一次得付五元钱的。

她说,她的车在乌根葛楞河陷进了河中,这条从昆仑山上流下的河,水量不大,但河床变化无常,油田上往往今年在河上修了一桥,两年后河水改道又修一桥,再二三年又改道了,整个河面竟宽十一公里。她的车陷了三小时后才被过路的车帮着拉了出来,而远处的昆仑山在阳光下金碧辉煌,山峰与山峰之间发白发亮,以为是驻了白云,问帮拖车的司机,司机说那不是云,是沙,风吹着漫上去的。终于到了格尔木,这个河水集中的地方真美。这是一座兵城,也是一座油城,见到的人即使都穿了便衣,但职业的气质明显地表现出来。她说,我当然是要进昆仑山中去看看的。哇,昆仑山不愧是中国最雄伟的山,一般的情况下人见山便想登,这里的山不可登,因为登不上去,望之肃然起敬。她说她在河谷里见到了牧民的迁徙,那是天与地两块大的云团在游动,地上的云团是上千只羊,天上的云也不是云,是羊群走过腾起的尘雾。牧民骑在骆驼上,骆驼前奔跑着两只如狼的狗,我是在那里拍摄的时候狗向我奔来,将我扑倒,它没有咬我,却叼走了我的相机,相机就交给牧民了。牧民玩弄着我的相机,示意着让我去取,而他跳下骆驼用双腿夹住了狗,狗头不动,前蹄使劲刨着地,尾巴在摇,如风中的旗子。

我说,哈,咱们的恋情变成了见闻的交流,爱上升到了事业的共鸣,这是个了不起的奇迹!她说,你得清楚,如果有恋,这是婚外恋啊!我说爱情原来有这么大的力量,我爱你!她说,我喜欢你!我说,我爱你,真的爱你!她说,男人们说这样的话总是容易,这话请留下十年后,我老了丑了再说才是真的。我说,那我多盼你现在就老了丑了,我爱你,你能说一句我也爱你的话吗?她说我不配说,这样对你好,对我也好!我叹气了,只好开始又说我的见闻和思考。我说,丝路上,我走的军线,所到的军营,我发现十个领导八个都是陕西人。想想历史,开辟和打通此路的差不多又都是陕西人,商人更多是陕人,西路军也是。她说,油线上何尝不大多数是陕人呢,我每到一地,接待的人都讲普通话,一听我说秦腔,就全变成秦腔和我说,口口声声喊乡党。给你说件趣事吧,在敦煌的石油生活基地,电视台老播放秦腔戏,那些人数只占少部分的南方人有意见了,但领导都是陕西人,意见提了也不顶用,争取了数年才开增了别的戏种。油田报纸上曾有人写了小文章说家属区还有个秦腔戏自乐班夜夜唱,他听不来秦腔戏算什么艺术,大喊大叫,吵闹得人不得休息。结果一大批老职工告状,去报社闹事。当知道一块儿晨练的一个老头的儿子是报社副主编,就开始骂老头,甚至把老头开除了活动小组,而作者写了三次检讨,此事才得以平息。

五、缺水使我们变成了沙一样的叶子

整个河西走廊,宽处不过百十多公里,最窄的仅十多公里,就那么没完没了的蛇屁股一样深长。到了阳关、玉门关,关门是打开了——新疆人称两关之东为口内——新疆是内地的大的后院。

走廊和后院是汉武帝修建的,一旦有了走廊和后院,后院的安危就一直影响着整个中国的安危。我们一路往西,沿途的城镇无一不与军事有关,不与安定有关,如静宁,定西,秦安,靖远,会宁,景泰,武威,张掖,永昌,民乐等。在翻过了乌鞘岭,到一个河湾处,两边山峰相峙,互抱处为入口,出口则南山斜出一角为伏虎形,北山直插过来,酷似狼路,这就是北宋时杨家将遭重创的虎狼关。杨家一门忠良,为了国家社稷,征战在西路边塞,最后犯了地名之讳,——虎狼是吃羊(杨)的——剩下十二寡妇。这十二寡妇还再征西,直到了张掖、酒泉一带。而新疆的疏勒,甘肃的武威,现南疆军区和二十一军的某炮旅驻地仍是国民党时期的兵营,也更是清朝的军事防务地,那高大厚重的围墙依然,清兵手植的杨树、榆树已经数人难以合抱,树顶上住着乌鸦,一早一晚呱呱而啼,你会感觉到这声音从远古而来。登临了武威城中的钟楼,举目望去,民屋匍匐在下,皆土坯墙,泥平顶,虽粗糙简陋却朴拙之气在阳光里汹汹升蒸。楼基之厚,梯台之宽,砖块之大,令你心气沉稳,尤其那一口似金似银似铜似铁似石的大钟,相传铸造时其中熔化着活人,所以击之声洪如雷,似有人的呐喊。汉朝给我们的是强盛的形象,强盛形象是由政治、经济、军事、文化来支撑的。现在世界核武器的升级试验,军火购买的竞比,闹得乱乱哄哄,战争永远伴随着人类,武器的精良是战争的根本,过去如此,现在亦如此。作为一个老百姓,虽然国之兴亡匹夫有责,但国家社稷的大事并不是一般人能把握得了,我们在沿途上,听多了关于霍去病的故事,左宗棠的故事,西路红军的故事,以及王震的军垦和数年前部队"维稳"的故事,但于我,却时不时就吟出了于右任在河西走廊留下的名词:"多少古城名将,至今想象,白头醉卧沙场",而眼前就是这样的一块干涸的地方呀!

西部确实干涸了。张骞当年出走西域,报告给汉武帝的是一路土肥草茂,尤其塔里木湖四边的十六个小国。河西走廊当年土肥草茂牛羊成群到什么程度,十六个小国又如何的富饶美丽,史书上未能记载,我也无法想象,但现在河西之地走那么一天,眼见的是戈壁、戈壁、还是戈壁,而塔里木波涛还在,却波涛不再激荡,是沙山沙梁沙沟沙川,昔日城堡一半被沙埋着,一半残骸寂然,那成片成片站着的,倒下的,如白骨的胡杨林,风卷着沙忽东忽西,如漂浮的幽魂。在每一个住过的夜晚——这里的夜都寂寞的——月亮星光特别的亮,守候着城堡或山峰戈壁,黑的世界里就隐隐产生着一种古怪的振动,传递给你的是无处不在的神秘与恐惧。

驱车万里走西部,常常是走十几个小时了,出现一片绿地,绿地或大或小,大的就是一个城镇,小的仅几户人家也是一个村子。草木里非常贱活的,只要有一点水就泛绿,长一簇树,树中树后是一畦一畦的庄稼田。但你立即会发现在几间屋舍的不远处是废弃了的残垣断壁，林子外还有平整的田，畦格依旧，但已经不再种庄稼了，——一切在证明着地下水逐渐地缩小，如一个重病的人，心还在跳动，四肢已慢慢麻木而僵硬了。原来是世界上最大最大的平原却成了沙漠戈壁，就可怜的仅存着那么一点水，人就在那儿艰难地生存着。我想起了在盛夏的家乡的河边，常常是河流枯瘦，水退回河中的深槽里，滩边的低洼处就留下那么一潭一潭水，水继续在晒干，潭中的小鱼便越来越稠，中间的身子不动，四边的鱼的尾巴却摇得欢快，最后直在那里，死不瞑目，直到晒成干柴。可怜的这些小绿洲，还能继续绿下去吗？地下的那么点水，在浩瀚的沙漠戈壁的热气里能坚持多少年不蒸干呢？

我站在沙地上，怒目看着天上的太阳，太阳里哪里是有一只赤乌呢，整个儿是一个光的刺猬。我没有一柄弯弓，那个英雄的后羿也早死了。我站着，脸上的汗油往外溢出，感觉到头发开始干燥，蜷曲，快要燃烧了，听见了小路在讲着这里的沙漠、戈壁形成的原因，是喜马拉雅的造山运动成就了世界的最高屋脊，也毁灭了西域的大片绿洲，便一时豪放起来，恨不得将喜马拉雅山一炮炸开，让印度洋的湿润空气吹过来，那么，我就这么站着——头发长成枝条，体毛长成根须——站成一棵树！

人实在是无法征服大自然，大自然却偏偏要让人活着。

在定西的山塬地带，人是吃窖水的，下雨是他们的节日，大人小孩都会站在雨地里浇淋，他们最能体会甘露二字的含义。雨落在田里,田里起着土烟,土尘起来,软下去,庄稼看着十分受活。雨落在村道和打麦场上,那是一种浪费,人们就用锄头通引着流水到各家各户挖凿的土窖里。这些窖中的水上面浮动着牛屎羊粪,蜉蝣和蚊虫。他们通常一生洗三次澡,作为净身:一次是出生时,一次是新婚夜,一次是死亡后。一家人洗脸舀半盆水,需要把盆半靠在墙根方能掬起,洗过脸了,将前一天的洗过脸的水合在一起再洗衣,然后沉淀了又去喂高脚牲口和鸡鸭猫狗。我们在一个村子里去转悠,我听见两个妇女在猪圈墙外说话,原来她们约定好了今日去县城逛的,一个来了,另一个却因别的事缠着不能去,那妇女就不悦了:你这不是日弄人吗,我脸都洗了,你却不去了?!在张掖的博物馆,我看到许多汉时的陶罐,都是水壶样,出门带水,已经是人的潜意识,这如同我好吃烟,出门可以把什么都忘掉拿,但装上烟和火柴是永远忘不了的。志书上讲,汉兵在武威的戈壁滩上迷失了方向,不得出来,人杀马而吸其血,马杀完了,人又互相杀之吸血,死后的人都是脖子上有刀口,嘴上有血痂。酒泉,是以霍去病在泉水里倒下御酒让士兵喝而得名,但一老汉讲,民间里世世代代传下来的故事,是十几万人来到这里发现了一泉,都去争饮,结果踩死了无数,而有人饮得过多,当场毙命,霍去病是杀了许多抢水者才维持了秩序,那水如酒一样一人喝三口,从而得酒泉之名。

历史的故事,正史上野史上都记载了,我听到的是玉门油田初开发时渴死了许多勘探人员,他们的坟墓现在还在玉门,每年清明,活着的人去扫墓,除了燃香焚纸,就是背一壶水浇在坟头。我们去了那一片坟地,正好碰上一位老太太往一座坟上浇水,她说她昨晚又梦见他了,他仍然是张着嘴喊渴,"渴死鬼给我托梦哩!"她眼泪扑簌簌流下来,"他给我托了一辈子的梦,从来都是喊渴!"原来坟里埋着的是一位年轻的勘探队的司机,五十年前他们在热恋着,他在一次出车时,半路里汽车抛了锚,结果就困在沙漠里渴死了。发现时人在汽车东边一里多地方趴着,身下是双手挖开的一个坑,面朝着坑底,满鼻满口是沙,身子却干缩如小儿。她是去了现场,抱着尸体哭了一场,然后去汽车上一揭坐垫,坐垫下还有两军用水壶的水,她又是"啊"的一声就昏了。因为出发前,年轻的恋人让她备水,她是备了三壶的,却想为了能让他节省,将两壶藏在坐垫下,她只说他会发现的,谁知他竟那么老实,喝完了一壶后就活活地渴死。她现在是有了丈夫并有了孙子的人,但几十年来这件事让她灵魂难以安妥,"他死前一定是恨我的,"她说,"恨我只备了一壶水!"见过了这位老太太后,我们在以后的行程里,凡到一地,出发时都得买整箱的矿泉水,唯独一次去看一个烽燧,心想半天就可以返回了,而且沿途也能买到水的,没想路上竟未能买到水,就口渴得吐不出唾沫来,翻了丢弃在车厢角的一堆矿泉水空瓶,企图某个瓶里还残留一口水,但没有,那只苍蝇竟藏在其中。鼻孔越来越往外喷热气,嘴唇上先是有一种分泌物,黏黏的,擦下闻闻有一股臭味,接着手开始粗糙,毛孔看得明显,而且情绪极坏,叼一支烟去吸想分散注意力,烟蒂吐没吐掉,用手去取,烟蒂上贴着一层皮,血就流下来。我嘴上的血流下来,小路却说:我真想吮了你的血!我原本想要将嘴上的血擦下来抹在他的脸上,但我已没有恶作剧的力气。宗林就开始讲水的故事,企图讲水止渴,我就说现在若有水了,我要喝三大碗的,小路说我得一脸盆哩。老郑却严肃了,叮咛回到驻地,每人先喝半杯水,十分钟后,再喝半杯水,喝得太多太猛是要出事的。他说他在部队时,一次行军拉练,干渴了两天两夜,到了一条河边,有个新兵一见水就疯了,往河里扑,结果扑下去喝是喝够了,却再也没能起来。

没有了水,又长年有风,山上没有了草木,地上也多是没土,坐在车上不断地能看见前边出现着的海市蜃楼,那是戈壁沙漠对水的精神幻化。在一个沙窝子里遇上了几户维吾尔人,都是瘦瘦的,个子挺高,询问着他们这里如此缺水,怎不迁徙到别的地方去?回答是:能长西瓜就能长人。这话使我激动得喊了一声,又赶紧记在了笔记本上。是的,西瓜原本是生长在西部的一种瓜,它在全世界的瓜的品类中是最甜最爽,将地下水吸收着顺着藤蔓而凝聚到地面,西瓜是种出的无数的泉。人或许不能承受更大的幸福,但人却能忍耐任何困苦,生存的艰辛使西部充满了苍凉,苍凉却使人有了悲壮的故事,西部的希望也就在这里。

在柳园去星星峡的路上,干渴使我们从车上都下来,软绵绵仰躺在沙地上看云,云白得像藏民的哈达一样浮在空中,你会明白了西部的所有洞窟壁画为什么总是画有飞天。而山就在身边,好像是遭受了另外的星球的撞击,峰丘无序,这一座是白色的,那一座是黑色的,另一座又是黄色或红色。小路就在离我们不远的地方解裤要尿了,但他却喊着尿不出来,火结了。我趴在那里,开始在笔记本上记每天的日记——我的日记都是在路上叨空写的——

我写道:如果有水,西部就是世上最美的地方了。刚刚写下这么一句,那座发着黄色的山丘和那座发着黑色的山丘之间出现了一片红光,红光在迅速放射,一层一层的连续不断。约摸一分钟,红光消失了,出现了波光摇曳的水面,而水面后边是到了山丘旁的另一座山丘,拥拥挤挤着顺丘坡而上的房子,还有一条横着的巷,巷里的房舍似乎向一边倾斜(我以前在陕南山区常见到这种街巷,但倾斜的房舍成百年没有倒塌),一个男人骑着马向巷里走去,马的四蹄很放松,有舞蹈的模样,马粪就从尾巴下掉下来,极有节奏地掉下五堆。一棵树,是一棵桑树,桑叶整齐地如扇形分布在枝干上,树下坐着一个老年的女人。我的感觉里,这老女人已经在树下坐了很久了,她一直顺着树影坐,树下的地上被身子磨蹭出了一个圆圈。水面开始悄无声息地往上涨,涌进了巷口处建在慢坡上的一所房子,门就看着朝里倒下去,接着水又退出来,收缩至慢坡下,而水退出来的时候水头上漂浮着屋子里的椅子、被褥、箱子和一只铁锅。那坐在树影下的老女人没有惊慌,我也没有惊慌,像是看着一场电影——知道那是假的,它只是电影。我站起来拿了相机去拍照。小路看着我,问那有什么拍的?我说,你快看吧,瞧那里有湖!所有的人都往我指点的地方看,看不见什么,就一起看我,小路甚至还用手在我的眼前晃了晃,说:你是不是干得连眼睛也没水了?!庆仁说:这是渴望。

晚上回到了柳园,柳园还在红着天,柳园在晚上八点钟太阳落下山了,太阳的余晖还映得天红。我们在一个小饭馆喝茶吃饭,因为想吃羊肉,店主在后院里将一只羊当场宰杀,我就去找一家摄影部冲洗胶卷。我是自信我在下午看见了奇异的风景,或许,他们真的没有看见,是我看见了(我有这么个特殊功能,常常能看到听到嗅到别人看不到听不到嗅不到的东西),但照片冲出来,上边却什么都没有。这让我非常的丧气,怀疑是不是灵魂又出窍了,或者是干渴得脑子坏了!返回饭馆,清炖羊肉已经摆上了桌。在我们桌的正前方另一张桌前,坐着三个人,中间的那人一直坐着低了头,一件白衫子披在身上,两条胳膊却在衫子下面,而衫子在前边系着扣。后来,三碗拉条子面端来,两边的人把白衫解开,那人的双手原来是戴着铐,左边的人为其开了铐,三人就一阵狼吞虎咽。这是穿便衣的公安长途解押犯人,我们面面相觑了,全不敢高声说话,为了避免是非,又都不再去看。庆仁附过身说:去冲胶卷了?我点点头。他又说:冲出来是白卷?我说:你说得对,那是渴望。

我没有为我的渴望产生的幻景而羞耻,海市蜃楼经常发生,我明明知道可能是海市蜃楼却又以为这一次是真的,这如在梦中发生到一个地方了还在想这不是梦吧的现象。但我在作想这件事的时候,那一根爱的神经又敏感了,她的形象浮现在眼前:一身牛仔服被汗水浸湿了后背,披肩的长发数天未洗,一副墨镜推挂在额上。她这一阵在干什么呢?我曾经对她说过:记着,每天一早醒来你若想起一个人的时候,那就说明你爱上了那个人,你说说,你醒来第一个人想到过谁?她说,想的是我呀!她总是这么气我,我就认真地对她说:你再记着,当你什么时候想到了我,那就是我正在想你!——那么,现在,是十点半,她在想我了。

身后的桌子还坐着两个人在吃羊肉,听得出一个是北京人,一

女孩 庚寅 李□

青山半缺自日贞可窥 禹
標谢孤柏孤芳探神桐
己丑立冬於佛及譽佛迷
朱山於土書房时时

个是上海人。一个说:这里的羊肉不像羊肉,没有膻味。一个说:这就像你,你这个上海人最大的好处是不像个上海人。我笑了一下,便突然间感到一种忧伤,咀嚼着我对她如痴如醉的爱恋,而她为什么总不能做出让我满意的举动,甚或一句哄我的情话也不肯说呢?如果她对我没有感觉,骂我一句打我一掌,拂手而去,再不理睬,也能使我从此心如死灰,可她消失了许久又与我联系上,依然那么漫无边际地交谈,又谈兴盎然,令我死灰复燃呢?是不是她仅仅是喜欢读我的书,我喜欢她的画,是一般只做谈得来的朋友,那么,她就是我的另一种渴望,是我的精神沙漠里的海市吗?

夜里,庆仁又在画起了速写,我们一路上笼络所有人只有三件法宝,一就是宗林为其照相,当然他经常不装胶卷,却骗得被照相者又换新衣又梳头,留下详详细细的地址。二是庆仁画肖像,当然这是为各地接待的负责人。再就是我为一些人算卦了。算卦是不能给那些春风得意的人算,也不能给那些面目狰狞谁也不怕、命也不惜的人算。领导者都算的是仕途上的晋升,女孩子耽于爱情,中年人差不多是情人的关系、孩子的学习和赌博如何,已经黄蜡了脸但衣着整齐的女人们往往你刚说了数句,她就泪流满面,将一肚子苦水全倒给了你。今夜我无心情为人算卦,拉了小路在院子的一株痒痒树下说话,身子在树上蹭蹭,一树的叶子都缩起来,瑟瑟地抖。小路将一包西洋参片给我,说他最担心我的身体,没想一路上我除了小毛病外竟特别精神,是不是因了她的缘故?我说了我吃饭时的想法,他严肃起来,问:你们有过那个吗?我说这怎么可能有?即便我有这种想法,她也是不肯的,她模样是极现代的,在这方面却保守得了得,她说她不能背叛丈夫,我们只做精神上的朋友。小路说,可是,把精神交给你了比把肉体交给你更背叛了她的丈夫。我想了想,这话是对的。小路又问我是什么星座,我说是双鱼星座。"你不是能仅做精神交流的主儿!"他说,"你是精神和肉体都需要的人,如果这样下去,你的内心更痛苦。"我问他那怎么办?他说结束吧。我说:那就结束吧。

可这怎么能结束呢?男人的弱点我是知道的,要永远记着一个女人,就必须与这个女人做爱,如果要彻底忘却一个女人,也就必须与这个女人做爱——我和她是属于哪一种呢?一连数天,我是不拨打她的电话了,当她来了电话,我一看见手机上显示的号码,就立即把手机关掉。世界大得很,何必吊死在一棵树上呢?我在鼓励着自己,也在说服着自己。

人真的如一只蚕,努力地吐丝织茧,茧却围住,又努力地咬破茧壳,把自己转化为蝶而出来。当城市越来越大,而我的生存空间却越来越小,我的裤带上少了一大串钥匙,我只能用我的钥匙打开我家门上的锁。签过了各种各样的表格,将我分解成了一大堆阿拉伯数字。单位要找你去开会,妻子要找你去买菜,朋友要找你办事,喝酒,玩麻将,你的手机和传呼不停地响,钻进老鼠窟窿里也能把你揪出来。你烦得把传呼机砸了,关掉了手机,你却完全变成了瞎子和聋子。一连数天里,我就是这样的瞎子和聋子。变成瞎子和聋子也好,一切由同伴者安排,他们让我到哪儿去我就到哪儿去,他们让我干什么我也就干什么。嘉峪关前,看七眼泉的水几近干涸,导游告诉说,正是有了这七眼泉,嘉峪关才修在了这里,为了保住这泉水,政府曾将雪山上的水引过来,但泉水仍是难以存住,泉的七眼似乎不是出水口,反倒要成为泄水口。我说为何不淘呢,我们老家井水不旺了就要淘的,淘一淘水就旺了。导游说,不但淘,是凿过,可越发涸了。我说,庄子讲"日凿一窍,七日而混沌死",莫非它也是混沌?在敦煌的鸣沙山,我十多年前来时沙山下的月牙泉水位很高,而这次再去,水位却下去了近一人多深,听人介绍,专家们也是为了保住这一风景,在沙山转弯处修了一个人工湖,企图将水从沙下渗过去,但这一工程是失败了。在哈密,我是去了一趟吐哈油田基地,基地负责人很是自豪地陪我参观这个沙漠上建起来的工人生活区。生活区确实漂亮,高楼,马路,到处的绿草和花坛,甚至还有一个湖的公园。他们说这里的用水是从雪山上引下来的,为了维持这个生活区,全年的费用就得三亿四千万元。水对于西部,实在是太金贵了,西部的人类生存史就是一部寻水和留住水的历史。在吐鲁番,我们专门去参观了坎儿井,坎儿井是维吾尔人一项最了不起的智慧,而在秦安的汉人,又创造集雨水节灌水窖,仅一个叫郝康村的,两千六百户人家,集雨水窖两千四百多眼,便使干旱的七百七十余亩地得到灌溉。

现在,我将讲讲鄯善的一位牧人的故事了。

车子在石子与天际相连的戈壁滩上颠簸,经过了长久的景色单调重复令人昏昏欲睡的路程,我们来到了一个土包,土包下是黑色的羊圈和土屋,腾腾的热气将土包全然虚化,土屋就如蒸笼里的一个馒头。主人赶着一群山羊回来了,羊并没有进圈,而是叫着奔向土屋外的一口井边渴饮井槽里的水,主人也是趴在井边的一个桶口咕咕嘟嘟一阵,眼见着他的喉结骨一上一下动着,敞了怀的肚皮就凸起来,然后才热情地招呼我们。而招呼我们进屋在炕沿上坐下了,端上来的就是一人一碗的清水。他告诉我们,他的先辈原是在阿勒泰放牧的,后来随着羊群转到了这一带。这一带以前也仍是水草丰美,是放牧的好地方,可在他二十岁的时候,河床干涸了,再也养不起了更多的羊,牧民们开始了种地为生,去了鄯善和哈密绿洲的附近。但他不肯放下羊鞭,他成了唯一的一个牧人。这牧人倔强,坚信着这里还有水,就请人打了一口十数米深的井,盖好了房子,孤零零地守在这里。他现在养了五百只羊,都是山羊,他说,水太少,马是养不活的,绵羊也养不活,只有山羊和骆驼能站住。他说到的"站"字对我十分震惊,眼前的这位汉子,头小小的,留着胡子,有几分山羊的相貌,而个子很高,长腿有些弯,倒像是骆驼的神气,——山羊和骆驼在这里站住了,凭着一口水井!这汉子也站住了,站住了在这片戈壁滩上唯一独居的牧人。

　　鄯善的那片戈壁滩上发现了一口井,但是,不是任何戈壁滩上都有井能被发现,人在大自然中实在难以人定胜天,是可怜的,无奈的,只有去屈服,去求得天人合一。所以,我看到的生活在这里的人都是高高的个子,干干瘦瘦的身板,而我仅仅几十天里,人也瘦下去了一圈,屁股小了,肚子也缩了下去,重新在皮带上打眼。在这一点上,人是真不如了草木,瓜是通过细细的藤蔓将地下水吸上来,一个瓜保持了一个凝固的水泉,一串葡萄是将水结聚成一堆颗粒。我曾经读过在新疆生活了一辈子的周涛的一篇文章,他写道:"如果你的生活周围没有伟人、高贵的人和有智慧的人怎么办?请不要变得麻木,不要随波逐流,不要放弃向生活学习的机会。因为至少在你生活的周围还有树,会教会你许许多多东西。"列夫·托尔斯泰也说过一句话:我们不但今天生活在这块土地上,而且过去生活着,并且还要永远生活在那里。西部辽阔,但并不空落,生存环境恶劣,却依然繁衍着人群,而内地年年有人来这里安家落户。我肃然起敬的是那些胡杨林,虽然见到的差不多像硅化木石一样,枯秃,开裂,有洞没皮,它是站着千年不倒,倒下千年不腐的,那些沙柳呢?沙棘呢?骆驼草呢?还有许许多多不知名的野草,它们原本可能也是乔木,长得高高大大,可以做栋梁的,但在这里却变成矮小,一蓬蓬成一疙瘩一疙瘩,叶子密而小。更有了两种草——鬼知道叫什么名字——一种叶子竟全然成了小球状,如是粘上去的沙砾,一种叶子已经再也称不上是叶子了,而是刺,坚硬如针般的棘。我蹲下去,后来就跪下膝盖,将那球状的叶子摘下,也让硬棘像箭头一样扎满了裤腿,而泪水长流。

可以说,就是在孤零零的一口井和一个牧人的戈壁滩上,我再也不敢嘲笑陇西那里的小毛驴了,再也不敢嘲笑河西走廊的女人脸上的"红二团"了,再也不敢嘲笑这里长不大的小黄白菜,麻色的蝴蝶,褐色的蜘蛛和细小的蚊虫。我又开始拨通她的电话,我是那样的平静和自然(令我吃惊的是我的话语又充满了机智和幽默),我竟然给她报告着我从天山下来是去了一次胡都壁县,车如何在一条干涸的河床上奔走了数个小时,又在山窝子里拐来拐去,就是为着去看那里的岩画。看岩画就是为了看原始人画中的性的崇拜。我说,人都是符号一样的线刻,在两条细线为腿的中间,有一条线直着戳出来比腿还长,像一根硬棍,棍头又呈三角状。古人的生殖器真就那么大吗?我又联想到了曾在云南见过的女性生殖器的石刻,那是在一个石窟里,两尊佛像之中的上方就刻着那个图案,朝拜者去敬佛时也为女阴图磕头,末了用手去摸,竟将图案摸得黑光油亮。我还联想到了在我的故乡商州,前几年我曾从倒塌的一个石洞口爬进去,里面竟大得出奇,到处是新石器时期人留下的谷子,谷子已腐败成灰,脚踩上去,腾起的尘雾呛得人难以久待,而就在谷灰边有一大堆男性生殖器的石雕。古人的东西那么大,简直令我满脸羞愧。她说,我给你讲一个笑话吧,一对年轻男女在夜里的公园谈恋爱,男的一直拉着女的手,女的却侧过身子有些不好意思,男的就冲动起来,将他的尘根掏出来塞进了女的手里,女的说了一句:谢谢,我不吸烟。我在电话里笑起来,说:好哇,你就这么作践我们男人?!她说,这就是你们现在生活在内地的汉人。我说难道你不是汉人?她说:我当然不是。这令我大吃一惊,问她是哪个民族的,她却不肯说明,只强调绝不是汉人,而且父母也绝不是同一民族。我是个混杂种吧,你想想,你们汉人能有我对你这么不近人情吗?我说这话怎么讲。她说:像你这样的人,多少美丽的女人围着你,现在的社会么,你想得到谁那还不容易吗?我说,可就是得不到你!她说,我是一个属于另一个男人的人了。我便正经说明,我是希望我们回去之后能见见你的丈夫。我说这话的时候,全然一派真意,以前我们在一起,她是曾提说过她的丈夫,我是强烈反对过她提到她丈夫——一个愚蠢而讨厌的女人才在与别的男人在一起时提说她的丈夫的——但现在我想见见她的丈夫,希望也能与他交上朋友,并当面向他祝福。她在电话里连说了三声谢谢,她说她的丈夫其实很丑,又没有大的本领,但像我这样的男人轻而易举可以得到漂亮女人,她怎么忍心将美不给一个缺美的人而去给美已经很多的人呢?我们在电话里都沉默了许久,几乎同时爆发了笑声,我虽然不同意她对我的评判,但我理解了她的意思。我岔开了这样的话题,询问起她现在在哪儿,才知道她已经在格尔木的石油基地许多天了。她说格尔木的汉译是水流集中的地方,戈壁沙漠上只有水,你就能想象出这里是多么的丰饶和美丽了。她说她去了一次纳赤台,看到了昆仑第一泉的,那真是神泉,日日夜夜咕咕嘟嘟像开莲花一样往上翻涌水波,冬天里热气腾腾,夏天里手伸进去凉得骨疼,她是舀了一壶水,明日去石油管道的另一个热泵站时要送给一位老工人。老工人那里常年需要送水,每次喝水时都要给水磕头,甚至桌上常年供奉着一碗水。听说那老工人害了眼疾,她让他用神泉水去洗洗眼呀。

她问我,你见过原油吗?原油像溶化的沥青,管道爬山越岭,常常就油输不动了,需要热泵站加热,而且还有油锥,如放大的子弹头一样,从管道里通过,打掉粘在管道内壁上的油蜡。她说,前天她是去了一个地方看正铺设新的管道,荒原上几十个男人竟热得一丝不挂在那里劳作,她的突然到来,男人们惊慌一片,都蹲下身去,她没有想到没有女人的世界男人们就是这样的行状吗?"我没有反感他们,"她说,"我背过身去,让他们穿衣,但我的背上如麦芒一样扎,我知道这是他们都在看我,我抖了抖身,抖下去了一层尘土,也感觉把一身的男人的眼珠也抖了下去。那一刻里,我知道了我是女人,更知道了做一个女人的得意和幸福。那个中午,他们都争先恐后地干活,那个脸上有疤的队长对我说,男女混杂,于活不乏,但我们这里没有女人。"她说,她后天就要离开格尔木,往西宁去了,她将经过德令哈,香日德,莫木洪,茶卡,她准备在茶卡待上两天,因为在小学的时候,课本上有过关于茶卡的描绘,说那里有盐山,盐田,连路也是盐铺的。同她一块儿走的是一位塔尔寺来格尔木的喇嘛,与喇嘛一起总感觉是与古人在一起,甚至还有一种感觉,她是了从唐而来的玄奘,或是了从西域往长安的鸠摩罗什。她说到这儿,我突然发了奇想,我说我是在武威拜访了鸠摩罗什曾经待过的寺院的,就产生过以鸠摩罗什为素材写一部戏的冲动,但你更与佛有缘,何不就去了塔尔寺,然后再往甘南的拉卜楞寺,那里有着大德大慧的活佛和庄严奇特的建筑,有着无与伦比的壁画和酥油茶,和千里匐匍磕拜而来的藏民,你是高贵圣洁的,你应该去看看。"你如果到拉卜楞寺,"我强调道,"我们返回来也到拉卜楞寺去,咱们在那儿会合吧!"她说:这可是真的? 有她这样的话,我就激动了,大声说:一言为定!

在漫漫的西路上,我们终于约定了见面,这是个庄严的承诺。

这天晚上,我把庆仁的笔墨拿了来,我为她画了一像,上面题记:女人站起来是一棵树,女人趴下去是一匹马,女人坐下来是一尊佛,女人远去了,变成了我的一颗心。推窗看去,夜风习习,黑天里有一颗星,而一只萤火虫自己的光亮照着自己的路一闪一闪飞了过来,但我知道那花坛里的月季花开了,开着红色,那红色是从沙土里收集来的红。

六、带着一块佛石回家

在乌鲁木齐,我们休整了七天。宗林是第一次来,对这座边城的一切都感兴趣,白天出去逛遍了城内所有景点,晚上又出去吃遍夜市上所有的小吃,在那里摄像,常常夜半回来,满床上摊开买来的小花帽,丝围巾,银手镯,铜盘子以及和田玉挂件,英吉沙小刀,就把宾馆的服务员招来试穿试戴,夸奖着衣饰漂亮,也夸奖着女服务员漂亮。这个时候,庆仁肯定要出现了,他原本是老成人,一路上也学得油嘴,每见宗林和女服务员说话,总要提议:握手握手,拥抱拥抱。他故意将握念成弱,拥念成盈,惹得女服务员便咯咯笑,看着他——他个矮头大脸圆,像高古的僧人或日本人——有叫他花和尚的,有叫他朝三暮四郎,末了却一边骂狂丑,一边当了模特,摆各种姿势让他画。小路的兴趣还在于收集鞋,差不多已经收集到一纸箱子,宝贝似的,扎得严严实实从邮局发寄回去。他感慨他应该收集脚印,但汉以来的脚印让河西走廊收留着,收留成了一条路。"我庆幸我也姓路!"他说。另外,他的兴趣就是买药材了,他说他那东西懒,得补补,买了雪莲,冬虫夏草,鹿茸,甚或一次买回来了一根虎鞭。他说卖主那里有四条虎鞭,他买时旁边有人说了,这是天山虎鞭,厉害得很,研成粉掺在面团里擀了面条,一下到锅里全立栽起来了。我说,是吗,中国现在有多少虎呢,那人一下子有四条鞭,那虎是不是养在他家的床下?小路死死地盯着我,突然用力地拍自己脑门说,你说得有道理,有道理,他娘的我又上当了!

我因为以前来过乌鲁木齐,有一批朋友居住在这个城市,当他们得知我又一次到来,就来看我,约我去逛那些一般人不常去的街巷看旧建筑,访奇异人。于是我在一条已经拆除了一半的小巷里见到了一个老头,他有着一个小四合院,与房地产商的谈判未能达成一致,坚持着不肯搬迁,房地产商就请求政府干预,结果石灰粉写成的"拆"字刷在了院墙上,限定十五天内若不搬迁就强行拆除的布告也贴在门前的杨树上。但他仍是不搬迁。我们去见他的时候,他以为我们是政府里的人,态度蛮横,我们坐在门前的小凳子上,他却说凳子是他家的收走了。后来终于知道我们是外地游客,他则自豪他走遍了全国各地,最好的还是乌鲁木齐。他说,五十年代,乌鲁木齐街上的路还是碎石铺的,他就住在这里了,转场的牧人把羊群赶过来,百十头羊白花花一片,淹没了马路,牧人夏天还穿着皮袍皮裤,表情木讷,样子猥琐,连牧羊犬也一声不吭地低了头,躲着行人。可现在,却要让我搬离这里,听说那个房地产商的父亲就是一个牧人,牧人的儿子现在暴发了,是大老板了,我却像狗一样给那么一块骨头就要撵走了?!老头子说着说着又激愤起来,我们就不敢再与他交谈,每每逃到了叫二道桥的维吾尔族人的市场上去。从一排一排服饰、皮货、水果、药材摊前看过,在我与那个大肚子的维吾尔族人讨价还价一张银狐皮时,我的腰被人抱住了。回头一看,是另一个朋友,他埋怨我来了为什么不通知他,他说我是一心想着你的谁知你压根儿把我当了外人。我说你怎么知道我没珍贵你,又怎样在心里想着了我?"那晚上见吧。"他打问了我住的宾馆,就走了,他要去一家医院探望个病人的。

晚上,我的朋友来了,抱着一块石头,石头上阴刻着佛像。这是西藏古格王国城堡里的摩尼石。古格王国在八百年前神秘地消失了,在那以山建城的残废之墟,至今可看到腐败的箭杆和生锈的簇头、头盔、铠甲和断臂缺腿的干尸,看到色彩鲜亮、构图奇特的壁画,看到在内壁涂上红的颜色的宫殿外一堆一堆摩尼石。这些当然是朋友说的,他是托人开了汽车翻过了五千多米海拔的大山险些把命丢在那里而抱回来的。我好佛也喜石,无意间得到这样的宝贝令我大呼万岁。

我现在得详细记载那天晚上敬佛的情景了——这是一块白石,虽未是玉,但已玉化,椭圆形,石面直径一尺,厚为四指,佛像占满石面,阴刻,线条肯定,佛体态丰满,表情肃穆,坐于莲花。我将石靠立于桌,焚香磕拜,然后坐在旁边细细端详。我相信这种摩尼石是有神灵的,因为那些虔诚的佛教徒翻山越岭来到古格城堡,为了对佛的崇拜,雇人刻石奉于寺外,那虔诚就一凿一凿琢进了石头,石头就不再是石头而是神灵的化身了。即便是刻了佛像的石头仍还是石头吧,这头在西域高山之上,在念佛诵经声中,八百年里,它也有精灵在内了。我猜想不出这一块佛石是哪一位藏族的信徒托人刻的,是男的还是女的,刻时是发下了宏愿还是祈祷了什么,石头的哪一处受到过信徒的额颅磕叩,哪一处受到过沾着酥油的手抚摸,但我明白这一块石头在生成的那一刻就决定了今日归于我。当年玄奘西天取经,现在我也是玄奘了,将驮着一尊佛而返回西安。

我有了如莲的喜悦。禁不住地拨通了她的电话(我的举动是佛的指示),我开始给她背诵我曾经读过的一本书上的话:佛法从来没有表示自己垄断真理,也从来没有说发现了什么新的东西。在佛法之中,问题不是如何建立教条,而是如何运用心的科学,透过修行,完成个人的转化(我们都是一辈子做自己转化的人,就像把虫子变成蝴蝶,把种子变成了大树)和对事物究竟本性的认识。

我在给她背诵的时候,她在电话那边一声不吭地听着,末了还是没有声息。喂,喂,我以为电话断了,她嗯了一声,却有了紧促的吸鼻声。我说你怎么啦,你哭了吗?她闷了一会儿,我听见她说:这块佛石是要送给我吗?我当然可以送她。只要肯接受,我什么都可以给她,我说:"我要送你。"她却在电话那边告诉我:你知道我为什么也来西部吗?沿着油线写生,这是两年前就答应了油田有关部门的邀请的,但我迟迟不能动身。这一次独身而去,原因你应该明白,可并不是企图和你结伴,而是写生,也趁机好好思考些问题。我有许多话要对你讲,每每见了面又难以启口,在格尔木给你写了一信,写好了却没有发,也不知道该给你发往哪里。这封信就揣在怀里跟我走过了德令哈、香日德和茶卡、巴拉根仑。这一带是中国最著名的劳改场,在七八十年代,劳改人数曾多达十几万。可以说当时开发青海是军队、石油工人和劳改犯开发的。一路从这里走过,我感觉我也是一名劳改犯了,一位感情上的劳改犯。现在我在西宁,沿了唐蕃古道到的西宁,文成公主从西安是去了西藏,我却顺这条路要往西安去。昨日经过了青海湖,青海湖原来四边有岸岩,野生动物与水面不连接,鸟多到几十万只地聚集在那里,每年的四月来,七月前飞往南方了。我没有看到鸟岛上的风景,但是也有遗留的鸟,那是些为了爱情的,也有生了病的,也有迷失了方位的。我搞不清我是不是遗留下来的一只鸟,是为了爱情遗留的,还是生了病或迷失了方位?我离开了青海湖开足了马达,车在那柏油路上狂奔,当的一声,前玻璃上被一只鸟撞上。把车停下,车窗上有一片血毛四溅的痕迹。我在路上寻着了那只鸟,我谴责着是自己害了那鸟,又猜想那鸟是故意死在我的车玻璃上要让我看的,鸟的小脑袋已经没了,一只翅膀也折了,只是那么一团软绵绵的血毛。我把它埋在了路边的土里,为它落下了一滴泪。到了西宁的今晚,我决定将信焚烧,但你的电话却来了。

天呀,原来她并不是一块玻璃板,我用毛笔写上去的文字一擦就没了,原来我拿的是金刚石,已经在玻璃板上划出了纵纵横横的深渠印儿!我让她把信一定要交给我,她说这不可能,她肯定要在今夜里烧掉,我就反复要求即便是不肯交给我,也得让我听听信的内容呀!她沉默了许久,终于给我念了一遍,我用心地把它记在脑中。

我明明知道你是不会给我电话的,但我还是忍不住拨了你的手机。我到底要证明什么?!

你是我生命中的偶然,而我因为自己的软弱把自己对于完美的追求和想象加在了你的身上,对你作品的喜爱而爱屋及乌了。

我心存太多的不确实,是因为我的虚伪。一切都像梦一样,我的自卑和倔强,让我在真正的爱情里,永远得不到幸福,得不到安宁。

你说女人残酷,你以为我这么做就不是自己找楼梯吗?或许我们只是于万水千山中寻求精神的抚慰罢了。生存的巨大压力和迫切的情感需求已让我们面目全非了,寂寞和脆弱又让我们收不住迈动的双脚,我虚弱地妄图在沉入海底前捞几根水草。

别留我,让我走吧,我这个任性的不懂事理的孩子。我只想过自己要过的生活,虽然我看不清楚我想过的生活是什么模样。

我不成功,没有成功的生活,但我更渴望追求有尊严的生活;我相信这世上一定有另外一种活法的。我在自己的世界里,快乐、痛苦如一条鱼。

如果你真的爱我,请你让我走开罢,这真爱的光亮已让我不敢睁眼,我自私、残酷、矫情和虚荣。

上帝啊,我总在渴求抚慰,却又总在渴求头脑清醒,在夜与昼的舞台上,我是那天使和魔鬼。

这难道是我的错?!

(跪在床上写,一条腿已麻,摸,没感觉,再摸,一群小小蚂蚁就慢慢地来了。)

听完了信,我说,你往拉卜楞寺吧,我到那儿去找你!

桌子上的旅游地图被我撞落在了地上,打开了,正好是夹有长发的那一面。灯光下,我看见了从西安到安西的古丝路的黑色线路,也看见了几乎与线路并行的但更弯曲的一根长发。

　　我们决定了三天后返回,但在怎么返回的问题上发生了争执。宗林的意见是坐车,我便反对,因为回头路已不新鲜,又何必颠颠簸簸数天呢?最后就定下来让司机开了车明日去兰州,我们三天后乘飞机在兰州会合,然后再搭车去夏河县的拉卜楞寺。第二天一早,司机要上路的时候,宗林却要同司机一块儿走,他说他在返回的路上再补拍些镜头。这使我和小路很生气,走就走吧,他是在单位当领导当惯了,没有采纳他的意见他就闹分裂了。小路帮他把行李拿上车,说了一句:那车上就你和那只苍蝇喽!我、庆仁、小路和老郑继续留下来休整,他们各自去干自己的事,我在宾馆的医务室让大夫针灸左大腿根的麻痹,然后回坐在房间为佛石焚香,胡乱地拿扑克算卦,胡乱地思想。

　　对于那封未寄出的信,我琢磨过来琢磨过去,企图寻出我们能相好的希望,但获得的是一丝苦味在口舌之间,于无人的静寂里绽一个笑,身上有了凉意。我也认真地检点,如果她真的接受了我的爱,我能离婚吗?如果把一切又都抛弃,比如,儿女、财产、声誉(必然要起轩然大波),再次空手出走,还能有所作为吗?而她能容纳一个流浪汉吗?如果她肯容纳,又能保证生活在一起就幸福,不再生见异思迁之心吗?我苦闷地倒在床上,想她的拒绝应该是对的,可不能做夫妻日夜厮守,难道也没有一份情人的缘分吗?回忆着与她结识以来每一个细节,她是竭力避免着身体的接触,曾经以此我生过怨恨,丧气她对我没有感觉,但我守不住思念她的心,她也是过一段我不给她联系了她必有电话打过来,这又是为什么呢?如此看来,我们都是有感觉的,她只是经历了更多的感情上的故事,更加了解男人的秉性。我继而又想,或许她不允许发展到情人关系,我能在有了那种关系,失去了神秘和向往还会对她继续真爱吗?我在床上昏昏沉沉地睡着了,我似乎在做梦,我还在祈祷:让我在梦里见到她吧!天空出现了白云,云变成了多种动物在飞奔游浮,我坐着车来到了西安南城门口。哦,这就是南城门口,我已经三十年没有见到了。我是从哪儿来的呢,我记不起来,但知道三十年没有回来了,回来了南城门口城楼没变,那城河里流水依然,而我却老态龙钟了!一步一挪地走过了前边的那个十字路口,路口的一根电线杆还在,我想起了三十年前发生在这里的故事,我是遇见了她的。我坐在电线杆下,回首着往事感慨万千,为没能与她结合而遗憾,轻轻地在说昔日说过的话:我爱你,永远地爱你!一位老太太提着篮子走过来,她已经相当地老了,头发稀落灰白,脸皱得如是一枚核桃,腿呈O形,腰也极度地弯下来。老太太或许是往另一条街的超市去买东西,路过了电线杆用手捶打着后背,她可能也累了,要坐在那石台上歇歇,才发现我在旁边坐着,又坚持着往前走了。我看着老太太走过了街道消失在了人群里,下决心要在城里寻到昔日的她。我不知走了多长时间,终于在一座楼前打问到了她的家,一个小伙子说:你是谁,我岳母上街去了,你等一会儿吧。我就蹲在那里吸烟,突然小伙子说回来了回来了,我往楼前的过道看去,走来的竟是我在电线杆下碰着的那个老太太。我,"哦"了一声,一口痰憋在喉咙,猛地醒过来,原来我真的是做了一

一盏春风华罗
别心是清茶
品饮时
甲申 李四画

春风得意马蹄疾 一日看尽长安花

癸巳初冬书于秋涛阁 平山晴雪时

场梦,汗水差不多把衬衣全湿透了。

我怎么会做这样的梦呢?醒过来的我没有立即坐起来,再一次把梦回想了一遍。我对于梦的解释一直有两种,一种是预兆,一种是生命存在的另一个形态。那么,做这样的梦是什么意思呢?难道我现在如此痴迷于她,说那么多山盟海誓的话都不可靠吗?在三十年之后见到她连认都不认识吗?

到了第二天,小路却提供了一条消息,说他看了一份报纸,在安西有一座古堡遗址,相传是乾隆皇帝有一日做梦(竟然又是梦!)梦见了一处奇妙的地方,就让人全国寻找,后有人在安西某地发现了一处地貌与梦境酷似,乾隆便认定这是天意让他去新疆巡视的,于是要在那里修一座行宫。但是负责修建行宫的大臣却大肆贪污工程款,偷工减料,行宫修建好后,有人就举报了,乾隆大怒,遂下令将那大臣父子活剥了皮蒙鼓,大小两面鼓就挂在了城堡门口,每逢风日噗噗响动。

有这样的地方,当然惹起了我要去看看的欲望,心想可以此写一篇小说或一出剧的。安排的是当天夜里雇车就出发,参观完无论多晚都得第二天返回,但却在返回一个村子前车子发生了故障,只好半夜投宿在那个村子的一户汉人家。说来也巧,这汉人的原籍竟是陕西,他的父亲是进疆部队就地复员的,他出生在新疆,而他的老婆则是上海当年来插队的知青。他们有一个女儿。女儿是他们的骄傲,一幅巨照就挂在东面的墙上,说她初中毕业后就去了西安,当过一段时装模特,后来在一个公司打工。当那汉人得知我们来自西安,便喋喋不休地问西安南大街那个叫什么春的面馆还在不在;南院门的葫芦头泡馍馆还在不在,他说他三十年没去过西安了。我们说城市大变样了,葫芦头泡馍馆还在,已经是座大楼了,南大街的面馆却没了踪迹,那条街全是高楼大厦。他便嘟囔着:"那可是个好饭店,一条街上的面馆都没有辣子,只有那家有辣子!"就招呼我们吃酒。老郑因车出了毛病自感到他有责任,故主人敬他一杯,他必回敬一杯,再要代表我们各人再和主人干一杯,企图把气氛活跃起来,不想越喝越上瘾,喝得自控不住了。我一看这酒将会喝个没完没了,就推托牙疼起身要走——我不善应酬,也不喜应酬,一路上凡是自己不大情愿了就嚷道牙疼——老郑见状,也替我打圆场,让我先歇下,他们继续喝三吆四地喝下去,我就回了房间,获得了一件心爱之物。

  房间是房东两口将他们的卧室专门腾出了给我的,墙上挂着一幅旧画:一个高古的凸肚瓶,瓶中插着一束秋菊。用笔粗犷,憨味十足,更绝的是旁边题有两句:旧瓶不厌徐娘老,犹有容光照紫霞。一下子钻进我眼里的是两个字,一个瓶,是我的名字中的一个音,一个娘,是她名字中的一个字。我确实是旧瓶子,她也确实不再年轻。很久以来,我每每想将我俩的名字嵌成诗或联,但终未成功,在这里竟有如此的一幅画和题词在等着我!(每个人来到世上绝不是无缘无故的,你到哪里,遇见何人,说了什么话,办了什么事,皆有定数,一般人只是不留意或留了意不去究竟罢了。)我立即产生了要得到这幅画的欲望,当下又去了客厅,询问房东那幅画的来历,大了胆地提出愿掏钱购买。房东说,那是一个朋友送的,你若看得上眼你拿走吧,我要给他钱,他不要,末了说:你真过意不去,到西安了,你关照关照我的女儿。递给我一个他女儿的手机号。(当我回到了西安后,我是与他女儿联系上了,才知道他的女儿在市里最大的一家夜总会里做坐台小姐,我想对她说什么,却什么也终未说,从此再也没敢联系。)

车在第二天下午方修好,黎明前赶回到乌鲁木齐,当天的机票未能订购上,只好在原定日期的第三天飞往了兰州。提前到兰州的宗林和司机还不知我们发生了什么事,急得上了火,耳朵流出脓来。歇息了半天,第四天便往夏河县去。天已经是非常冷了,头一天兰州城里有了一场雨夹雪,在夜里虽晴了,风却刮得厉害,车一出城,路上的雪越走越白。我却困得要命,一直在车上打盹,脑袋叩在窗玻璃上起了一个包。夏河县城与我数年前来过时没有丝毫变化,我们又住到了我曾经住过的宾馆。宾馆服务员正趴在服务台上看书,抬头看了我,似乎愣了一下,就把打开的书翻到了扉页,又看了我一下,微笑起来。我开始登记,她斜着眼看我写下了贾字,就说:果然是贾先生!小路说:是贾先生,叫贾老二。姑娘说:他不是贾平凹?小路说:贾平凹是他哥。姑娘就又翻书,拿起来,竟是我的一本散文集,扉页上有我的照片,原来她看的那本书里正有一篇关于五年前逛夏河的文章。我伏在那里翻看那篇文章,这令我有了一种特殊的感觉,当初的文章是这样写着:

昨晚竟然下了小雨,什么时候下的,什么时候又住的,一概不知道。玻璃上还未生出白雾,看得见那水泥街石上斑斑驳驳的白色和黑色,如日光下飘过的云影。街店板门都还未开,但已经有稀稀落落的人走过,那是一只脚,大概是右脚,我注意着的时候,鞋尖已走出玻璃,鞋后跟磨损得一边高一边低。

知道是个丁字路口,但现在只是个三角处,路灯杆下蹲着一个妇女。她的衣裤鞋袜一个颜色的黑,却是白帽,身边放着一个矮凳,矮凳上的筐里没有覆盖,是白的蒸馍。已经蹲得很久了,没有卖去,她也不吆喝,甚至动也不动。

一辆三轮车从左往右骑,往左可以下坡到河边,这三轮车就蹬得十分费劲。骑车人是拉卜楞寺的喇嘛,或许是拉卜楞寺里的佛学院的学生,光了头,穿着红袍。昨日中午在集市上见到了许多这样装束的年轻人,但都是双手藏在肩上披裹着的红衣里。这一个双手持了车把,精赤赤的半个胳膊露出来,胳膊上没毛,也不粗壮。他的胸前始终有一团热气,白乳色的,像一个不即不离的球。

终于对面的杂货铺开门了,铺主蓬头垢面地往台阶上搬瓷罐,搬扫帚,搬一筐红枣,搬卫生纸,搬草绳,草绳捆上有一个用多色玉石装饰了脸面的盘角羊头,挂在了墙上,又进屋去搬……一个长身女人,是铺主的老婆吧,头上插着一柄红塑料梳子,领袖未扣,一边用牙刷在口里搓洗,一边扭了头看搬出的价格牌,想说什么,没有说,过去用脚揩掉了"红糖每斤四元"的"四"字,铺主发了一会儿呆,结果还是进屋取了粉笔,补写下"五",写得太细,又描写了一遍。

从上往下走来的是三个洋人,洋人短袖短裤,肉色赤红,有醉酒的颜色,蓝眼睛四处张望。一张软不塌塌塑料袋儿在路沟沿上潮着,那个女洋人弯下腰看袋儿上的什么字,样子很像一匹马。三个洋人站在了杂货铺前往里看,铺主在微笑着,拿一个依然镶着玉石的人头骨做成的碗比画,洋人摆着手。

　　一个妇人匆匆从卖蒸馍人后边的胡同闪出来,转过三角,走到了洋人身后。妇女是藏民,穿一件厚墩墩的袍,戴银灰色呢绒帽,身子很粗,前袍一角撩起,露出红的里子,袍的下摆压有绿布边儿,半个肩头露出来,里边是白衬衣,袍子似乎随时要溜下去。紧跟着是她的孩子,孩子老撑不上,踩了母亲穿着的运动鞋带儿,母子节奏就不协调了。孩子看了母亲一下,继续走,又踩了带儿,步伐又乱了,母亲咕哝着什么,弯腰系带儿,这时身子就出了玻璃,后腰处系着的红腰带结就拖拉在地上。

　　世上不走的路也要走三遍,当年离开夏河,我是怎么也想不到还会有再回来的今天。奇妙的是这一次居住的竟就在上一次居住过的房间。我站在玻璃窗前,看到的几乎与五年前相差无几,只是一个是早晨,一个是下午罢了。我拍了拍床,这床是曾睡过我的,那时同眠的是×,现在我却为了她来,世事真是如梦幻一般不可思议。

　　佛石被摆在了桌上,燃上了一炷香,我就拨她的电话。手机没有开通。驱车满县城去找,转了几个来回,把她可能去的地方都去了,还是没有,我们就分头去各家旅社、宾馆、客栈、旅游点的毡房去找,整整到了半夜,回到宾馆,大家见面都是耸耸肩,摇摇头。莫非她压根儿就没来,或许她来过已经走了?!

女人是不能宠惯的,小路发出感慨;而宗林得出的结论是:你瞧这累不累?!

我能说什么呢,我只好宣布不要再找了。第二天我们参观完拉卜楞寺,我突然感觉应该再去一下牧场,那里有大块草原,草原上有马——一提起马我就情不自禁——咱们再看看马吧。但在牧场,我没有去骑马,而坐在了一个杂货摊点上和摊主拉话。拉着拉着心里跳了一下,便认定她是来过了夏河,而且来过了牧场,我说:这几天来过一个女人吗?高个,长发。摊主问是不是开着小车,像个外国人,走路大踏步的。我立即说是的是的,她来过了?!摊主说,来过,骑了一个上午的马,她说她是从未骑过马的,但她不要导游在上马时扶她,更不要牵着,骑了马就在草原上奔跑,像是牧人的女儿!我问她人现在哪儿,回答是:"这谁知道,她是向我打问过貂蝉的故乡,我说貂蝉是临洮人,在潘家集乡的貂儿崖村。"我再问她你们还说了些什么,摊主说,"问她买一件皮帽子吧,你戴上这皮帽一定漂亮,她说我这长发不漂亮吗,这可是为一个人专门留的长发!就走了。"我怅然若失,摊主却不会说话,说了一句:她是你的女儿?这话让我丧气,我恨恨地瞪了一眼,脑子却清醒了:我是老了!但是,我真的是老了吗?

我们的车往回返,经过了临洮。我没有说出去找那貂儿崖。望着车窗外冰天雪地,作想着貂儿崖的那个貂蝉。在陕西,人们一直认为貂蝉是陕北米脂人,在甘肃,却是认为貂蝉是临洮的,但是,甘肃人采取了模糊说法,说貂蝉的生身父母无人知晓,八岁上被临洮的一个樵夫收养,长大后心灵手巧,又唱得一口"花儿",因此名扬四方。一强盗就把她抢去,貂蝉用酒灌醉了强盗逃走,被巡夜的哨兵相救,送到狄道县做了县令的侍女。再后,县令在一次士兵哗变中被杀,她随县令夫人王氏去长安投奔其族史司徒王允,又被王允收为义女。又再后,王允与人合谋,以她作饵,使用美人计杀死了董卓。这个中国历史上著名的美人,曾经以美丽和智慧结束了一个时代,可她最后是被关羽杀掉了,至今并不会在故乡留下什么塔楼庙台。她为什么会去貂儿崖呢,是倾慕了貂蝉的绝世之美希冀自己更美丽呢,还是感叹美丽和聪明使女人往往命运不济?

来到了临洮县城,在河岸上,我们有幸看到了天下最奇绝的洮河冰珠:河面上一团团一簇簇冰珠,冰珠晶莹圆润,玲珑剔透,酷似珍珠,而且沙沙作响。我们惊呼着停车,全跑到了河边,我捧起一掬,爱怜不已,就用嘴去吞,竟冰凉爽口,未曾咬动便滑入喉下。我们谁也不知道这是怎么回事,河水里会有冰珠?岸边的一个老头一直在看着我们,过来说,洮河上游有九甸峡、野狐峡、海巅峡,峡窄谷深,水流很急,加之落差又大,腾空飞溅的浪花、水珠因受奇寒立即凝为冰珠降落水面,这样,水流经过的深山峡谷多了,河面上就形成了一层冰珠。但是,老头说,民间却一直流传着一个故事,说是有位仙女爱上了一个山里的少年,两人相约在山岩上相会,正谈得兴浓,少年不小心拉散了少女的项链,颗颗珍珠落入洮河,少年着了急,便一跃跳入河中去捞,怎奈水流太急,葬身河中。少女悲痛至极,也就把剩下的珍珠全倒入洮河,自己也跳河自尽了。这一对情人到了天上,玉帝念他们心诚,封了降珠仙女和仙子,从此洮河上面就有了流不完的"珍珠"。

"我宁肯相信传说!"我说,抬起头来,河对岸的路上一辆小车正缓缓开过,在开到那座桥上的时候,车停了,车里走下了一个人来,拿着相机对着河面拍照。我顿时张大了嘴呆在那里,然后双腿发软,跪在地上。我那时的动作是头颅仰天,双手高举,感谢着上天的神灵。庆仁见状,不知我怎么啦,我把他抱住,憋了半天,终于说:庆仁,你瞧瞧那是谁? 那是谁?!

满河满沿的水往下流,冰珠层越来越厚,沙沙和铮铮的响声轰天震地,我听见庆仁叫了一声:我的天呀!

草于 2000 年 12 月 14 日

改于 2001 年 2 月 2 日

《美文》发刊词

亲爱的读者,我们开办了这份杂志,这份杂志是散文月刊,名字叫《美文》。

为什么叫《美文》? 因为当今的文坛上,要办一份杂志,又是散文的内容,又是炉灶起得这么的晚,脆的,有彩儿的名字都有了家主,如北京的《读文》、天津的《散文》、广州的《随笔》,以及《散文世界》、《散文百家》、《青年散文家》、《读者文摘》、《散文选刊》,我们想来想去,苦愁了许多日子,只好这么叫了。这么叫的时候,还有一段趣事:那一日,大家讨论"美文"两个字,争论好大,人分两派,一派说"美文"很雅的,如"美学"、"美术"、"美声"。一派说:"美文"了,令人能想到"美容"呀,"美发"呀的。争执不休,忽想到鲁迅他们三十年代办《语丝》是查字典来的,又想到乡下多子的父亲常抱了婴儿出门,第一个碰着什么就依什么起名。于是闭了眼睛翻了一册书,那第一行的第一个字就是美字,出门又恰巧碰着一个汉子,是本市的一个名丑,手里正拿着一本《中国古典美文选》。《美文》就这样确定下来。叫《美文》绝不意味着要搞唯美主义,但我们可以宣言:我们倡导美的文章!

我们倡导美的文章。为什么办的是散文月刊而不说散文说的是文章? 我们是有我们的想法。我们确实是不满意目前的散文状态,那种流行的,几乎渗透到许多人的显意识和潜意识中的对于散文的概念,范围是越来越狭小了,含义是越来越苍白了,这如同对于月亮的形容,有银盘的,有玉灯的,有橘的一瓣,有夜之眼,有冷的美人,有朦胧的一团,最后形容到谁也不知道月亮为何物了。我们现在是什么形容也不要。月亮就是月亮。于是,还原到散文的原本面目,散文是大而化之的,散文是大可随便的,散文就是一切的文章。

如果同意我们的观点,换一种思维看散文,散文将发生一种质的变化,散文将不要准散文,将不仅是为文而文的抒情和咏物,也就不至于沦落到要做诗人和小说家的初学的课程,轻,浅,一种雕虫小技,而是"大丈夫不为也"的境地。

先人讲,文章千古事。做文章怎能是千古的事?我们理解,做文章的人不要一天到黑脑子里总是想着我的文章怎么做,怎样就凤头豹尾,如何起承转合。做文章的人应该"平常"下心来,明白做文章是一种"业",同当将军一样,或同当农夫一样,或同妓女与小偷,生命都一样,"业",有高下尊卑之分,但都是体证自然宇宙社会人生的"法门","法门"在质上归一。若把自己的生命重点移到了体证,而文章只是体证的一种载体,一旦有悟有感要说,提笔写出,这样的文章自然而然就是好文章,好的文章自然就有千古价值。我们读《古文观止》,读中学课本,看到了历史上的那些散文大家,写得那一二篇绝美的抒情文,以为散文就是这类,但为了读到某一大家的更多的抒情文而翻阅他的文集时,我们常常吃惊他的一生仅仅是写了这几篇抒情文,而大量的是谈天说地和评论天下的文章,原来他们始终在以生命体证天地自然。社会到了今日,出版业异常发达,做文章的人太容易有出版和发表的地方,为出版和发表而做文章,文章必然量多质劣。

当然,文章的好坏,是时代之势左右,汉唐的文章只能是在汉唐,明清的文章只能是在明清。说过了一个时代的文章总体水准由一个时代而定,但往往是一个作家的具体作品却改变了某个时期的文风,作家个人的作用实在是相当大的。中外的文学史已经证明:真情实感在,文章兴,浮艳虚假,文章衰。文学史上之所以有大家,大家之所以出现,就是在每一个世风浮糜、文风花拳绣腿的时期有人力排陈腐,复归生活实感和人之性灵。

基于诸多想法,我们开办这份杂志,虽然又多了一份杂志,使做文章的人太容易有出版和发表的地方上再多一块地方,但我们的目的之一如鲁迅的那句话:为了忘却的纪念。我们的杂志不可能红爆,我们不是为了有一个舒适而清雅的职业办杂志,也不是为了敛钱发财,我们的杂志挤进来,企图在于一种鼓与呼的声音:鼓呼大散文的概念,鼓呼扫除浮艳之风,鼓呼弃除陈言旧套,鼓呼散文的现实感,史诗感,真情感,鼓呼真正的散文大家,鼓呼真正属于我们身外的这个时代的散文!

所以,我们这份杂志,将尽力克服我们编辑的狭隘的散文意识,大开散文的门户,任何作家,老作家、中年作家、青年作家、专业作家、业余作家、未来作家,诗人、小说家、批评家、理论家,以及并未列入过作家队伍,但文章写得很好的科学家、哲学家、学者、艺术家等等,只要是好的文章,我们都提供版面。在这块园地上,你可以抒发天地宏论,你可以阐述安邦治国之道,可以作生命的沉思,可以行文化的苦旅,可以谈文说艺,可以赏鱼虫花鸟。美是真与善,美是犹如戏曲舞台上的生旦净丑,美是生存的需要,美是一种情操和境界,美是世间的一切大有。

我们完全清醒我们的陋,地处于西北,没有北京、上海、广州的地利,我们办刊的人没有写出什么过硬的文章,办刊又没有经验,而我们的鼓呼虽然竭力却可能微乎其微,但我们确是意气相投的一帮散文的爱好者,涌动着一种崇高的感情,而勇敢起来办这个刊物的。我们是一群声音不大的小狗,挥动的旗子可能仅仅是大人肩头上的小孩手中的小三角旗子,所以我们相信读者会可爱我们,可爱我们的杂志,为我们投稿,为我们提建议而把杂志办好。

刊物是大家的,真的,这是咱们大家的刊物。

1992 年 5 月 28 日

读稿人语(七则)

一

　　读老作家文章如进寺遇长老,想近前又不敢近前;不敢近前,怕他早看穿了我的肠肠肚肚,不近前又不知那是一双什么佛眼,如何看我几多忙人?

　　读《五十心境》,说尽了不惑,到底还惑。想起一友人游杭州归来,极力夸赞某一公园门口的对联怎么怎么地好,问对联内容,说:上联是□□□□□□,下联是□□□□□□春。只记得最后一个字。

　　王中朝淡,《雾村》懒,一个是老僧吃茶,吃茶是禅,一个是黑中求白,乖人说憨。周涛善冰山崩塌,与之可论天下英雄,何立伟独坐听香,你只能意会他却能言传。同是女人写女事,《我与董小宛》人为狐变,《小黑》狐为人变,《我开餐馆》华而不实,却有独立之姿。

1992 年 7 月 26 日

二

　　杂志创刊,真像新出生的孩子,又像是才过门的媳妇,第一期出来了,编辑部不停地收到来信和电话,甚至遥远的电文,有说孩子是太瘦了,有说媳妇眉眼不俊,说三道四的,我们惶惶得如谦谦后生,只是洗耳恭听。要自我评价吗,常言说,看别人的媳妇好,瞧自家的孩子亲,我们是既得意又丧气。

没有想到的,杂志放在书店的架子上,有人总是把"美文"念错了,有的喊:"我要'美女'!"有的疑惑:"'姜文'?这小子也办了刊物了,来一本瞧瞧!"

到这一期,我们要告诉读者的,是仍刊登了一些大人物的作品的,因为我们是小人物。大人物都是从小人物到大人物的,我们的目的在于希望同我们一样的小人物也慢慢长大。

已经是几代人读过了的冰心,冰心还是让我们读不够,她是文坛上的菩萨,菩萨总是不老,我们敬仰她又不得不热爱她。汪曾祺恐怕是最后一个中国古典抒情诗人了,他不靠迎合活着,以征服而存在,闲人帮主,文风领袖,这是没办法的。有人评刘晓庆是刘晓庆的最大影迷,我们想,刘晓庆的傲,是从骨子里透出的另一种的率真,如果没有刘晓庆,我们将会多么寂寞。

年轻的老牛汉总让我们长啸,读叶延滨却令我们庄严,《沉默的远山》,未名人写了一群未名的人,差不多将我们静坐了一个晌午,于无声里,听见着我们的惊心。

如果有一部中国新时期的文学史,不论怎么写,无疑其中会有两个值得我们敬重的人物,一个是智慧的韩少功,一个是天才的铁凝,他们的来稿太叫我们激动。如果能把文章写得辉煌灿烂的莫言,能在他的文章中读出如莲的喜悦的史铁生,能不断地制造高峰的王安忆,还有我们又忌妒又不得不叹服的刘恒、苏童、余华们的作品组织来,我们会怎样地欢呼呢!为此,我们微笑着向他们公开约稿。

是的,"夸父逐日"的精神一直被歌颂着,但"杞人忧天"历来被作为嘲笑的成语,我们大为不满。杞人是应该尊重的,天实在需要忧,忧的意识何等可贵。夸父是一种浩然正气,杞人也是一种浩然正气。这样的文章,我们多么希望有啊!

我们还有一个主张,把文学还原到生活中去,使实用的东西变为美文,比如政治家的批文,科学家的论文,商业的广告,病院的病案,诉状,答辩,启事,家信甚至便条。可这类的来稿实在太少。我们在第一期和第二期有意要改变一下很久以来的散文思维,所以编发职业散文家的作品不多,而更多地刊登了一些小说家、诗人、艺术家、学者的文章,但我们约稿的范围还仅仅在文学艺术的圈子里,这是我们还很无能的表现。实话说,这一期曾去索一些很有名的又活得很潇洒的人的情书来发表,一个极内行的人告诉说:是名人的并不一定潇洒,真正潇洒的人却从不写情书。想了想,他说的很对,也就作罢了。好的演讲也想发的,找来找去,似乎再没有个列宁,在中国演讲最多的是领导干部,但领导干部的讲稿都是秘书照报纸写的,令我们十分遗憾。

我们再次广告全社会:这个杂志是大家的,不要以为文章都是文人写的,什么人都可以写,什么领域里都有美文,大雅者大俗,大俗者大雅,如此而已。

一位作者在寄来他的文稿时还寄来了一页诗稿(可能是给我

们寄稿时也同时将诗稿寄往《诗刊》,而忙乱中装错了一页)。诗是没头没尾的,上边却有两句话,让我们好欣赏,是:

"门口摆着一双拖鞋,

门里在说话。"

我们说,朋友,亲爱的,在《美文》门口的拖鞋一定是你的,是你在门里说话。

1992 年 9 月 25 日夜

三

问:古镜未磨如何?

僧曰:照破天地。

问:磨过如何?

僧曰:黑漆漆的。

谁在问僧?你在问僧。僧是何人?僧就是你。于是明白文章也是古镜,是不需要磨的。别把一切都收拾得干干净净,美人不是绢人,雪花并不算花。人生原本有太多的尴尬,活人就活人的日子吧:生死病老离别娶嫁,油盐酱醋米面茶麻。陈放已经四十岁了,他说四十岁是半杯水,那么,面对了半杯之水,是哀叹已经半杯了,还是惊喜还有半杯哩!穆涛发现了人的自娱的艺术,我们要做他那样的聪明,我们还是要难得的糊涂?范培松谈男人醉酒,男人没有酒天太长地太久。裘山山论女人抽烟,牛有闲都反刍,女人无烟也颇烦。鲁晓南觉后说睡,原来人离不开床的,只是哲人们在床上思想,焦大们尽作鼾声。生活壮阔,生活也琐碎。怒发冲冠呢?拈花微笑呢?人生沉闷的房间里,在有门的地方你或许没有看见门,在没有窗子的地方,你却把窗子看见。

喜喜欢欢穿了新衣,衣里总生虱子,辛辛苦苦去种麦子,收获了麦子还得收获麦草,我们就是这般的庸而俗,我们看着镜子里我们自己,我们觉得亲切,好笑,有意思,批批点点。有了别于花前月下的另一类的生活,另一类的人事,但我们的文章还是太多的有诗,史意缺之。组织了人到韩城祭司马迁去,吃惊的是司马迁的故里竟没有了司马人家,他的后人早已是一支改姓为同,一支改姓为冯……大的文章我们终于没人写出,也没有编出,你我那就眼巴巴地只好面对着永恒和没有永恒的局面了。

1992 年 10 月 29 日

四

《寻找朋友》是一种写法。《盲鸡》是一种写法。《不死的"死"》是一种写法。有手就有纹,纹使手不同。

但不能说形式即内容,婴儿生下来常常满脸皱纹,老翁做新郎仍是老翁。

读《恨不相逢未嫁时》,总觉得屋里有怨鬼纠缠,读《峨眉日出》,遥想了壮士负剑远去。《闲话中国画》,那一夕该是风清月白,客主无序,坐卧适意吧?而《美学笔记》的书斋里,却是一盏灯,一本经,一更天里一老翁无疑了,读文原是读人,这么说,又是了形式即内容?

入而在五行之内,出而在五行之外,形上形下,我们就有好文章读了啊。

五

今晚下大雪,还是有人敲门,进来的是编辑部的老×,笑是笑着,扛了鼓鼓的一个蛇皮袋子。我以为他要行贿,他说原本想要行贿的,又怕你犯错误,也原本想在街上买饭吃了再来的,又考虑要给你一个热爱部下的机会。他说着打开袋子,一袋子的读者来信。

做了个鸟主编,吃饭要亲自去吃,小便要亲自去小便,这信却得老×帮我拆。于是又忙了个半夜。

问:前四期都有《读稿人语》,这一两期怎么没有了?你们嗑过瓜子吗,瓜子嗑起来是越嗑越想嗑的,端一盘看怎么着,而你们竟然拿出四颗来就说没了,这不是成心在戏弄人吗?!

答:这个栏目原定的是编辑们轮流来写了,我先打头了,没想如今的世事是如果你是雷锋,大家就希望你永远是雷锋,写《读稿人语》竟成了我的一项任务了。前一时期我到乡下去写一本书,一是无法再读稿,二也是心想趁机脱手,但现在看来一时还不能不了了之,反倒还得在这儿检讨。我们巷头有一家卖炒花生的小店,店老板是一个胖妇人,买主极少,却总见她在吃,她可能开头是要作活广告的,但吃上瘾了,每晌都要倒一簸箕花生皮来。当主编的在自己的刊物上老写文章,我觉得我像这胖妇人一样可笑了。

问:你们总是刊发那么多名家的作品,已经使我们怀疑起你们的人品和刊德了。你们不是武大郎开店,可名家身上的虱总不会全是双眼皮吧?把鸡脚叫凤爪,中听是中听,但鸡脚毕竟还是鸡脚。如果再这么下去,我们就不订阅你们的刊物了。

答:我们是刊发了不少名家的作品,但每期未名家的作品确实还是占三分之二还要多。为什么会产生名家太多的错觉呢?恐怕也是这些名家的名气太大吧(这也正是名家之所以是名家了)。说老实话,我们盼名家支持,他们有稿来我们受宠若惊。当然,谁也不敢保证名家凡提笔就字字珠玑,如果是那样,中国只有毛泽东,而毛泽东也还只在"文化革命"的十年里"一句顶一万句"。但是,我们也明白,像我们这个小刊物,也不可能得到源源不断的名家们的赐稿,我们从创刊起就把看重未名家的支持写在我们的宣言上的。我们是梦想有一日我们的刊物办成了个名家刊物,即刊登了谁的作品,谁就成了名家,而现在我们做不到这样,就哪里敢只看重名家慢待了未名家的作品呢?我们的树还不是梧桐树,但我们的树有树的包容,这一点还是敢拍腔子了。

问:你们刊物的封面、纸张、印刷、装潢太低档了,简直像一个乞丐样,不相信你们连好的内容还得有好的外表的道理也不懂吗?

答:这是我们很知耻的事。我们实在眼红街上的时装,但我们没钱,只好穿粗布衣裳。台湾有个节目主持人叫凌峰的,总剃个光头,标新立异,但知内情的人讲,凌峰剃光头是凌峰头上就长不出几根毛来的。我们也是这样的。如果有一日有钱了,我们也会奢侈的,甚至,受过穷的人阔起来,比阔人还要会阔。但要阔起来,现在唯一是把刊物办好,把发行量搞上来,那就盼望大家多投稿,多订阅哇!

六

顽石年年都换苔衣,《美文》当然也要变化一下服饰和栏目了。直面文坛我们自有不安分的心,对于读者更该是"为悦己者容",去年的情况是巨者一鸣,小者再鸣,今年的行为是巨者再鸣,小者争鸣。

昨夜月高风清,独自入园去做气功(编辑部旁边就是一座园林),静心调息,不想假寐成真,梦里幽幽有一种声音在对我说。记得说:

一个人曾经被人救过命也曾经救过他人命,数年后救过他命的人和被他救过命的人都去世了,这个人痛哭流涕,但是,他最悲伤的是救过他命的恩人呢,还是那个被他救过命的人?

(我那时想,世人都说编辑在为作者做嫁衣裳,《美文》却视作者在养我们的文命和身命。我们永远要有被作者救过的感激,要让作者永远有着是他们救过我们的感觉。)

记得说:

杜牧在唐长安城里名重一时,一日去城南一座寺院游乐,却被和尚拦在山门不得入内。随从说:这是杜牧!和尚说:杜牧是谁?随从说:你不知道杜牧?!和尚说:杜牧怎么啦?杜牧仰天长叹:我以为天下谁人不识我,却连城外的和尚都不晓得杜牧是东西南北!满脸羞愧而返,后人在此地竖一石碑,上书:"杜牧碰壁处"。

(我那时想,《美文》虽被文坛器重,但仍有许多地方发行空白,相当的读者还不知《美文》是一份什么杂志,我们敢自得轻狂吗,敢随意松息吗?)

记得说:

有女在战乱中与父分散,终日啼哭,一日对自己的马说,马呀马呀,你能驮我去找回我父,我就嫁给你。马精神抖擞,驮了女即出门而去,终于在千里之外觅得,父女团聚。但女却遗忘了曾经说过的话,马便忧悲而死。女父剥了马皮钉挂在墙上,女经过皮下,皮突然跌落将女覆卷,女遂变为蚕。

(我那时想,《美文》开办的时候,我们有许多豪言壮语,对读者许了一系列大愿,虽然限于能力和财力,但无论如何要贯于彻底,若挂羊头卖狗肉或说十行一,我们将有恶报应的。)

记得还说了很多奇怪的话,我那时又都想到了《美文》,猛地醒来,却全然遗失了,忙看四周,并无一人,微风凄林,淡月漾水,唯有旁边乱石之中斜伸过海棠一枝,轻盈作欲语状。

七

这一个主编,有点像《目连戏》的掌教师,既想牵条说戏掌阳教,还想祭神捉鬼掌阴教,但却长时间里忙着去生病,连《读稿人语》也不能继续作。今日天气还好,尚有些精神,赶紧出来说话。

世上小的东西似乎都是美的,如小妞、小雨、尖尖小荷,按习惯的思维,"美文"就是文美,也会沦陷到小的去处的,却偏偏要扯"大散文"的旗,有点把上海叫大上海的味道。我们有我们的理由,已经数次宣言,在此再要说明的,不管说是与说不是,刊名毕竟是刊名,提出"大散文"也有背景,有针对性,矫枉免不了过正。我们不是在制作象牙塔,而是要把散文还原生活,梁山泊的晁盖是盗劫草莽,但他有帝王气象,大美存焉,靡丽当除,主义从不是这个刊物的终极关怀。

在山头上一呼,虽有应者,但刊物办到目下的状况,我们的错误是做了和尚化缘,施主给一瓢面,我们就要一瓢面,施主给一根葱,我们就要一根葱,甚至等米下锅,原本希望吃干饭,末了只喝上稀粥。

为了摆脱尴尬,我们想,有意组织些专题,怎么着?于是就有了这一期一些关于娱乐文化的篇什。

中国人很难有真正的娱乐,过去是,现在甚或还是,为了这个专题我们曾过问过一些很高级的领导干部,他们的娱乐是什么,或者说业余的时间里在做些什么?都是想了想,郑重地说:做社会调查,读些马列的书。的确感人!可一想,这也是他们的正业呀。从政的人与天斗与地斗与人斗自有其乐,还有什么娱,不可而知,那些更多的习惯了过整齐日子的人,单看看他们的脸,就知道他们已不晓得什么为娱乐,怎么去娱乐了。娱是以女字为旁的,这自然不要说破,说破是低级趣味,是流氓。棋与琴,哲学的意味太重。去看戏吧,得接受高台教化。跳舞有损于家庭团结,麻将又与赌关联。唯一可做亦可说的只有喝酒了,而喝酒也越来越变成了一种工作,譬如一位厂长,隔三间四都是招待喝酒,陪上级有关人士喝不论,单是陪银行信贷员就喝坏了胃,他说,我这厂长算什么负责制,是信贷员领导下的厂长负责制!

其实,娱乐是玩,玩得纯粹。这是年轻人最懂得的。胡适说过,打麻将可以忘记读书,读书可以忘记打麻将。能以此忘掉彼,就是娱乐。和尚如果不念经,坐忘了自己也是娱乐。

在而今说娱乐,似乎应严肃的时候不严肃,在唱"后庭花",但现在的娱乐业空前发展却是事实。娱乐的革命和兴起有社会原因,于人是性灵的自由释放或是精神支柱的失落,于社会是歌舞升平的表现或是醉生梦死的幻影?专题的兴趣并不在于倡导什么或逃避什么,而在于话头。这组文章原设计让知娱能娱的潇洒的年轻人来写,或者从事娱乐业的人来写,他们说:娱乐就是娱乐,娱乐着还要考虑写文章算什么娱乐?!说得也是。只好另请他人,难以尽善尽美了。

孙　犁　论

读孙犁的文章,如读《石门铭》的书帖,其一笔一画,令人舒服,也能想见到书家书时的自在,是没有任何病疾的自在。好文章好在了不觉得它是文章,所以在孙犁那里难寻着技巧,也无法看到才华横溢处。《爨宝子》虽然也好,郑燮的六分半也好,但都好在奇与怪上,失之于清正。而世上最难得的就是清正。孙犁一生有野心,不在官场,也不往热闹地去,却没有仙风道骨气,还是一个儒,一个大儒。这样的一个人物,出现在时下的中国,尤其天津大码头上,真是不可思议。

数十年的文坛,题材在决定着作品的高低,过去是,现在变个法儿仍是,以此走红过许多人。孙犁的文章从来是能发表了就好,不在乎什么报刊和报刊的什么位置,他是什么都能写得,写出来的又都是文学。一生中凡是白纸上写出的黑字都敢堂而皇之地收在文集里,既不损其人亦不损其文,国中几个能如此?作品起码能活半个世纪的作家,才可以谈得上有创造,孙犁虽然未大红大紫过,作品却始终被人学习,且活到老,写到老,笔力未曾丝毫减弱,可见他创造的能量多大!

评论界素有"荷花淀派"之说,其实哪里有派而流?孙犁只是一个孙犁,孙犁是孤家寡人。他的模仿者纵然万千,但模仿者只看到他的风格,看不到他的风格是他生命的外化,只看到他的语言,看不到他的语言有他情操的内涵,便把清误认为了浅,把简误认为了少。因此,模仿他的人要么易成名而不成功。如一株未长大就结穗的麦子,麦穗只能有蝇头大,要么望洋生叹,半途改弦。天下的好文章不是谁要怎么就可以怎么的,除了有天才,有夙命,还得有深厚的修养,佛是修出来的,不是练出来的。常常有这样的情形,初学者都喜欢拥集孙门,学到一定水平了,就背弃其师,甚至生轻看之心,待最后有了一定成就,又不得不再来尊他。孙犁是最易让模仿者上当的作家,孙犁也是易被社会误解的作家。

孙犁不是个写史诗的人(文坛上常常把史诗作家看得过重,那怎么还有史学家呢?),但他的作品直逼心灵。到了晚年,他的文章越发老辣得没有几人能够匹敌。举一个例子,舞台上有人演诸葛,演得惟妙惟肖,可以称得"活诸葛",但"活诸葛"毕竟不是真正的诸葛。明白了要做"活诸葛"和诸葛本身就是诸葛的含义,也就明白了孙犁的道行和价值所在。

1993 年 2 月 24 日

说　　话

我出门不大说话,是因为我不会说普通话。人一稠,只有安静着听,能笑的也笑,能恼的也恼,或者不动声色。口舌的功能失去了重要的一面,吸烟就特别多,更好吃辣子,吃醋。

我曾经努力学过普通话,最早是我补过一次金牙的时候,再是我恋爱的时候,再是我有些名声,常常被人邀请。但我一学说,舌头就发硬,像大街上走模特儿的一字步,有醋熘过的味儿。自己都恶心自己的声调,也便羞于出口让别人听,所以终没有学成。后来想,毛主席都不说普通话,我也不说了。而我的家乡话外人听不懂,常要一边说一边用笔写些字眼,说话的思维便要隔断,越发说话没了激情,也没了情趣,于是就干脆不说了。

数年前同一个朋友上京,他会普通话,一切应酬由他说,遗憾的是他口吃,话虽说得很慢,仍结结巴巴,常让人有没气儿了、要过去了的危险感觉。偏偏一日在长安街上有人问路,这人竟也是口吃,我的朋友就一语未发,过后我问怎么不说,他说,人家也是口吃,我要回答了,那人以为我是在模仿戏弄,所以他是封了口的。受朋友的启示,以后我更不愿说话。

有一个夏天,北京的作家叫莫言的去新疆,突然给我发了电报,让我去西安火车站接他,那时我还未见过莫言,就在一个纸牌上写了"莫言"二字在车站转来转去等他,一个上午我没有说一句话,好多人直瞅着我也不说话,那日莫言因故未能到西安,直到快下午了,我迫不得已问一个人××次列车到站了没有,那人先把我手中的纸牌翻个过儿,说:"现在我可以对你说话了。我不知道。"我才猛然醒悟到纸牌上写着莫言二字。这两个字真好,可惜让别人用了笔名。我现在常提一个提包,是一家聋哑学校送我的,我每每把有"聋哑学校"字样亮出来,出门在外觉得很自在。

不会说普通话,有口难言,我就不去见领导,见女人,见生人,慢慢乏于社交,越发瓜呆。但我会骂人,用家乡的土话骂,很觉畅美。我这么说的时候,其实心里很悲哀,恨自己太不行,自己就又给自己鼓劲,所以在许多文章中,我写我的出生地绝不写是贫困的山地,而写"出生的地方如同韶山",写不会说普通话时偏写道:普通话是普通人说的话嘛!

一个和尚曾给我传授过成就大事的秘诀:心系一处,守口如瓶。我的女儿在她的卧房里也写了这八个字的座右铭,但她写成:"心系一处,守口如平。"平是我的乳名,她说她也要守口如爸爸。

不会说普通话,我失去了许多好事,也避了诸多是非。世上有流言和留言,——流言凭嘴,留言靠笔。——我不会去流言,而滚滚流言对我而来时,我只能沉默。

1993 年 3 月 25 日写于北京

茶　话

今天来喝茶,我喜欢沿用古语:吃茶。一个吃字,加重了茶在生命中的重要性。

吃茶是大有名堂的。和尚吃茶是一种禅,道士吃茶是一种道,知识分子吃茶是一种文化,共产党员吃茶是一种清廉。所以,吃茶是品格的表现,是情操的表现,是在混浊世事中的清醒的表现。

尤其对在座许多人来说,吃茶是我们没有太多金钱的人的一种最好的享受。

我欢呼西安有这么个茶楼。

今天是五月十五日,五和十五的谐音为"吾邀吾",即我不是被茶楼主人邀来的,是我邀请我自己来的。我想以后我会邀我再来,当然不准备再免费。

古人有言:雪澡精神。我说:茶涤灵魂。

故拟作对联二:

之一:雪澡冷梅开花暖,

　　　茶涤忙人偷清闲。

之二(修改古书上两句戏言):

　　　坐,请坐,请上坐;

　　　吃,吃茶,吃好茶。

1993 年 5 月 15 日在西安茶艺楼开业庆典会上的发言

关 于 埙

我不是音乐家,多来米发索拉希,总只认作一二三四五六七。数年前为了研究文学语言的节奏,我选了许多乐谱,全是在一张工程绘图纸上标出起伏线来启悟的。我也不会唱歌,连说话能少说也尽量少说。但我喜欢埙,当我第一次听到埙乐时,我浑身战栗不能自已,以为遇见了鬼。听了埙乐而去看乐器,明白小时候在乡下常用泥巴捏了牛头模样的能吹响的东西也就是原始的埙吧?就觉得埙与我有缘分。现在,我的书房里摆着一架古琴、一支箫、一尊埙,我虽然并不能弹吹它们,但我一个人夜深静坐时抚着它们就有一种奇妙的感觉。古琴是很雅的乐器,我睡在床上常恍惚里听见它在自鸣,而埙却更有一种魅力,我只能简单地把它吹响,每一次吹响,楼下就有小孩吓得哭,我就觉得它召来了鬼,也明白了鬼原来也是可爱的。我喜欢埙,喜欢它是泥捏的,发出的是土声,是地气。现代文明产生的种种新式乐器,可以演奏华丽的东西,但绝没有埙这样的虚涵着一种魔与幻。有了古琴,有了箫,有了埙,又有了两三个懂乐谱会乐器的朋友,我们常常夜游西安古城墙头去作乐。我们作乐不是为了良宵美景,也不是要做什么寻根访古,我们觉得发这样的声响宜于身处的这个废都,宜于我们寄养在废都里的心身。中国的古乐十分简约,简约到几近于枯涩,而这样的乐器弹吹出这样的声响,完全是自己对着自己,为自己弹吹,而不是为了取悦别人。海明威讲冰山十分之七在水里,十分之三在水面,中国古乐正是如此。我常常反感杂噪浮躁,欣赏"口锐者,天钝之,目空者,鬼障之"的话,所以我一遇到琴、箫和埙,我就十分的亲近了。

1993 年 8 月 11 日

红　　狐

×,你是不曾知道的,当我借居在这间屋子的时候,我是多么的荒芜。书在地上摆着,锅碗也在地上摆着。窗子临南,我不喜欢阳光进来,阳光总是要分割空间,那显示出的活的东西如小毛虫一样让人不自在。我愿意在一个窑洞里,或者最好是地下室里喘气。墙上没有挂任何字画,白得生硬,一只蜘蛛在那里结网,结到一半蜘蛛就不见了。我原本希望网成一个好看的顶棚,而灰尘却又把网罩住,网线就很粗了,沉沉地要坠下来。现在,我仰躺在床上,只觉得这荒芜得好,我的四肢越长越长,到了末梢就分叉,是生出的根须,全身的毛和头发拔节似的疯长,长成荒草。

宽哥说,这屋子真是一座荒园。

我说,那就要生出狐狸精的。

十多年来,我读《聊斋》,夜半三更的时候,总祈盼举头一看,其实是已经感觉到了,窗的玻璃上有一张很俏的脸,仅仅是一张脸,在向我妩媚。我看她,她也看我,我招之,她便含笑,倏忽就树叶般地飘进来。——这样祈盼着,并没有狐狸进来,我猜想那时我的火气太重,屋子里太整洁,太有规矩。于是清早起来,恹恹地发困,便生疑心窗外的那一株垂柳是一个灵魂在站着。她站着成了一株柳的。

独弹自家变调琴 乙酉平凹

筆睜震旦

如今的冬夜,从月下归来,闻见了谁家的梅。入我的荒园里,并没有随我而入的另一双鞋,影子也没有了。我坐在炉子边烧茶,听着水响和空间里别的什么声音,独自喝了一杯又一杯。忽地想起李太白的诗:

> 两人对酌山花开,
> 一杯一杯复一杯。
> 我醉欲眠卿且去,
> 明朝有意抱琴来。

冬夜里没有山花开,新窗外有三棵槐,叶子都落了,枝丫在颤起铜的韵。我也没喝酒,亦不想睡,想着真有狐狸的吧。

狐狸并也没有。

但也就在明日,却有人抱了琴来。抱琴人是个矮个男人,就是宽哥,说,我知道你寂寞。这是一架古琴,钟子期与俞伯牙相识的那一种古琴,弹"高山""流水"的那一种古琴。

宽哥也是寂寞的人——其实谁都寂寞,狼虎寂寞,猪也寂寞。——因为精神寂寞,他学了五年琴。他把琴送于我,我却不懂得琴谱,他明明知道我不懂得琴谱,他竟要送琴的。

琴就安置在我唯一的桌子上,琴成了荒园里最豪华的物件,我觉得一下子富有。那个捡来的啤酒木箱盖做成的茶几,如果上边放着烂碟破碗,就是贫穷的表现,而放着的是数百元的茶具,这便成一种风格,现在又有了古琴,静坐在茶几边的我静得如一块石头,斜睨了那古琴,一切都高雅了。

三日过去,五日过去,《聊斋》的书已不再读,茶是越来越讲究了档次,含品中记起一位才女叫眉的曾与我论过茶,说民间流行一种以对茶之态度如对性的态度的算卦辞,而世上最能品茶的是山中的和尚,和尚对性已经戒了,但那一种欲转化了对茶的体味。我那一日还笑她胡诌,而这日记起,很觉有趣。可我虽有五台山买来的木鱼,却怎么能把自己敲出个和尚来呢?仄了头瞧桌上的琴默默一笑,这一笑就凝固了一段历史,因为那一瞬间我发觉琴在桌上是一个平平坦坦地睡着的美人。

山里的人夏日送礼,送一个竹皮编的有曲线的圆筒,太热的人夜里可以搂着睡眠取凉,称做是凉美人的。这琴在那里体态悠闲,像个美人,我终于明白宽哥的意思了。×,那时我真有一份冲动,竟敢放肆,轻轻地走近去,分明感觉到她已经睡着了,鼾声幽微,态势美妙,但我又不敢了惊动,想她要醒过来,或者起身而站,一定是十分的苗条的。那琴头处下垂的一绺棉絮,真是她的头发,不自觉地竟伸手去梳理,编出一条长长的辫子,这么好身材的,应该是有一条长辫的。

这一个夜里,夜很凉,梦里全是琴的影子,半醒半寐之际,倏忽听得有妙音,如风过竹,如云飞渡,似诉似说。我蓦地翻床坐起,竟不知身在何处?没月光的夜消失了房子的墙,以为坐在了临水的沙岸,或者就完全在水里。好长的时间清醒过来,拉开灯绳,四堵墙显出白的空间,琴还在桌上躺着。但我立即认定妙音是来自琴的,这瞒不过我的,是琴在自鸣了!

×啊,有琴自鸣,这你听说过吗?三年前咱们去植竹,你说过的,竹的魂是地之灵声,植下竹就是植下了音乐,那么,这琴竟能自鸣,又该是怎样一个有灵的魂呢?

从此每日进屋,就要先坐于琴旁。人在屋外,想有琴在家,坐于琴身了,似守亲爱的人安睡,默默地等待着醒来,由是又捧了《聊斋》来读,终信了这是一份天意。有闲书上讲,女人是一架琴,就看男人怎么调拨,好的男人弹出的是美乐,孬的男人弹出的是噪音。这样的琴,不知道造于哪块灵土上的灵木,制于何年何月的韶光月下,谁曾经拥有过它,又辗转了多少春秋和人序,可它,终于等待到了来我的屋中,要为我蓄满清音,为我解消寂寞,要与我共同创造人间的一段传奇!这样的尤物今生今世既然与我有缘,我该给它起个好名儿来的。

我真的耗费了许多心思,叫它"等待"似乎太硬,叫"欲语",又觉无力,"半生缘"又偏俗了,"一段不了",还嫌玄虚。住到这屋子里,我是因了兼职一个教授职名赚的,门框上我曾写了"半闲半忙做文章,似通不通上课堂",我这样的人过这样的日子,起怎样的名字给它呢?我坐在它的身旁,目注了它对它说话,我说我的童年,说我的青年和中年,说我的丑陋我的苦难,说我感谢它的话。我是看过报上的报道,说有一人种了一棵南瓜,他每日对南瓜说话如说话于他的孩子,这南瓜就长成背篓般大。还有一人患了心脏病,整日对心脏说感谢的话,委托的话,心脏病竟也无药而治了。我这般也对待我的琴,我感觉琴是听见了,也听懂了。一次不自觉地去触动了几下弦索,它竟应发出极美的音乐来。我当时是惊呆了,因为我从来不识琴谱，连简谱也不识的，怎么就能有如此一段美乐呢？我疑问过宽哥，宽哥说，你再弹触时不妨打开录音机，我过后听听。我这么作了，宽哥就用简谱记下来，说果然好，你是个天才的作曲家。

　　我不是作曲家，我没有天才，天才是琴自身的，宽哥将数次的录音整理了，成一首乐曲在许多场合演奏，甚至还拿去发表，要署我的名。我声明这不是我作的曲，应该署琴的名。这次我得讨问琴，求它自报姓名。琴没有告诉我，却在灯光下，使我终于看见乌黑的琴身暗处，透出三处一绺的红来，黑与红相配得那么和谐和高贵，竟是我以前未注意到的。连着三日，都是在灯光下，发觉了红越来越多，几乎从整个黑里都能看出那下边的一层红来。

　　这一夜，我梦里觉得我在我的头发里发现了一颗痣，在手心里发现了一条纹，觉得桌上伏着一只艳红的狐。

　　于是，翌日的清晨，我叫我的琴为"红狐"。

　　"红狐"虽然依旧在桌上平伏着，但我仍要买了家具到这屋里，我买的是一张特大的床，一个极软的沙发，红狐如果从桌上站起，它的天性里该是爱静卧的。狐之友猜测应是鹤与鹿的。我又搜寻了鹤鹿的画贴在琴后的墙上。

　　我是这么想，×，狐是世上最灵性最美丽最有感应的尤物，原来是我的荒园里她早已来了！有诗讲好雨知时节，随风潜入夜，那她是从远的山里林里，或者从蒲氏的《聊斋》里，在那一个雨夜里来的，想宽哥送琴的那个夜，也正好有雨，当时我并不知，天明瞧见屋外的一蓬紫薇湿淋淋的。

×,这就是我要告诉你的事,一件大事,真的一件了不得的大事。也就是我有了红狐琴,我的荒园里再不荒了,我开始过得极平静而又富有,这你应该为我祝福和羡慕吧。

1993 年 11 月 20 日于病房

说　家　庭

　　家庭是组织的。年轻人组织家庭从没有想到过它的不测——西方人借钱只借给年轻人,因为年轻人能挣得钱来还——年轻人无所畏惧,所以年轻人去当兵,去唱:我想有个家。是的,人活到一定的时候就要有家,这如同小孩子从没有死的恐惧、当科长的职员虎视眈眈看着处长的位子而做梦也不去篡夺国家主席的权一样。没有家,端一颗热烫烫的心往哪里放?流浪,心只有流浪四方。但是,家庭组成了,淑女一变成佳妇,从此奇男已丈夫,人生揭开了新的一页,新的一页是一张褪色的红纸,惊喜已不产生,幻想的翅膀疲软,朝朝暮暮看惯了对方的脸,再不是读你如读唐诗宋词、看你如看街上流行杂志的封面。我们常常惊叹街上人多如蚁,更惊叹一到晚上,人又到哪儿去了,怎么没有听说谁走错了家门?各自有家庭,想回的回,不想回的也得回,家庭里边有日子。男女组合了家庭,家庭里的男女或许是土金相生,或许是水火相克,一加一或许等于二,一加一或许等于零甚或为负,一件苦恼或许二一分半或许一分为二。姑且不说那如漆如胶的夫妇(往往太热乎的夫妇不到头),广而大之的家庭,日子是整齐地过去,烦恼是无序而来,家家都有了一本难念的经。所谓三十而立,以至四十不惑,五十知天命,便是从三十以后,家庭的概念就是烦恼和责任。烦恼是存在的内容,责任是忍耐的哲学,而这个时候孩子是最好的精神寄托,也是最大的维护家庭的借口。家庭难道没有它的好处吗?不,它的好处诗人们有整本整本的礼赞,且不论对于社会的安定,对于种族的延续,对于长涉人的休息,对于寒冷的人的温暖,爱情即便是有过一年两年,一天半天时,真诚的爱情永不能让我们否认,蜡烛熄灭了,蜡烛确是辉煌过黑暗里的光明。但是,当烦恼的日子变成家庭存在的内容的时候,家庭最大的好处是并不意识到家庭的好处。于是,家庭的负担呀,家庭的责任呀,由此要养老抚小而发生摩擦,因油盐酱醋而产生啰唆,所以,有了家庭后才真正有了佛的意识,神的意识。(我到四川专门去朝拜了乐山大佛,曾书写了一联:乐山有佛,你拜了,他拜;苦海无岸,我不渡,谁渡?)如果做一般人,这样的日子就这么过去了,如牧羊人赶一群羊,举着鞭子不停地拦拦这边跑出队形的羊,拦拦那边跑出队形的羊,呼呼啦啦就那么一群一伙地漫过去了。而要命的偏有心比天高者,总不甘心灰色的人生,要出人头地,要功名事业,或许厌烦这种琐碎与无奈,看到了大世界的精彩,要寻找新的生命活力和激情,那么,种种种种的矛盾苦闷由之而来,家庭慢慢变得是一个阻碍。太年轻的人受不得各种诱惑,已不再年轻的这个时候亦是受不得诱惑。既是诱惑,必是以已有的短比外边的长,长的越长,短的越短。中国的家庭哪里又都是不平凡的男女组合呢,普遍的家庭偏偏是不允许有这种诱惑,家庭在这时就是规矩,是封闭的井,是无始无终的环,是十足真金的锁,是苗圃里的一棵树,已经长大了不许移栽。这样的日子,规划着而发着霉气,夜沉静听着蝉鸣。许多许多人都在有意与无意间哀叹:没有个家多好呀！说这样话的人并不就是存心要撕碎家庭,但如果男女的一方因有事出长差去了,一年或数月不见对方了,都有一种超脱之轻松。且慢,这种暂时的分别与因此而闹成了离婚却是多么的不同！假若真的离婚了,没有这个家庭了,家庭的好处猛地凸现了无与伦比的地位,这如同一个人从甲地往乙地去,因甲地到乙地之间荒无人烟,没有饭店,他是饿了一整天的肚子,他知道了饿肚子的难过,可这种没饭吃的难过毕竟不能类比真正贫困之人吃了这一顿还不知下一顿吃什么的难过。没有了家庭对人的打击是巨大的,失落是残酷的,即使双方已经反目,一时有解脱感,而静定下来,也是泪眼婆娑,一肚子苦楚无以言说。正因为是这种心绪,一般情况下,没有家庭的人是不愿再见到原是一个家庭的人的,有一种怨和恨,他不能回首往事。他即使在时间的销蚀下和新生活的代替下恢复了精神,仍是要在梦里出现那一个故人的美好形象,仍在随时的动作里,猛然地记起那一个而失态发呆(我在西游四川剑门关时路经唐明皇闻铃处,相传唐王处死杨玉环逃往蜀地,夜宿此地,忽闻杨玉环口叫"三郎",起床寻觅,以为生还,后才知是驿楼的风铃叮当而误听。听了传说,我抚了那"唐王闻铃处"的石碑,感念到唐明皇是真人、伟人!)。家庭就是如此让人无法捉摸,一道古老而新鲜的算术,各人有各人的解法,却永远没有答案。世上什么都有典型,唯家庭没有典型,什么都有标准,唯家庭没有标准,什么事情都有公论,唯家庭不能有公论,外人眼中的一切都不可靠,家庭里的事只有家庭里的人知,这如同鞋子和脚。家庭是房子的围墙,如果房子一旦没有了围墙,家庭又变成了没有窗子的房子。现在的社会,不组织家庭的人可能被认作怪人,组织了家庭,人可能正常,正常却易是俗人,没有了家庭的人却从身到心,从别人到自己都是半残废了。独自坐望东出的日头和西落的日头,孤寂想想,也好,我们不是常常叹息一个人从小学到大学,学呀学呀,一切都成熟了,生命又快结束了,为什么生下孩子,孩子不就直接有父亲的成熟思维呢?如果那样该多好!真要那样,这世界就不是现在的世界,这人也不是现在的人,世界也不必要这么多人。托尔斯泰说过:每个家庭的幸福都是一样的,不幸却是一个家庭与一个家庭不同。人生的意义是在不可知中完满其生存的,人毕竟永远需要家庭,在有为中感到了无为,在无为中去求得有为吧,为适应而未能适应,于不适应中觅找适应吧,有限的生命得到存在的完满,这就是活着的根本。所以,还是不要论他人短长是非,也不必计较自己短长是非让人去论,不热羡,不怨恨,以自己的生命体验着走,这就是性格和命运。命运会教导我们心理平衡。

1993 年 10 月 31 日夜于病室

我不是个好儿子

在我四十岁以后,在我几十年里雄心勃勃所从事的事业、爱情遭受了挫折和失意,我才觉悟了做儿子的不是。母亲的伟大不仅生下血肉的儿子,还在于她并不指望儿子的回报,不管儿子离她多远又回来多近,她永远使儿子有亲情,有力量,有根有本。人生的车途上,母亲是加油站。

母亲一生都在乡下,没有文化,不善说会道,飞机只望见过天上的影子。她并不清楚我在远远的城里干什么,唯一晓得的是我能写字,她说我写字的时候眼睛在不停地眨,就操心我的苦,"世上的字能写完?!"一次一次地阻止我。前些年,母亲每次到城里小住,总是为我和孩子缝制过冬的衣物,棉花垫得极厚,总害怕我着冷,结果使我和孩子都穿得像狗熊一样笨拙。她过不惯城里的生活,嫌吃油太多,来人太多,客厅的灯不灭,东西一旧就扔,说:"日子没乡下整端。"最不能忍受我们打骂孩子,孩子不哭,她却哭,和我闹一场后就生气回乡下去。母亲每一次都高高兴兴来,每一次都生了气回去。回去了,我并未思念过她,甚至一年一年的夜里不曾梦着过她。母亲对我的好是我不觉得了母亲对我的好,当我得意的时候我忘记了母亲的存在,当我有委屈了就想给母亲诉说,当着她的面哭一回鼻子。

母亲姓周,这是从舅舅那里知道的,但母亲叫什么名字,十二岁那年,一次与同村的孩子骂仗——乡下骂仗以高声大叫对方父母名字为最解气的——她父亲叫鱼,我骂她鱼,鱼,河里的鱼!她骂我:蛾,蛾,小小的蛾!我清楚了母亲是叫周小蛾的。大人物之所以大人物,是名字被千万人呼喊,母亲的名字我至今没有叫过,似乎也很少听老家村子里的人叫过,但母亲不是大人物却并不失却她的伟大,她的老实、本分、善良、勤劳在家乡有口皆碑。现在有人讥讽我有农民的品性,我并不羞耻,我就是农民的儿子,母亲教育我的忍字,使我忍了该忍的事情,避免了许多祸灾发生,而我的错误在于忍了不该忍的事情,企图以委曲求全却未能求全。

七年前,父亲做了胃癌手术,我全部的心思都在父亲身上。父亲去世后,我仍是常常梦到父亲,父亲依然还是有病痛的样子,醒来就伤心落泪,要买了阴纸来烧。在纸灰飞扬的时候,突然间我会想起乡下的母亲,又是数日不安,也就必会寄一笔钱到乡下去。寄走了钱,心安理得地又投入到我的工作中了,心中再也没有母亲的影子。老家的村子里,人人都在夸我给母亲寄钱,可我心里明白,给母亲寄钱并不是我心中多么有母亲,完全是为了我的心理平衡。而母亲收到寄去的钱总舍不得花,听妹妹说,她把钱没处放,一卷一卷塞在床下的破棉鞋里,几乎让老鼠做了窝去。我埋怨过母亲,母亲说:"我要那么多钱干啥?零着攒下了将来整着给你。你们都精精神神了,我喝凉水都高兴的,我现在又不至于喝着凉水!"去年回去,她真的把积攒的钱要给我,我气恼了,要她逢集赶会了去买个零嘴吃。她果然一次买回了许多红糖,装在一个瓷罐儿里,但凡谁家的孩子去她那儿了,就三个指头一捏,往孩子嘴一塞,再一抹。孩子们为糖而来,得糖而去,母亲笑着骂着"喂不熟的狗!"末了就呆呆地发半天愣。

　　母亲在晚年是寂寞的,我们兄妹就商议了,主张她给大妹看管孩子,有孩子占心,累是累些,日月总是好打发的吧。小外甥就成了她的尾巴,走到哪儿带到哪儿。一次婆孙到城里来,见我书屋里挂有父亲的遗像,她眼睛就潮了,说:"人一死就有了日子了,不觉是四个年头了!"我忙劝她,越劝她越流下泪来。外甥偏过来对着照片要爷爷,我以为母亲更要伤心的,母亲却说:"爷爷埋在土里了。"孩子说:"土里埋下什么都长哩,爷爷埋在土里怎么不再长个爷爷?"母亲竟没有恼,倒破涕而笑了。母亲疼孩子爱孩子,当着众人面要骂孩子没出息,这般的大了夜夜还要噙着她的奶头睡觉,孩子就羞了脸,过来捂她的嘴不让说。两人绞在一起倒在地上,母亲笑得直喘气。我和妹妹批评过母亲太娇惯孩子,她就说:"我不懂教育嘛,你们怎么现在都英英武武的?!"我们拗不过她,就盼外甥永远长这么大。可外甥如庄稼苗一样,见风生长,不觉今年要上学了,母亲显得很失落,她依然住在妹妹家,急得心火把嘴角都烧烂了。我想,如果母亲能信佛,每日去寺院烧香,回家念经就好了,但母亲没有那个信仰。后来总算让邻居的老太太们拉着天天去练气功,我们做儿女的心才稍有了些踏实。

　　小时候,我对母亲的印象是她只管家里人的吃和穿,白日除了去生产队出工,夜里总是洗萝卜呀,切红薯片呀,或者纺线,纳鞋底,在门闩上拉了麻丝合绳子。母亲不会做大菜,一年一次的蒸碗大菜,父亲是亲自操作的,但母亲的面条擀得最好,满村出名。家里一来客,父亲说:吃面吧。厨房一阵案响,一阵风箱声,母亲很快就用箕盘端上几碗热腾腾的面条来。客人吃的时候,我们做孩子的就被打发着去村巷里玩,玩不了多久,我们就偷偷溜回来,盼着客人是否吃过了,是否有剩下的。果然在锅底里就留有那么一碗半碗。在那困难的年月里,纯白面条只是待客,没有客人的时候,中午可以吃一顿包谷糁面,母亲差不多是先给父亲捞一碗,然后下些浆水和菜,连菜带面再给我们兄妹捞一碗,最后她的碗里就只有包谷糁和菜了。那时少粮缺柴的,生活苦巴,我们做孩子的并不愁容满面,平日倒快活得要死,最烦恼的是帮母亲推磨子了。常常天一黑母亲就收拾磨子,在麦子里掺上白包谷或豆子磨一种杂面,偌大的石磨她一个人推不动,就要我和弟弟合推一个磨棍,月明星稀之下,走一圈又一圈,昏头晕脑的发迷怔。磨过一遍了,母亲在那里筛箩,我和弟弟就趴在磨盘上瞌睡。母亲喊我们醒来再推,我和弟弟总是说磨好了,母亲说再磨几遍,需要把麦麸磨得如蚊子翅膀一样薄才肯结束。我和弟弟就同母亲吵,扔了磨棍怄气。母亲叹叹气,末了去敲邻家的屋子,哀求人家:二嫂子,二嫂子,你起来帮我推推磨子!人家半天不吱声,她还在求,说:"咱换换工,你家推磨子了,我再帮你……孩子明日要上学,不敢耽搁娃的课的。"瞧着母亲低声下气的样子,我和弟弟就不忍心了,揉揉鼻子又把磨棍拿起来。母亲操持家里的吃穿琐碎事无巨细,而家里的大事,母亲是不管的,一切由当教师的星期天才能回家的父亲做主。在我上大学的那些年,每次寒暑假结束要进城,头一天夜里总是开家庭会,家庭会差不多是父亲主讲,要用功学习呀,真诚待人呀,孔子是怎么讲,古今历史上什么人是如何奋斗的,直要讲两三个小时。母亲就坐在一边,为父亲不住吸着的水烟袋卷纸媒,纸媒卷了好多,便袖了手打盹。父亲最后说:"你妈还有啥说的?"母亲一怔方清醒过来,父亲就生气了:"瞧你,你竟能睡着?!"训几句。母亲只是笑着,说:"你是老师能说,我说啥呀?"大家都笑笑,说天不早了,睡吧,就分头去睡。这当儿母亲却精神了,去关院门,关猪圈,检查柜盖上的各种米面瓦罐是否盖严了,防备老鼠进去,然后就收拾我的行李,然后一个人去灶房为我包天明起来吃的素饺子。

父亲去世后,我原本立即接她来城里住,她不来,说父亲三年没过,没过三年的亡人会有阳灵常常回来的,她得在家顿顿往灵牌前贡献饭菜。平日太阳暖和的时候,她也去和村里一些老太太们抹花花牌,她们玩的是两分钱一个注儿,每次出门就带两角钱三角钱,她塞在袜筒。她养过几只鸡,清早一开鸡棚,一一要在鸡屁股里揣揣有没有蛋要下,若揣着有蛋,半晌午抹牌就半途赶回来收拾产下的蛋。可她不大吃鸡蛋,只要有人来家坐了,却总热惦着要烧煎水,煎水里就卧荷包蛋。每年院里的梅李熟了,总摘一些留给我,托人往城里带,没人进城,她一直给我留着,"平爱吃酸果子",她这话要唠叨好长时间,梅李就留到彻底腐烂了才肯倒去。她在妹妹家学练了气功,我去看她,未说几句话就叫我到小房去,一定要让我喝一个瓶子里的凉水,不喝不行,问这是怎么啦,她才说是气功师给她的信息水,治百病的,"你要喝的,你一喝肝病或许就好了!"我喝了半杯,她就又取苹果橘子让我吃,说是信息果。

我成不成为什么专家名人,母亲一向是不大理会的,她既不晓得我工作的荣耀,我工作上的烦恼和苦闷也就不给她说。一部《废都》,国之内外怎样风雨不止,我受怎样的赞誉和攻击,母亲未说过一句话。当知道我已孤单一人,又病得住了院,她悲伤得落泪,要到城里来看我,弟妹不让她来,不领她,她气得在家里骂这个骂那个,后来冒着风雪来了,她的眼睛已患了严重的疾病,却哭着说:"我娃这是什么命啊?!"

我告诉母亲,我的命并不苦的,什么委屈和劫难我都可以受得,少年时期我上山砍柴,挑百十斤的柴担在山砭道上行走,因为路窄,不到固定的歇息处是不能放下柴担的,肩膀再疼腿再酸也不能放下柴担的,从那时起我就练出了一股韧劲。而现在最苦的是我不能亲自伺候母亲!父亲去世了,作为长子,我是应该为这个家操心,使母亲在晚年活得幸福,但现在既不能照料母亲,反倒让母亲还为儿子牵肠挂肚,我这做的是什么儿子呢?把母亲送出医院,看着她上车要回去了,我还是掏出身上仅有的钱给她,我说,钱是不能代替了孝顺的,但我如今只能这样啊!母亲懂得了我的心,她把钱收了,紧紧地握在手里,再一次整整我的衣领,摸摸我的脸,说我的胡子长了,用热毛巾捂捂,好好刮刮,才上了车。眼看着车越走越远,最后看不见了。我回到病房,躺在床上开始打吊针,我的眼泪默默地流下来。

1993 年 11 月 27 日草于病房

说　生　病

　　有一种病,在身上七年八年不愈,要想想,这一定是有原因了。泄露了不该泄露的天的机密?说破了不该说破的人的隐私?上帝的阴谋最多可以意会而不能言传的。那么,这病就特别的有意义,自感是一位先知先觉,勇敢的普罗米修斯,甘受惩罚吧。或许,人是由灵魂和肉体两方面结合的,病便是灵魂与天与地与大自然的契合出了问题,灵魂已不能领导肉体所致,一切都明白了吧,生出难受的病来,原来是灵魂与天地自然在作微调哩。

　　真如果这么对待生病,有病在身就是一种审美。静静地躺在床上,四面的墙涂得素白,定着眼看白墙,墙便不成墙——如盯着一个熟悉的汉字就要怀疑这不是那个汉字——墙幻作驻云,恰有白衣白帽白口罩的"天使"女子送了药来。吊针的输液管里晶莹的东西滴滴下注,作想这管子一头在天上,是甘露进入身子。有人来探视,却突然温柔多情,说许多受感动的话,送食品,送鲜花。生了病如立了功,多么富有,该干的事都不干了,不该享受的都享受了,且四肢清闲,指甲疯长,放下一切,心境恬淡,陶渊明追求的也不过这般悠然。

　　最妙的是太阳暖和,一片光从窗子里进来跌在地上,正好窗外有一株含苞的梅,梅枝落雪,苞蕾血红,看做是敛羽静立的丹顶鹤,就下床来,一边掖下坠的衣襟一边在光里捉那鹤影。刚一闷住,鹤影已移,就体会了身上的病是什么形状儿的,如针隙透风,如香炉细烟,如蚕抽丝,慢慢地离你而去的呢。

暂不要来人的好,人越多越寂寞,摆一架古琴也不必装弦,用心随情随意地弹。直挨到太阳转黑月亮升起,插一盘小电炉来煎中药,把带耳带嘴的砂锅用清水涤了又涤,药浸泡了,香点燃了,选一个八卦中的方位和时分,放上砂锅就听叽叽咕咕的响声吧。药是山上的灵根异草,采来就召来了山川丛林中的钟毓光气,它们叽咕是酝酿着怎么扶助你,是你的神仙和兵卒。煎过头遍,再煎二遍,满屋里浓浓的味,虽然搅药不能用筷子,更不得用双筷——双筷是吃饭的——用一根干桃棍儿慢慢地搅,那透过蘸湿了的蒙在砂锅上的麻纸的蒸汽弥漫,你似乎就看到了山之精灵在舞蹈,在歌唱,唱你的生命之曲。

躺在床上吧,心可以到处流浪,你无处不在,无所不能,从未有过这般的勇敢和伟大,简直可以要作一部类屈原的《离骚》。当你游历了天上地下,前世和来世,熄了灯要睡去了,你不妨再说一些话的,给病着的某一部位说话。你告诉它:×呀,你对我太好了,好得使我一直不觉得你的存在。当我知道了你的部位,你却是病了。这都是我的错,请你原谅。我终于明白了在整个身子里你是多么的重要,现在我要依靠你了,要好好保护你了,一切都拜托你了,×!人的身体每一处都会说话,除嘴有声外,各部无音,但所有的部位都能听懂话的,于是感受会告诉心和大脑,那有病的部位精神焕发,有了千军万马的英雄在同病毒战斗。什么"用人不疑"的仁,什么"士为知己者死"的义,瞬间里全体会得真切和深刻。

生病到这个份上,真是人生难得生病,西施那么美,林妹妹那么好,全是生病生出了境界,若活着没生个病,多贫穷而缺憾。佛不在西天和经卷,佛不在深山寺庙里,佛在熙熙攘攘的人群中,生病只要不死,就要生出个现世的活佛是你的。

1993 年 12 月 1 日午

说 请 客

请客半日忙。大包小袋地从街上买着东西回来了,就操心自己的手艺,能否把一桌饭菜烹饪得有形有色有味?再是操心要请的客人会不会到来?今日真是个好日子!一切该按心愿的都按心愿进行了,送走客人,满屋狼藉,心身仍是不累的,立在房门口要给邻居家诉说:"他是×××呀!"×××总是有权有势或者有名的人。如果是男娶女嫁,孩子满月,老人过寿,以及分到了房子,评上了职称,请客是熟人来,把一个欢乐扩大成十个欢乐。可×××是何等人物,席好摆,客难请的。于是,请过了客的夫妇在这个晚上吃残汤剩水时,一个在说:"我真怕他不来的。"一个在说:"他总算是吃过咱们的!"拿上等的饭菜给人家吃了,似乎那饭菜是多余的,像门口的垃圾,垃圾车来拉走了,就得感谢呀的。

在这个世界上,有坐轿的就有抬轿的,有想瞌睡的就有递枕头的,有人请吃,有人吃请,这如同狗吃得那么多狗不下蛋,鸡虽然刨着吃,蛋却一天一个,鸡就是下蛋的品种嘛!请吃和吃请,都是一个吃字,人活着当然不是为了吃,但吃是活着的一个过程,人乐趣于所有事情的过程。在西方,社会靠金钱和法律维系,中国讲究权势和人情,一切又都表现在吃。最早的握手起源于人与人的不信任,在普遍没有吃的时候,你冒着生命危险捕获到食物让我吃,这岂能不让我感动？当我们看见母鸡辛辛苦苦啄死了一条蜈蚣，锐声叫唤着小鸡来吃，就想到最初请客也就是这样吧。

最初的请客是一种抚养或贡献，而现在的请客则沦落到一种公关，除了给神像，再也没有贡献，抚养自己孩子也为着防老，雷锋绝对没有了，虽然那个雷锋还有厚厚的日记要记下一切。请客就请吧，帖子越来越精美，言语越说越诚恳，几乎如善男信女朝山拜佛，如面对了现场发功的气功大师，闭目屏息，迎掌端坐。但是，十分讲究虔诚的信徒们其实是何等自私的人们，他们虔诚的目的只是索取！请客者大多是有求于别人，或者在求人前，或者在求人后，深谋的还有个早些渗渠，短见的只要个立竿见影，吃一次饭当然是送蝇头以图牛头。我们常常会看到有不得不请客的人家请过客了，仍一脸无声地笑，拉拉扯扯地，一边送客走，一边要说：哎呀，天还早的，多坐会嘛！心里想的是"客走主人安，跳蚤蹦了狗喜欢。"若请吃了事未办成，吃过这一次再不会有第二次，这一次也是"权当喂了狗啦！"吃请的呢，有帮了你的，就等着你有什么表示，连一顿饭也不请吗？或许也知道君子不吃嗟来之食，他家里并不缺一顿吃的，吃请是一种身份和荣誉呀。有的人却是吃请吃烦了，饭菜是人家的，肠胃是自己的，花时间，穷应酬，说免了免了，会给帮忙的。但不吃人家不相信，这饭是一种凭证。吃吧，实在是把自己作了人质，把肚子作了坟墓，一股脑地埋葬那些鸡鱼猪羊的尸体了。

一个多么会吃的民族，并且自诩吃出了一种灿烂的文化，可请吃的和吃请的哪里又会明白，人是离不得吃的，吃食的不同却要改变人的品种的。秃隼之所以形容恶丑、性情暴戾,秃隼的食物是腐肉,凤凰吃的是洁莲之果,清竹之实,凤凰才气质高贵,美丽绝伦。人对食品有好有恶,和尚没有不高古的,酒鬼没有不丧德的,湖南人吃辣多革命,山西人吃醋少铺张,请吃者什么都让你吃,吃请者有什么吃什么,凡是胃囊什么食物都能盛的,少悟性,乏技艺,只能平庸,只能什么也干不了,去干一般的官儿,只能肥头大耳。肥头大耳又容易是什么呢?鱼就是为了吃,吃下了钓钩,狐狸就是为了皮毛美丽的那点荣誉,死亡于猎人的枪口。

说请客,社会上相当多的聪明能干之人其实是善请客而已,而被请者又有哪一个是讨妇乞儿?为请客如何费尽心机,赴吃请又怎样丑态百出,这其中生动的例子,随便在任何地方稍加留意,就能看到和听到,令人捧腹一笑。笑过了却一想,在目下的中国,如同城市人每人都有一辆自行车一样,我们每一个人,或许没有被吃请过,却谁是没有请吃过呢?笑别人就笑自己吧,骂别人就骂自己吧。那么,我们会说,我们这算什么呀,吃请还不是大吃请,请吃还不是大请吃,全中国最有名的吃请者只有一个,他就是那个钟馗。

是的,是钟馗。请吃就请钟馗,吃请就吃小鬼。

1994 年 1 月 11 日于病室

说 花 钱

中国传统的文化里,有一路子是善于吹的,如中医大夫,如气功师,街头摆摊卜卦的,酒桌上的饮者,路灯下拥簇着的一堆博弈人和观弈人,一分的本事吹成了十二分的能耐,连破棉袄里扪出一颗虱来,也是珍养的,有双眼皮的俊。依我们的经验,凡是太显山露水的,都不足怕,一个小孩子在街上说他是毛泽东,由他说去,谁信呢,人不信,鬼也不信。先前的年里,戴口罩很卫生,很文明,许多人脖子上吊着白系儿,口罩却掖在衣服里,就为着露出那白系儿。后来又兴墨镜,也并不戴的,或者高高架在脑门上,或者将一只镜腿儿挂在胸前衣扣上。而现在却是行立坐卧什么也不带的,带大哥大,越是人多广众,越是大呼小叫地对讲。——这些都是要显示身份的,显示有钱的,却也暴露了轻薄和贫相。金口玉言的只能是皇帝而不是补了金牙的人,浑身上下皆是名牌服饰的没有一个是名家贵族,领兵打仗了大半生的毛泽东主席从不带一刀一枪,亿万富翁大概也不会有个精美的钱夹装在身上。

越不是艺术家的人,其做派越更像艺术家;越是没钱的人,越是要作出是有钱的主儿。说句好话,钱是不能说就证明一切,但也不能说钱就不是一种价值的证明,说难听点,还是怕旁人看不起。过日子的秉性是,过不好,受耻笑,过好了,遭嫉妒。豪华宾馆的门口总竖着牌子写着"衣着不整,不得入内",所谓不整者,其实是不华丽的衣着,虽然世上有凡人的邋遢是肮脏、名流的邋遢是不修边幅之说,但常常有不修边幅的名流在旁人说出名姓后接待者的脸面方由冷清到生动。于是,那些不失漂亮的女子,精致的手袋里塞满了卫生纸,她们不敢进澡堂,剥了华丽的外套,得缩身捂住破旧不堪的内衣,锃亮的高跟皮鞋不能脱,袜子被脚趾捅出个洞。她们得赶快谈恋爱,谈恋爱了,去花男朋友的钱,或者不结婚,或者结了婚搞婚外恋,傍大款,今天猎住这个,明日瞄准了那位,藤缠树,树有多高,藤有多高,男人们"下海"在水里扑腾,她们"下海"了,在男人的船上。社会越来越发展到以法律和金钱维系,有定数的钱就在世上流通,聚聚散散,来来往往,人就在钱上穷富沉浮。若将每一张钞票当一部小说来读,都会有一段传奇的吧。

如果平静地来讲,现在可爱的倒不是那些年轻的女子了,老太太更显得真实、本质,做小市民有小市民的味:头梳得油光光的去菜市,问过了这一摊位的价格,又去问那一摊位的价格,仰头看天,低首数钱,为一分两分与摊主争吵,要揭发呀要告状呀地瞧摊主的秤星秤锤,剥菜叶子,掐葱根,末了要走了还随手捏去几颗豆芽。年轻的女子在市民里仍有个"小"字,行为做事却要充大。越是小,越怕人说小,如小日本偏自称大日本帝国,一个长江口上的滩城偏要叫做大上海。

依一般的家庭,能花钱的都是女人,女人在家庭有没有地位就看是否掌握花钱的权力,如今的"气管炎"日益增多,是丈夫们越来越多地失去了经济独立。事实是,真正的男人是不花钱的。日本的一位首相说过,好男人出门在外身上只装十元钱。他有能力去挣钱,挣了钱就让女人去花吧,看着女人去花钱,是把烦琐的家庭日常安排之任交她去完成了。即使女人们将钱花在衣着上,脸面上,那更是男人的快乐,试想,一个人被他人救过命又救过另外人的命,他是从内心深处不愿常见到恩人而企望被救过的那人常出现在他面前的。不管如何地否认和掩饰,今日的社会还是以男人为中心的社会,女人——如张爱玲所说——即使往前奔跑,前面遇到的还是男人。所以,有了自己钱的,做了强人的女人,实指望一切要主动,却一切皆不主动,尤其是爱情。

钱的属性既然是流通的,钱就如人身上的垢痂,人又是泥捏的,洗了生,生了洗。李白说,千金散去还复来。守财奴全是没钱的。人没钱不行,而有人挣得钱多,有人挣得钱少,表面上似乎是能力的大小,实则是人的品种所致。蚂蚁中有配种的蚁王,有工蚁,也有兵蚁;狗不下蛋,鸡却下蛋,不让鸡下蛋鸡就憋死。百行百业,人生来各归其位,生命是不分贵贱和轻微的。钱对于我们来说,来者不拒,去者不惜,花多花少皆不受累,何况每个人不会穷到没有一分钱(没有一分钱的是死了的人),每个人更不会聚积所有的钱。钱过多了,钱就不属于自己,钱如空气如水,人只长着两个鼻孔一张嘴的。如果这样了,我们就可以笑那些穷得只剩下钱的人,笑那些没钱而猴急的人,就可以心平气和地去完成各自生存的意义了。古人讲"安贫乐道"并不是一种无奈后的放达和贫穷的幽默,"安贫"实在是对钱产生出的浮躁之所戒,"乐道"则更是对满园生命的伟大呼唤。

1994年2月18日

说 白 烨

陕西有两个姓白的走了北京,一个是作家白描,一个是评论家白烨。北京城里从来是水深浪大,两个人却都活得头角峥嵘。原本长安城里也应是藏龙卧虎,但毕竟是藏与卧的,水土养人难留人,他们走得好。遗憾的是他们开始说京语,声声不入耳,我一见到他们就强迫用秦腔,秦腔在唐代仍是国语嘛。

第一次认识白烨时,把烨念错为桦,在众人面前很窘了一回。白烨说:有一个大人物看了我在某报上写的文章,也念为白桦的,白桦那时受批判,大人物就批评报社为什么还发表白桦的言论?报社负责人忙去解释了是白烨不是白桦,桦是木字旁,烨是火字旁。我说:啊唷,那我也是大人物了!

白烨是黄陵人,那里产煤,据说煤质优良,无烟,用报纸能点燃。我说,女人嫁到你那儿要尿三年黑水。白烨说:那里人是走虫。白烨尤其能走,他每年回陕西数次,不是来组织书稿,就是来联系出版方面的事。回陕如元春省亲,朋友们都要看看他,他也一一要回访,那些日子,分分秒秒都得计算。但是再忙,他都要抽空回老家去看望娘,再累,头发总梳得光光的,到任何地方了脱了大衣要挂着或叠了放好。他走后,朋友们常感叹他的孝道,朋友们的老婆却羡慕人家这男人的整洁。

白烨的忠实可靠是著名的,大凡委托他的事,只要承诺了,没有不落到实处的。我们笑他:若做大官,可以当顾命大臣,若在戏文里,是《赵氏孤儿》中的角色了。现在做忠实可靠是需要有情操,有大境界的。这样的人越来越少,出了一个白烨,他当然是人缘极好,在京城,在长安,在外省很多地方,都有一群喜欢他的女人,不管什么年龄层次,也不管什么政治艺术见解。常常是甲与乙生分,但甲与乙皆与白烨友好,白烨因此也做了许多团结工作。他年纪并不大,地位并不高,一张辐射的蛛网中间,守定的应是一个肥大的老蜘蛛,却是白烨。

这样的人,天生应该做编辑。

白烨就是个好编辑。

有人能写文章却耐不得编稿子的琐碎,有人能耐得其烦又缺乏鉴赏力,有人能写能耐能鉴赏但又没有长久的热情,而白烨恰恰具备了一切。我见过他为自己的文章而得意,更见过他读过别人的文章更激动的样子。我差不多每年都收到过他编辑的书籍,来信中喋喋不休地介绍此书内容如何之好,又反复征询此书版式怎样,封面设计怎样,虽是征询,其自满之情溢于纸面。和女人在一起不敢问起她的孩子,与白烨在一起,不要提说他编辑的书。

一九九三年初,我躲在西安郊县写《废都》,写得很苦,很寂寞。白烨来了,有客自远方来,我们都不亦乐乎。白烨那次来陕是编印一套丛书的,数日里寻找,寻不着,终打听人在郊县,不顾一切就跑来了。他说:"我来看看你。"我说:"不,是上帝让你来取书稿的。"他叫道:"写完了?!"高兴地要把我抱起来。这一夜,我没有让他走,我们吃搅团,吃酸菜,谈创作,谈编辑,几乎没眨眼。翌日清早,我们用硬纸夹夹了近一尺高的手稿,拿绳子反复扎好,装在一个塑料袋里,再装在一个布口袋里,他背走了。这部十多斤重的,耗费了我半年心血的手稿,白烨一直背到了北京,亲手交给了北京出版社的田珍颖。白烨曾经他手为我托带过好几部手稿,这一次却记载了一段难忘的传奇。

我作为作家,白烨给了我相当多的智慧上的启示和生活上的照顾,作为主编《美文》杂志,白烨从我们要刊号到编辑每一期刊物,都付出了他的精力和时间。人常说,朝里要有人。北京是我们心中的朝里,白烨是朝里的要人。《美文》杂志社里,凡有事去京,没有不去首先找白烨的,找到白烨,也没有不顺利拿到一些名家稿件的,编辑部常常在没好稿编时,就说:找白烨,给白烨打电话。白烨没吃《美文》的饭,《美文》把白烨箍住了。

一个人太好了,往往倒不显出他的好处来,这如同我们对于空气,太习惯了一呼一吸,便疏忽了我们是在不停地一呼一吸。白烨从事的是文学批评、文学编辑、文学朋友的角色,又偏偏不是那一种投机者、以稿易稿者、酒肉者,这是最易于让人疏忽的身份。也正于此,他活得正,活得不累,活得是一个评论家、编辑家、文友的本真。

1994 年 3 月 22 日

说 房 子

人活在世上需要房子，人死了也需要房子，乡下的要做棺、拱墓，城里的有骨灰盒。其实，人是从泥土里来的，最后又化为泥土，任何形式的房子，生前死后，装什么呢？

有一个字，囚，是人被四周围住了。房子是囚人的，人寻房子，自己把自己囚起来，这有点投案自首。

过去的地主富农，买房买地，现在一般的农民省吃俭用，第一个建设就是盖房，活着没有盖所房子，好像一个总统没有治理好国家一样，很丢人的。时下的房地产很热，大款们也是广置房产，都要囚，囚了自己，还要给子子孙孙都有囚的地方。

为了房子，人间闹了多少悲剧：因没房女朋友告吹了。三代同室，以帘相隔，夫妻不能早睡，睡下不敢发声，生出性的冷淡和阳痿。单位里，一年盖楼，三年分楼，好同事成了乌眼鸡，白刀子进，红刀子出，与分房不公的领导鱼死网破。

人为什么都要自个寻囚呢？没有可以关了门、掩了窗，与相好谈恋爱的房子，那么到树林子去，在山坡上，在洁净鹅卵石的河滩，上有明月，近有清风，水波不兴，野花幽香，这么好的环境只有放肆了爱才不辜负。可是，没有个房子，哪里都是你的，哪里又岂能是你的？雁过长空无痕，春梦醒来没影，这个世界什么都不属于你，就是这房子里的空间归你。砰地推开,砰地关上,可以在里边四脚拉叉地躺着抽烟,可以伏在沙发上喘息;沏一壶茶品品清寂,没有书记和警察,叱斥老婆和孩子。和尚没有家,也还有个庙。

人就是有这么个坏毛病,自由的时候想着囚,囚了又想到自由。现在的官们款们房子有几幢数套,一套里有多厨多厕,却向往没墙没顶的大自然,十天半月就去山地野外游览,穿宽鞋,过草地,吃大锅,放响屁,放浪一下形骸。没房子的,走到公共厕所都在暗暗设计:这房子若归我了,床放在哪儿好,灶安在哪儿好?人都被上帝分配在地球上,地球又有引力,否则,在某个早晨,人都会突然飞掉。

人多多少少都会有点房子的,是一室的或者两室三室的——人什么都不怕,人是怕人,所以用房子隔开,家是一人或数人被房子囚起来。一个村寨有村寨墙,一个城有城墙。人生的日子整齐分割为四季一年,一年十二月,一月三十天,每人每家的居住就如同将一把草药塞进药铺药柜的一个格屉一个格屉里,有门牌号码,以数字固定了——《易经》就是这么研究人的,产生了定数之说。人逃不出为自己规定的数字的。

有了房子,如鸟停在了枝头,即使四处漂泊,即使心还去流浪,那口锅有地方,床有地方,心里吃了秤锤般地实在。因此不论是乡下还是闹市,没有人走错过家门,最要看重的是他家的钥匙。有家就有了私产和私心,以前有些农民出门在外,要拉屎都要憋着跑回去,拉在他家的茅坑里,憋不住的,拉下来也用石头溅飞,不能让别人捡拾去。而工厂的工人,也有人有了每天要带些厂里的小么零碎回家的瘾,如钳子呀,铁丝呀,钉子呀,实在想不出拿什么了,吃过饭的饭盒里也要装些水泥灰。房间里,随心所欲地布置了,在外做什么职业,在内就表现什么风格,或者在外得不到的,在内就要补上。官人们的坐椅大,躺椅长,桌上有两副眼镜,看报纸一副,看人一副,墙上要有大的地图,书架里有领袖的装帧豪华的文集。款人们的房间里英文字母最多,以钱币叠成的菠萝挂在墙上,有一个壁橱是供了财神的,通有电光,遥感能发"财源茂盛"之声,想做艺术家的布置出了比艺术家还艺术家的氛围,有完整的盘羊头骨,有偌大的插画轴瓷缸,书不上架堆在桌上,纸烟拆开用烟斗来吸。那些自己做苦工偏要培养儿女做音乐家的,钢琴摆在窗下。病恹恹的,常年卧床的,挂龙泉剑在床头。而实在的人,过平常日子,家具是逐步添办的,色调不一,米袋子同浴盆、凉鞋、舍不得丢的吃过饼干的盒子塞在床下,醋瓶子、蒜瓣和《新华字典》共放于缝纫机面板上,墙上是全家照片镜框和孩子的三好学生奖状,他们今天把桌子移靠窗,明天床又东西向变为南北向,常变要出新,再折腾还是拥挤。

　　书上写着的是:家是避风港,家是安乐窝。有房子当然不能算家,有妻子儿女却没有房,也不算有家。家是在广大的空间里把自己囚住的一根桩。有趣的是,越是贪恋,越是经营,心灵的空间越小,其对社会的逃避性越大。家真是船能避风吗?有窝就有安与乐吗?人生是烦恼的人生,没做官的有想做做不上的烦恼,做了官有不想做不做不行的烦恼。有牙往往没有锅盔(一种硬饼),有了锅盔又往往没了牙齿。所以,房间如何布置,家庭如何经营都不重要,睡草铺如果能起鼾声,绝对比睡在席梦思沙发床上辗转不眠为好。用不着热羡和嫉妒他人的千般好,用不着哀叹和怨恨自己的万般苦,也用不着耻笑和贱看别人不如自己,生命的快活并不在于穷与富、贵与贱。

奋斗,赚钱,总算有满意的房子了,总算布置得满意了,人囚在家里达到人初衷了吧?人的毛病就来了!人又要冲出这个囚地:"情人"一词越来越公开使用;许多男人都在说,最大的快乐是妻子回了娘家;普遍流行起"能买来床,买不来睡眠;能买来食物,买不来胃口;能买来学位,买不来学问"……蚕是以自吐的丝囚了自己的,蚕又要出来,变个蝴蝶也要出来。人不能圆满,圆满就要缺,求缺着才平安,才持静守神。

世上的事,认真不对,不认真更不对,执著不对,一切视作空也不对,平平常常,自自然然,如上山拜佛,见佛像了就磕头,磕了头,佛像还是佛像,你还是你——生活之累就该少下来了。

说 孩 子

和女人在一起,最好不提起说她的孩子——一个家庭组合十年,爱情就老了,剩下的只是日子,日子里只是孩子,把鸡毛当令箭,不该激动的事激动,别人不夸自家夸——她会全不顾你的厌烦和疲劳,没句号地要说下去。人的心是一辈一辈往下疼的,如摆砖溜儿,一块砖撞倒一块砖,不停地撞下去。我曾经问过许多人,你知道你娘的名字吗?回答是必然的。知道你奶奶的名字吗?一半人点头。知道你老奶奶的名字吗?几乎无人肯定。我就想,真可怜,人过四代,就不清楚根在何处,世上多少夫妇为"续香火"费了天大周折,实际上是毫无意义!全然地拒绝生育,当然是对人类的不负责任,但除过那些一定要生儿生女,一定要生儿不生女的人外,现代社会里的夫妇要孩子是一种精神的需要,有个乐趣,如饲猫饲狗,或许为了维系家庭。一个女人曾对我说,夫妻是衣服的两片襟,没有孩子就没有纽扣啊。

有了孩子,谁都希望孩子小时候乖,长大了有出息。结婚生育,原来是极自然的事,瓜熟蒂落,草大结籽,现在把生儿育女看得不得了了,照仪器呀,吃保胎药呀,听音乐看画报胎教呀,提前去住医院,羊水未破就呼天喊地,结果十个有八个难产,八个有七个产后无奶。十三年前我在乡下,隔壁的女人有三个孩子,又有了第四个,是从田地里回来坐在灶前烧火,觉得要生了,孩子生在灶前麦草里。待到婴儿啼哭,四邻的老太太赶去,孩子已收拾了在炕上,饭也煮熟,那女人说:"这有啥?生娃像大便一样的嘛!"孩子生多了,生一个是养,生两个三个也是养,不见得痴与呆,脑子里进了水。反倒难产的,做了剖腹产的孩子,性情古怪暴戾,人是胎生的,人出世就要走"人门",不走"人门",上帝是不管后果的。

我长久地生活在北方,最愤慨的是有相当多的人为一个小小的官位尔虞我诈,钩心斗角;到位上了,又腐败无能,敷衍下级,巴结上司,没有起码的谋政道德。后来去南方了几趟,接触了许多官员,他们在位一心想干一番事业,结果也都干得有声有色。究其原因,他们说,不怕丢官,丢了官我就去做生意,收入比现在还强哩!这是体制和社会环境所致。如今对儿女的教育何尝有点不像北方干部对待官职的态度呢?人口越来越多,传统的就业观念又十分严重,做父母的全盼孩子出人头地,就闹出许多畸形的事体来。有人以教孩子背唐诗为荣耀,家有客来,就呼出小儿,一首一首闭了眼睛往下背。但我从没见过小时能背十首唐诗的"神童"长大成了有作为的人。有人省吃俭用地买钢琴呀,买绘画的颜料笔纸呀,用金钱加拳头要培养个音乐家和画家,结果只能培养出一大批挣便宜钱的半通不通的"辅导"。社会是各色人等组成的,是什么神就归什么位,父母生育儿女,生下来、养活大,施之于正常的教育就完成了责任,而硬要是河不让流,盛方缸里让成方,装圆盆中让成圆,没有不徒劳的。如果人人都是撒切尔夫人,人人都是艺术家,这个世界将是多么可怕!接触这样的大人们多了,就会发现,愈是这般强烈地要培养儿女的人,愈是这人活得平庸。他自己活得没有自信了,就将希望寄托在儿女身上。这行为应该是自私和残酷,是转嫁灾难。试想,你自己都是那样,还苛刻地要求儿女,儿女会怎么看你?儿女的生命是属于儿女的,不必担心没有你的设计儿女就一事无成。相反,生命是不能承受过轻和过重的,教给了他做人的起码道德和奋斗的精神,有正规的学校传授知识和技能,更有社会的大学校传授人生的经验,每一个生命自然而然地会发出自己灿烂的光芒的。

如果是作小说,作家们懂得所谓的情节是人物性格的发展,而活人,性格就是命运。曾经流行过一种测验法,即让你随口说出三个动物来,每个动物又以最少三个词来比喻,第一个动物的比喻词便是你的自我感觉,第二个动物的比喻词是别人对你的看法,第三个动物的比喻词是原来的你。我测过百余人,发觉自我感觉,不管如何变化,总超不出两类,一是良好,如龙,是飞腾的龙,威严的龙,美丽的龙;一是喋喋抱怨,如牛,吃的是草挤出的是奶的牛,一生辛勤的牛,为人耕作的牛。可以说,人是很难认识自己的,这如眼睛看不见眼睛一样。但认识自己,设计自己却是人至关重要的事!天才不是三百年才出现一个两个的,天才是每个人都存在的,关键是否发现自己身上的天才。遗憾的是很多很多的人至死没有发现和发展自己的天才,所以,伟大的人物总是少,众生才芸芸。

我也是一个父亲,我也为我的独生女儿焦虑过,生气过,甚至责骂过;也曾想,我的孩子如果一生下来就有我当时的思维和见解多好啊。为什么我从一学起,好容易学些文化了,我却一天天老起来,我的孩子又要从一学起?!但当我慢慢产生了我的观点后,我不再以我的意志去塑造孩子,只要求她有坚韧不拔的精神,只强调和引导她从小干什么事情都必须有兴趣,譬如踢沙包,你就尽情地去踢,画图画,你就随心所欲地画。我反对要去做什么"家",你首先做人,做普通的人。继承了我的秉性,孩子胆小,我的亲戚们让孩子在外要刚硬,谁敢打你你就打他。我说,社会毕竟不是整日打架的社会,学得那么刚硬还像个女孩子吗?小不忍到底要坏大谋的。

我对待儿女的观点,是会被相当多的人反对的,或许将永远落下不称职的父亲的声名。我虽然常常看着小学生、中学生不分昼夜地在书桌前用功,心中充满了悲哀——大人们都在自己的岗位上消极怠工,却把恶果转嫁于孩子——但我也得让女儿去做作业,去复习,去拿回考试的高分。我现在唯一能做到的,是不能忍受着一些女人向我讲述她为孩子设想伟大而美丽的前景,她不停地在说,使用着连续的逗号,好不容易出现一个句号了,我得赶紧就说:"哎呀,差点忘了,××要我回个电话的!"我得逃避,我终于学会了逃避。

1994 年 3 月 24 日

说 奉 承

奉承领袖是喊万岁,奉承女人是说漂亮,一般的人,称做同志的,老师的,师傅的,夸他是雷锋,这雷锋就帮你干许多懒得干的琐碎杂什。人需要奉承,鬼也奠祀着安宁。打麻将不能怨牌臭,论形势今年要比去年好,给牛弹琴,牛都多下奶,渴了望梅,望果然止渴。

每个人少不了有奉承,再是英雄,多么正直,最少他在恋爱时有奉承行为。一首歌词,是写少年追求一个牧羊女的,说"我愿做一只小羊,让你用鞭子轻轻地抽在身上"。现实生活中,我们常常在拥挤的电车上看到有的乘客不慎踩了别的乘客的脚,如果是男人踩了男人的脚那就不得了,是丑女人踩了男人的脚那也不得了,但是个漂亮的女子踩的,被踩的男人反倒客气了:对不起,我把你的脚垫疼了!世上的女人如小贩筐里的桃子,被挑到底,也被卖到完。所以,女人是最多彩的风景,大到开天辟地,产生了人类,发生了战争,小到男人们有了羞耻去盖厕所。女人已敏感于奉承,也习惯了奉承,对女人最大的残酷不是服苦役,坐大牢,而是所有的男人都不去奉承。

对于女人的奉承——我们可以继续说奉承话吧——并不是错误,它发乎天性,出自真诚的热爱美好。最多是我们听到那些奉承的话,看到那些奉承的事,背过身去轻轻窃笑。而不能忍受的,浑身要起鸡皮疙瘩、发麻的,是对一些并不发乎真诚的奉承。有一位熟人,他不止一次地向我发过牢骚,批评他的领导未在位之前是不学无术的,"他老婆都瞧不起他,"他说,"连老婆都瞧不起的男人,谁还瞧得起他呢?"可这样的人阴差阳错到了位上,却什么都懂了,任何门科的业务会上,他都讲话,讲了话你就得记录,贯彻执行!以至于他们同伴之间讥讽,也是"你别精能得像咱领导!"可是,偏是这样的领导,我的那位熟人,在批评与自我批评的会上来奉承了:"我给咱头儿提个意见吧?你太不爱惜自己的身体了!你的身体难道是你个人的吗?不,是大家的,是集体的!"

我曾参加过许多全国性的会议,出席者胸前都要戴贴着照片的证牌的,我偶然一次往一位已经是七十多岁的老太太的证牌上看了一眼,看到的照片是四五十年前的她,于是留心,竟发现所有的老太太们的照片没一张是现时的,照片当然是自己提供的,老太太们都是名人,年轻时又都是美人,不愿意退出美的舞台是可以理解的,但已经鸡皮鹤首了还戴二三十岁的照片,这实在也太奉承自己了。也就在这次会上,我与一位写书的领导住隔壁,墙不隔音,我每天都能听到来访者对领导的头发、西服以及领导所著的叫《×××》的一本书的奉承。我静静地听,不敢笑,也不敢咳嗽,评价着奉承的高明与低下。大多是智商不高,唯有一日出现个口吃的声音,先是寒暄了一会,接着就沉默,接着就是要打破沉默的"啃儿"、"啃儿"的笑,接着说:"我给你说件真真,真实的,事。昨天我上,上街,两个人打打打架了,一个把一个打倒在在地,在地上的要往起扑,头头一扬,一扬的。那人打了三三三拳,头往上扬,扬的,再用脚踢,头还是扬的,那人在地上摸摸砖,还是扬,正好旁边有个书书摊,拣了本书去头上一、一、一拍,头不扬了!你知道那是什么书?是《××××》!"

奉承是要得法的,会奉承的人都是语言大师。见秃头说聪明者绝顶,坏一只眼是一目了然。某人长相像一个名人,要奉承,说你真像××,不如说××真像你。工会的主席姓王,王姓好呀,正写倒写都是王,如果说:你这王主席,长个小尾巴就好了!王字长了小尾巴成毛字。瞧这话说得多有水平!有人奉承就不得法,人总是要死的,你却不能祝寿时说哎呀,离死又近了一年。领导去基层,可以说你亲自去考察呀!领导上厕所,怎么也不该说你亲自去尿呀!我害病住过院,有人来探视,说:听说你病了,我好难过,路上心里想,自古才子命短……他虽然称我是才子,可我正怕死,他说命短,我怎么高兴?有一度关于我的谣言颇多,甚至有了我的桃色新闻,一个人来安慰我,说:你那些事我听说了,真让我生气!名人嘛,有几个女人是应该的嘛,你千万不要往心上去!他这不是肯定了我的桃色新闻?!

每一个生命是有其自信和自尊的,一旦宁肯牺牲自己的自信与自尊去奉承,那就有了企图。企图可以硬取,刺刀见红,企图也可以软赚,奉承为事。寓言里的狐狸奉承乌鸦的嗓音好,是想得到乌鸦叼着的一块肉,说"站惯了"的奴才贾桂,是想早日做坐下的主子。善奉承的眼光雪亮,他决不肯奉承比他位低势小的,科长只能奉承处长,处长只能奉承局长,一级撵一级,只要有官之阶,人就往

自　画　像

现在我已经是四十二岁的人了！古历二月二十一日那天，我吃了长条子面，民间的习俗，这种面是长寿面，从去年冬天就开始患病的我，吃了好大的一碗，我希望我健康，活得更好。

过去的一九九三年，可能在我的一生中最值得纪念了，我的第四部长篇小说《废都》，给冷寂的中国文坛投下一颗原子弹。它一出版，举国上下，议论蜂起，街谈巷议，风雨不止，正版和盗版千余万册，说好的好得不得了，说坏的坏得罪该万死，各类评说文章被编辑成十多种本书在全国各地的书摊上。最后，政府将此书列为禁书，但到处逢人说《废都》的热浪还在继续着。《废都》造成的地震，是前所未有的，而我却是走红的受难者，我忍受着种种压力，蒙受着各类谣言的困扰，住进了医院，在病痛中度过了我四十二岁的生日。

回想四十余年走过的路，我由乡下一个教师的儿子，在中国"文化革命"后期来到了古都西安，开始我的学习和写作。中国新时期文学，从头至尾，我是亲身参与了的，当第一次设立国家文学大奖，我的短篇小说《满月儿》获奖，后来，中篇小说《鸡窝洼的人家》又获奖，散文集《爱的踪迹》再获奖，直到长篇小说《浮躁》获得了美国"美孚飞马文学奖"；我一直受到文坛赞扬，各类研究文章、介绍文章几乎超过我所写的作品；小学、中学乃至大学的课本和参考书上,收有我的作品;电影、电视、广播、话剧改编我的作品上映和演出;被翻译有英、法、日、德、朝鲜文版和香港、台湾等地区的中文繁字文版。我是出版了各类版本六十余种,但《废都》是最为轰动的作品,它享受了最高的荣誉,也遭到了最严重的攻击,它是一本易被人看走眼的书,它的真正价值不是当代中国现实所能认同的,它只好承受自一九四九年共产党建立国家以来的第一本被禁的文学作品的命运。

我在生活中是谨慎的人,但一拿笔从事写作,我头脑里没有更多的限制,随心所欲。我是个平民的儿子,我自信热爱我的国家和人民,了解这个民族和供民族生存的这块土地,在这个民族进行变革,社会进入转型时期,我是抱着巨大的责任感和热情写出了长篇小说《浮躁》和《废都》的。

在进行写作艺术的过程中,我以极大的注意力关注着世界文学的动态,但又坚持着中华民族的审美,我追求的是以本民族的思维方式、表现形式来写中国的现代人和现代生活,诚如河流,是趋世界文学而动,河床却是中国的,是真正的中国味。中国文坛,总存在着两种状态,一是固守的一套,不与世界文学融汇;一是忽视本民族的思维和文学传统,生硬地模仿别的国家文学的写法。所以,我的写作未有什么集团,这样,使我具有了独立性又同时缺乏保护力量。

我将坚定地走我的路,上帝会保佑我的!

1994 年 5 月 29 日

说 球 迷

体育都是人玩耍意义上的一种竞争,自没必要把它上升到至高无上的位置。球迷们的可爱在于一个迷字,像酒鬼一样,可以糟蹋一桌饭菜,却不能泼洒一滴酒。过去的年代兴老实,谁出来都说:"咱这老实样儿……"现在热足球很时尚,一个什么样的人都说他迷足球,而且说足球运动是英雄者的运动,其实就是要说明自己也是个英雄。如果迷足球像迷麻将一样遭人轻贱,迷足球的人就不会这么多了。足球的伟大是足球集中了人的一切最激烈的玩性,踢者去尽情发挥,观者借他人之酵发自己蒸馍,也要放肆,两者相辅相成。上帝要检查人的顽皮和疯狂,上帝创造了足球,当上帝看到了人的顽皮和疯狂,上帝要制止战争和萎靡的办法,也就是让人去踢足球。从这个意义上讲,踢足球的和迷足球的都是最听上帝话的人,把发泄的东西发泄到特定的地方去,剩下的都是平和,可以安然地再过整齐的日子。

1994 年 6 月 15 日

说 足 球

　　中国人历来礼仪,不爱足球爱抛绣球。《水浒》里的高俅当了官,攻击他的理由不是因为他是妓女生的,而是曾经踢过球。现在改变了,也崇尚足球,虽然一时还没有个球神产生出来供奉,但天上的星星只有了三种,一种是影星,一种是歌星,再就是球星,看来看去,球星都是人家的,这不打紧,四年一届的世界杯足球赛,咱还是急得不得了,这像是在大街上,哪里一打架,呼啦,瞧热闹的都围上去了,一声喊:打!打!打别人是痛快的,被别人打也是痛快,如果打不上又被打不上,看别人打别人还是一种痛快嘛。清朝的时候,洋人侵略中国,中国武力不行,有人上书朝廷,主张把禁书《红楼梦》往外国运,用"祸水"去堕落他们。如今中国人踢不赢外国人,又热足球,足球一热可以变成热气球嘛,咱放咱的,放罢了,去菜市场,青菜一元钱一斤了。

1994 年 6 月 15 日

说 打 扮

打扮唯美。美是生命存在的过程,如林语堂说,鹤足的挺拔之美是逃离危险的结果,熊掌的雄壮之美是捕获食物的结果。性也产生美,性说到底还是生命延续的需要,所以花为了蜂蝶争艳,雄狮为了雌狮长发。人和禽兽的不同,是雄的长得不好看而雌的长得好看,女人比男人好看了,还要在女人之间显出自己更好看,这就有了打扮。

打扮是以藏和露为技巧的,藏除了真的藏短处,藏重要的还是为了露。在脸上涂各种化妆物是要更表现脸,设计服装讲究线条也是更要展示身材。中国人善于收拾厨房,不大理会厕所,有灶神没有茅房神,这种习惯思维用到身体打扮上,也是打扮(露)进口部位,不打扮(藏)出口部位。如果说羞耻,身体的一头一尾是不能同时盖着或露着,露了头就盖尾,要露尾,用毛巾把头盖了,尾露着也无所谓。

如一张画布,几种颜料,画就一幅幅画下来,人就是头发,脸,衣裤和鞋袜,翻来覆去在那里经营着,学着动物,也学着植物,把金木水火土全作了材料。人的打扮是为了鲜活人的眼睛,它不取悦于别类,这如同我们在乎于鸡的肥瘦而不是鸡的丑俊,世上如果只有男人或只有女人,世上是不会有厕所的。但打扮毕竟是皮面上的操作,人格和素质如白纸灯笼里的灯泡,灯泡是红色的,灯笼就是红灯笼,灯泡是黄色的,灯笼就是黄灯笼。于是有人艳,有人妖艳,有人清雅,有人清而不雅,警察穿了警服才是警察,老中医先生不背药箱也认得是老中医先生,妓女就给人脏的感觉,闲汉留下的印象是赖。

不扮不是人,人还是打扮着好,尤其女人。打扮得越有个性、越有风格才是会打扮,有人以为穿高档的,穿时兴的就是美,虽有三分人才七分穿的话,但有人越打扮越美,有人越打扮越丑。见什么都能吃的,吃了什么都觉得香的,并不是美食家,事实是这样的人没有不平庸的,一样的规律,凡是社会上兴什么衣服就穿什么的人都不是美人。

随着社会的发展,打扮技巧不断提高,服装有了"精品屋",化妆有了"美容院",一般人的想法里,邓小平说话是玉言,一定镶了金牙的,但邓小平没有。张艺谋应该穿名牌吧,张艺谋穿的是板儿鞋。过去走到哪儿,见的是演员长得漂亮,穿的鲜艳,现在大小任何城市里,街头上都是流光溢彩,美色如云,芸芸众生很难在脸上看出年龄,在服装上分出穷富。我们看天上的麻雀,几乎都是一个样,分不清这一只不是那一只,人如果都成了美人,其实没有了美人。过去有个故事,说一个懒婆娘长年不洗脸,有一夜贼入室偷窃,与贼搏斗,贼拿刀照她脑门上砍了一下。她倒在地上只说这下死了,可后来又觉得没死,起来看,地上两半个脸,原来贼砍开的是垢痂结的脸壳。如今有的人粉越抹越厚,真怀疑也有了个壳,那高级化妆品和垢痂有什么两样?人穿衣是取暖的,讲究到衣服要冻死身子或捂死身子,人最后就木头了,是挂衣架子。

人若是一块石头,生了苔藓,一年四季变换颜色,那怎么变就怎么变去,可人的秉性是得寸而进尺,有了一条好裤带就想配好裤子,有了好裤子得有好上衣,那么帽子呀鞋呀欲望越来越多,思维也变了。打扮一旦成了社会时尚,风气靡丽,必然少了清正之气。过去有一句名言:最容易打扮的是历史和小姑娘。现在呢?没有学问的打扮得更像有学问,不是艺术家的打扮得更像艺术家,戏比生活逼真,谎言比真理流行。

当一切都在打扮,全没有了真面目示人的时候,最美丽的打扮是不打扮。

1994 年 6 月 16 日

说　死

人总是要死的。大人物的死天翻地覆,小人物说死,一闭眼儿,灯灭了,就死了。我常常想,真有意思,我能记得我生于何年何月何日,但我将死于什么时候却不知道。一觉睡起来,感觉睡着的那阵就是死了吧,睡梦是不是另一个世界的形态呢?我的一个画家朋友,一个月里总要约我见一次,每次都要交我一份遗书,说他死后,眼睛得献给××医院,心肺得献给×××医院。过些日子,他又约我去,遗书又改了,说××医院管理混乱,决定把眼睛献给另一个××医院的。对于死和将死的人见得多了,我倒有个偏见,如果说现在就业十分艰难,看一个孩子待父母孝顺不孝顺就看他能不能考上大学,那么,评价一个人的历史功过就得依此人死后是否还造福于民?秦始皇死了那么多年,现在发掘了个兵马俑坑,使中国赢得了那么大的威名,又赚了那么多旅游参观的钱,这秦始皇就是个好的。

人怕毛毛虫,据说人是从小爬虫衍变的,人也怕人,人也怕自己,怕自己死。在平日,寿比南山的话我们说得很多,万寿无疆也喊过,是极少以死来恭维的话,死只能是对敌人最痛恨的诅咒,是法典中的极刑。依我的经验,三十岁以前,从来是不思考到死的,人到了中年,下一辈的人拔节似的往上长,老一茬的人接二连三地死去,死的概念动不动冒在心头,几个熟人凑一堆了,瞧,谁怎么没有来,死了,就说半天关于死的话题。凡能说到死的人,其实离死还遥远,真正到了死神立于门边,却从不说死的。我见过许多癌症病人,大都有三个发展阶段,先是害怕自己是癌症,总打问化验检查的结果,观察陪护人的脸色。再是知道了事实,则拒不接受,陪护人谎说是无关重要的某某部位炎症,他也这么说,老实地配合治疗,相信奇迹的出现。后是治疗无效果,绝望了,什么话也不说了,眼睛也不愿看到一切,只是流泪。人一生下来就预示着死,生的过程就是死的过程,这样的道理每个人在平时都能说一套,甚至还要用这般的话去劝导临死的人,而到了自己将死,却便想不开了。《红楼梦》里的那一段"好了歌",说的是功名、富贵、声色不能看得通达是人性的弱点,那么,人性里最大的可悲处是不能享受平等。试想,我们作为一个平头百姓,平日里看不惯以权谋私,看不惯不公正的发财,提意见呀闹斗争呀地要平等,可彻底消除贵贱穷富和男女老幼界限的最平等的死到来时,却不肯死,不死不行的,才依依不舍地去了。

为什么不肯死,民间的意识里,死是要到阴曹地府去的,那是一个漆黑无比的地方。几乎谁也没见过鬼,但每个人都认为鬼是青面獠牙,血口长舌的。接触过许多死去了又活过来的人,他们都在讲死的时候,觉得自己一直往上飞,越往上飞越觉得舒服,甚至能看到睡在床上的自己的身子,还听得到医生的话和亲属的哭。这情景真实不真实,我没有经验,但凡见过的病死的人最后咽气的时候脸上差不多都呈现出一丝微笑的。我在陕西的镇安县见过一次葬礼,十几人围着死人敲锣打鼓唱孝歌,其中一段在唱:"说一声你死了就死了,亲戚朋友都不知道。亲戚朋友知道了,亡人已过奈何桥。奈何桥七寸的宽来万丈的高,中间抹着花油胶。大风吹来摇摇摆,小风吹来摆摆地摇。有福的亡人桥上过,无福的亡人被打下桥。亡人过了奈何桥,从此阴间阳间路两条。社会主义这么的好,你为什么要死得这样早?!"这是没办法的,谁都要离开这个人世的,如果人世真是这么的好,你总不能老占着地方不让别人来吧。而且死去有死去的好处,基督教徒们不是说死去要到天堂见上帝吗,共产党的干部也常说"将来要去见马克思"。我们这些芸芸众生,死了只能去阎王那儿报到,阎王是什么,阎王是监督执行公正平等的长官。

把生与死看得过分严重是人的秉性,这秉性表现出来就是所谓的感情,其实,这正是上天造人的阴谋处。识破这个阴谋的是那些哲学家,高人,真人,所以他们对死从容不迫。另外,对死没有恐惧的是那些糊里糊涂的人。最要命的是高不成低不就的人,他们最恐惧死,又最关心死,你说人来世上是旅游一趟的,旅游那么一遭就回去了,他就要问人是从哪儿来的又要回到哪儿去?道教来说死是乘云驾鹤去作仙了,佛教来说灵魂不生不死不来不往,死的只是躯体,唯物论讲师来说人来自泥土,最后又归于泥土。芸芸众生还是想不通,诅咒死而歌颂生,并且把产生的地方叫做"子宫",好像他来人世之前是享受到皇帝的待遇的。

不管怎样地美好来到人世的情景,又怎样地不愿去死,最后都是死了。这人生的一趟旅游是旅游好了还是旅游不好,每个人都有自己的体会。我相信有许多人在这次旅游之后是不想再来了,因为看景常常不如听景。但既然阳世是个旅游胜地,没有来过的还依旧要来的,这就是人类不绝的缘故吧。作为一个平平常常的人,我还是作我平常人的庸俗见解,孔子有句话,是"朝闻道,夕死可矣",当我第一次读到这句话,我特高兴,噢,孔圣人说过了,早上得了道,晚上就应该死了,这不是说凡是死的人都是得了道的吗?那么,这死是多么高贵和幸福,而活得长久的,则是一种蠢笨,不悟道,是罪过,越是拥戴谁万寿无疆,越是在惩罚谁,他万寿了还不得道,他活着只是灾难更多,危害更大。

海明威有个小说,写的是一个人看见妻子在生产,他承受不了人生人的场面,就割破动脉血管而死了。海明威讲的是生比死可怕。我小时候听水磨坊的老汉说过一个故事,一个人夜里独自在家,有鬼来骚扰,这人不理,鬼很生气,闹得更厉害,以死来威胁,这人说了一句:"我对活着都不怕,我怕死?!"这人说得真好,人在世上,是最艰难的事,要吃喝拉撒,要七情六欲,要伤病灾痛,要悲欢离合,活人真不容易的。那些自杀的人,自己能对自己下手,似乎很勇敢,其实是一种自私,逃避和怯弱。

既然死是人的最后归宿,既然寿的长短是闻道的迟早,既然闻道而死去的时候是一种解脱和幸福,对于死应该坦然。而恐惧的人,不能正确地面对死去,也绝不会正确地面对活着,这样的人即使一时还未死,却错误地理解人生,以为人生就是在有限的时间里吃好穿好玩好,要吃好穿好玩好就去掠夺,剥削,欺骗,伤害别人。这样的活着把自己的肚腹变成埋葬山珍海味的坟墓,穿丝挂绸,把身子变成一个蚕,只能是久久得不了道,老而不死,"老死不死则为贼"了。

1994 年 7 月 3 日

说 美 容

女人是赤裸的,女人却最善藏。藏着的部分以藏显露,如特别讲究服装要体现出线条;露着的那片脸上因为有五官,五官像阿拉伯数字,组合了就是号码,脸还要化妆,亦藏欲更露。

我们把画画叫美术。爱美,也就是爱画,于是女人将脸当了画布。动物皆有以美羽美纹美声来吸引异性的,说到底,美的实质的东西是性。如果世上没有女人,男人是不会去修建厕所,世上没有了男人,女人也不会去化妆。

不把真面目示人,这就是女人——见人不化妆,是不尊重对方呀!——性的虚幻下的活动里,男人需要假,女人就制造假。女人假到最后,真作假时假亦真:自己也怀疑了自己。一个女人说她画眉,哪日没有画了,就感觉没长了眉毛。

化妆的盛行,使女人越来越失去自信。谁还敢素面朝天?"女容为悦"从古代一路喊下来,现在似乎已是生活得越好,物质越丰富,女人的所悦者越少,情爱越难得。因为现代城市的女人就比乡下女人化妆得严重。女人们喜欢比喻月亮,说是明镜,是玉盘,是天灯,是夜之眼,比喻得已不知月亮到底是什么了;女人们都在形容,形容到不知什么身份什么年龄,戏永不散场,演员满街走。

其实,女人用不着化妆,化妆应为男人的事,如鸟兽中的凤,雄狮,公鸡和鸳。女人的化妆已经是违背了自然规律,轻贱了自己,更不必割这样填那样再做美容手术。人的身体,每一个部位,甚至一颗痣,一条皱纹,都是极其协调地配合在一起的,这如同大自然所形成的山丘、河流、洞涧、树林一样,它有它的风水。人体也有风水,随便去改造,就失去了和谐,也失去了特点和标志。

上帝既然造了我们,我们应该自信。

长 舌 男

一、说车

　　小时在乡下什么都不怕的,怕狼——炎天晌候有狼就坐在麦田埂上嚎,嚎如哭妇,诱吃过好多人——以至于夏夜在场畔睡凉席,胖的嫩的孩子全被大人们围着。过去了三十年,狼却没有了,这简直是个奇怪的现象!在熙熙攘攘的街头上,我碰着了从乡下进城来的一个小儿要求着他的爷爷去动物园(爷爷脸上有一道难看的疤,一看就曾是狼挖脸),小儿说:我要看狼!爷爷说:看狼去,几十年我也没见过了,怪……

　　有狼的时候,人有危机,人不寂寞,突然间发觉没有了狼,人倒活得不重要了似的。

　　一老一少肯定没有修炼过气功,若是开发了天眼,就会发现,狼其实仍是存在,而且越来越多地集中到了城里。街面上一辆接一辆的呼啸往来的汽车,不是全附着了狼的灵魂,每天都有人被"吃"掉的吗?试想想,如果说现在芸芸众生中的许多人穿上了各类皮革的衣服,这许多人是牛羊猪鸡托生上世,那么更有人在拥有了公配的或自购的汽车,这便为随着牛羊猪鸡而来的狼了。可是,有多少人知道我们在城市里生活着是与狼共舞,倒很多很多的人还一心热羡着奋斗着有一辆供享的汽车来显示自己的价值!

这是一种可哀的事,也是上帝冥冥之中安排着生态平衡。狼始终在威胁着人。现代城市越来越发展,狼的灵魂不仅附在了汽车上,而且人本身就存在着几分狼气。

我告诉那老少爷孙不必去动物园的,动物园的狼已经不是狼了。小儿问我为什么。这傻孩子,他还不懂城市,孩子你见过城市的猫吗,不逮老鼠的猫还算是猫吗?!

二、说铃

晓平告诉我:凡是城里人,没有不配有一辆自行车的,每一辆自行车没有不装有一颗铃的。对,这铃就是每个人的声。铃都在街上响,响着说:让路,让路!都要求让路,结果都在路上拥挤。人人都想有自己的声,声混浮起来,无字无节,成了噪音。

经常有人把铃就丢了。丢了铃就丢了声。

似乎丢铃的人很多。

冷静一想,我的铃突然不见了,我怎么能没有声呢?我于是在停车处摘下你的铃装在我的车上,你的铃不见了,你又摘下他的铃,摘来摘去,又摘去摘来,其实整个城里只是丢失了一颗铃。

或许,最初丢失的那颗铃是一个孩子干的,孩子偶然好奇,摘下来在里面和尿泥玩,玩毕了,一扬手扔到城河壕的污水里去了。

三、说你

  我哪里还是我？虽然没有移植过别人的心肺脾肾,甚至也没有换皮美容,却吃过了多少猪肉、牛肉、羊肉、鸡肉,吃啥补啥,我常常怀疑胳膊上的那片肉是猪的了,脚上的那张皮是鸡的了。尤其患过了多年的病,曾经输过血,喝过成十个胎盘制成的糊状饮品,我就感觉我不是一个人,是合众体,从太阳光下走过,总恍惚着影子也是重叠。每天晚上,梦是特别的多,境界中人都无序,忽而将至,忽而即逝,情节繁复,转换自如,醒来就发怔,我所有的灵魂一起在做梦了？周围的人开始在议论我,说我变了,性格越来越怪异,行为已无法琢磨,原本某件事我完全可以干得了的,可我干不了,怎样努力也干不了,而某件事大家都认为我干不了的,我却轻而易举地干了！谨慎时,树影子落在地上,我都要跳过去,以为那是个坑,狂放了,肆无忌惮,得意忘形。突然见谁都怕,婴儿当道也退避三舍,突然明明知道手里拿着鸡蛋,却和石头去碰,家里人也唠叨了,在外有说有笑,一进门怎么就三棒子打不出个屁来。这怪我吗,我还是我吗？我不是了我,我还说什么,能说得清吗?! 我连我也无法把握,人是一呼一吸而生存的,怎么吃饭说话时不感觉我还在呼吸？我一天天长高了,什么时候长的？夜里躺在床上,是哪一时哪一刻在睡着了？坐在那里,其实在走着,因为地球在动。太阳出来了,昨天的太阳绝不是今天的太阳。练什么气功,谁不就在大气层里？土是黄的,为什么长出的辣子是红、菠菜是绿？思维一会儿升到天上,一会儿又坠到深渊,想念无数的人,却没有具体的眉眼,如对着坍废的墙根,看腐蚀斑驳的痕迹,出现了各种景象各色人等。常常口里叼着烟斗到处寻找烟斗,正朗诵"给我一个杠杆吧,我会撬起地球",而走到自家门口,拿了钥匙去开锁,才懊丧在偌大的世界里能拨动的仅仅是自己家锁的一个小孔。我不得不让我变,而且继续会变下去,更多的人不认识我了,我自己也难以认识我,苦恼的是名字依旧。我悔我吃过各种草的种子,如麦如稻如谷,吃过猪牛羊鸡,甚至蛇、蝎、龟和螃蟹,恨我患什么病呀,输他人的血,喝他人的胎盘,如果我是纯粹的我,我忠诚若狗,温媚如猫,愿意受人的正常的幸福和烦恼,可现在,我人非人,兽非兽,物非物!我的眼里溢满了委屈和哀伤的泪水,我只有这样活下去了。所以,我说,谁也不要理我,让我的乌合之众的灵魂去放逐吧,如果要认识我,等过三十年,四十年,某一日我死了,或许火化,高高的炼尸炉的烟囱里会冒出各种颜色的烟来,有一股清正之气,那才是我;或许土埋,坟墓上会长出许多花来,有一株散发幽香的,那才是我。而现在,我不是了真我,怨恨就怨恨吧,责怪就责怪吧,怨恨和责怪的是猪,是牛,是羊,是鸡。还有,悄悄地说吧,我输过的血保不准正是你卖出的血,喝过的胎盘饮品保不准也正是你的。

我们不器重"传人"

中国的传统技艺,总有着两个恶劣的秉性。一个是吹。三分能耐吹成十分本事,如气功,算卦,医药,武术。吹或许是一种广告,但五颜六色的肥皂泡下,常常是一盆脏水。另一个是传。师傅传给弟子,要磕头,要送礼,摆酒肉席面吃喝。传的好处是一门技艺能纯粹,能延续,传的坏处是技艺难以发展和缓于发展,也永远只是技艺。戏曲正是这样。社会发展到了今日,戏曲既然已由民间的技艺业提高到了高雅艺术的位置,又政府重视,国家投资,不知其数的身在其中的艺术家们呐喊振兴并苦心经营,我们不明白的是为什么又顽固地守住传的恶劣?也不明白为什么在电视上,艺术节上,会演上,常常看到一些有才华的演员清唱,评委们和宣传界极力在推崇谁是×派的传人?×派之所以为×派,是×××在他的师传的基础上创造了自己的风格,为什么一旦有了×派就十多年几十年后人要一腔一调、一字一句模仿而不敢越雷池呢?数十年去模仿复制一个唱法,将演员沦为留声机,戏曲难怪在新时代里尴尬。帮会里兴门子,山林里的土匪搞结拜,木匠、小炉匠认辈分,民间的乌合之众的一种生存需要,使戏曲也固定了它的卑微的出身。出身的卑微免不了行为的委琐,小食品能作为贡品而出名,戏班子能晋宫演出而荣耀。但莲花出于污泥,不染而艳,以画卖小钱的齐白石依然成就了大艺术家。不提倡创造,就不成为艺术。艺术的境界是艺术人的境界,不改顽劣习性,如街头耍猴的,卖鼠药的,必然自贱而又让人作践。梧桐招来的是凤凰,沼泽只吸引蚊虫。

当戏曲在最早于民间模拟生活而表演芜杂混乱之时,伟大的先人创造了程式,程式传到今天,又有多少人知道这程式的本涵从而深刻理解呢?现今×派的唱腔又成了另一种程式,使年轻的艺人不去了解×派产生的环境,自身的条件,当时的社会风俗和艺术氛围,只模仿得惟妙惟肖为能事,而不去发展自己的天才;群众自乐,学×派×人的唱腔犹可,这如同卡拉OK,而专业人员一味如此,哪里还能造就艺术家呢?

俗话说:大树底下不长草。大树或许使树下的草难以成才,但如果老是那几棵大树,春天还谈什么向荣?不满足只是艺人而要成就艺术家,就学习前辈研究前辈否定前辈超越前辈,站在巨人的肩上再成巨人。艺术需要适应,更需要征服。我们不欣赏戏曲界的"传人",并不在于反对流派的继承,也不在于仅仅只针对"传"的问题,而旨在冲一冲戏曲界的习惯的思维,呼唤更多的创造和流派。

忙 人
——游青城山

　　本来是一座青山,偏要叫做青城,明明是在城里住厌烦了,到这里寻清静的,适心的,又不忘墙壁横竖的城。站在山口一看到丈人峰就喊:这真像大城门楼!一到古常道观就惊呼:城中之城,这是皇城嘛!再就是从各条路上到呼应亭,证明道路曲弯如天津。再就是寻四方峰峦论证环拱似西安城墙。旅完了,游尽了,果然体验到这是一座城,不同的则是青幽罢了。

　　当然,所有的人并不是为寻城而来,有的听说青城山好,就到青城山来;到了山里要爬坡就爬坡,那条蜿蜒的山径上更人多如蚁。上去的腰都弓起,下去的肚皆挺凸,嘴一律张着,臭汗淋漓。径边的树木一片青绿,人肌发也为之青绿,恍惚间,满山的树也似乎是人,径上的人也是树了。上去的上到呼应亭,无路可走了,说:"下山吧",就下山。问游后的收获,回答是:"好累哟。"

　　在一座八角飞翘的亭子里,有的游人坐了进去,惊讶亭子半倚了山半悬着空,看一阵栏下涌涌的飞云,喊几声,听听轰轰的回音,突然间,觉得"观景不如听景",很无事可做,很无聊。这时候幼小年纪的报贩竟在山头叫卖,报虽是新报,但价钱极贵。买一张来,立即又被社论吸引,几个人为社论中的几个字的新提法而争论:这是什么意思,预示着什么动向,其新提法的背景是什么。于是振奋的振奋,疑惑的疑惑,忧郁的就闷闷不乐。

手持着大幅风光照的个体摄影户,肩扛着长竹花布的滑竿的脚夫们,穿梭于每一个游客的面前,一边盯着游客腰带上的钱袋,一边要求拍照和坐游,其讨厌如苍蝇。回绝了一个,又来一个,差不多已经说过五十句"不"了,最后就发怒起来,骂一声"滚开!"

几乎是所有游人的秉性,走到一块怪样的石头前,就在石头上写字,走到一株奇异的树下,就在树身上刻字,连几页木板一张芦席搭成的厕所墙上也写了"××到此一游"。游人看游人的留言,看过了新的游人又写下新的留言,有的实在愤愤不平了,就在留言之前或之后再写上"狗屁不通",又写上自己的名姓。

建福宫、天师洞、祖师殿、上清宫门里门外,阶上阶下已经挤满了人,拍照的争抢镜头,烧香的轮换着到龛前。连道士也变乐乎了,磬得不停地敲,经还要不停地诵,会医道的被围住看病,善玄术的被纠缠相面,而茶房的道士就要一个桌一个桌地沏茶,续水,指头蘸着唾沫数钱票。

终于有一处安静,那是孤孤的一座无名峰,如笋一般的出现在卧云亭的右侧,沉沉静静,痴痴呆呆,这一块大石头或无知无性,或许正看着身上的一群忙乱的蚂蚁在爬行,是看呆了。

但这无名峰人可望而不可即,它不在径边,是一座险峰。

游 笔 架 山

　　岚皋县有座笔架山,山离县城远,路又难走,很少有人去过。笔架山上有一个庙,没庙名的,在山顶南坡的崖窝下,周围树罩严了,上了山的人也不易能寻得到。一九九四年初夏我到那里,为的是山的名字好,没想到山上的月亮出来筲篮大的,红了一片梢林,软和软和地像要流汤水,赶紧拍摄,照片洗出来,月亮却小得可怜,是个白点,至今不明白什么原因。早晨云就堆在庙门口,用脚踢不开,你一走开,它也顺着流走,往远处看,崇山峻岭全没了,云雾平静,只剩些岛屿,知道了描写山可以用海字。崖窝的左边和右边各有一簇石林,发青色,缀满了白的苔,如梅之绽,手脚并用地爬到石林高端,石头上有许多窝儿蓄着水,才用树叶折个斗儿舀着喝干,水又蓄满,知道了水是有根的却不知道石头上怎么能有水根?庙前有一棵老树,树上生五种叶子,有松,柏,栲,皂,枸,死过三次,三次又活过来,知道了人有几重性格,树也有多种灵魂。挖了几株七叶一枝花,采到一枚灵芝,有碟子般大,听着了涧溪中的鲵叫,还遇到了一只朱鹮,长喙白羽,飞着似一片树叶飘,东一下西一下的,担心要掉下来,才一喊,如箭一样斜着射出去了。

　　在庙里住了一天和一夜,这需要掏钱的,因为没有和尚,一个束发的老女人能打卦,但也不是尼姑,就吃到熏肉,不腻,有松果味,吃了耐嚼的豆腐干,吃了笋丝,老女人说庙侧的泉水能治病,去舀着喝了一碗。夜真是漆黑,又寒得渗骨,得烧柴火取暖。屋角有虫鸣,崖头上有野鸽扑啦,也有什么兽叫,松鼠在咬松果,松果落下来发着绵软的响。

庙里的佛像是木刻的,没有彩绘,无灯无磬无钟,也可以不上香,不磕头,但卦却灵,卦谱是木刻的板,陈年老板,抽出签了,用淡墨水在板上刷,用黄表纸一按,卦辞就出来。庙是小庙,像山里的人一样质朴和简单,原因那个和尚早在六七十年前就死了,谁来庙里谁就是庙上人。但是,那个和尚死了,和尚的尸体还在,完好无缺地坐在一个土瓮里,土瓮就在庙前的树下。据说"文化革命"中有信男怕毁了这金刚不坏身,把它背下山藏在家里,十多年前又背回庙来。沙漠有风无雪雨,制作木乃伊,能运到城里让千人万人瞧稀罕,笔架山上雨无序,鸟兽群聚,而和尚六七十年死而不腐,狼不吃,鸟不啄的,可没有多少游人来看,也没有一个科学家来研究。

从庙后攀藤索能上到崖顶,崖顶上树很老,却是侏儒,有一堆白骨,几片已朽的木板,几颗锈坏的钉。陪我的人说,十年前有一个游医,也想自己有功德,尸首也会不腐,就做了一个木箱,自己坐进去,让一个山民把箱盖钉死,结果未出一年木箱腐败,游医成了一堆白骨。那山民呢,犯杀人之罪,判了刑,现在还坐在牢里。

1994 年 10 月 1 日夜

读 张 爱 玲

先读的散文,一本《流言》,一本《张看》;书名就劈面惊艳。天下的文章谁敢这样起名,又能起出这样的名,恐怕只有个张爱玲。女人的散文现在是极其得多,细细密密的碎步儿如戏台上的旦角,性急的人看不得,喜欢的又有一班只看颜色的看客,噢儿噢儿叫好,且不论了那些油头粉面,单是正经的角儿,秦香莲,白素贞,七仙女……哪一个又能比得崔莺莺? 张的散文短可以不足几百字,长则万言,你难以揣度她的那些怪念头从哪儿来的,连续性的感觉不停地闪,组成了石片在水面的一连串地漂过去,溅一连串的水花。一些很著名的散文家,也是这般贯通了天地,看似胡乱说,其实骨子里尽是道教的写法——散文家到了大家,往往文体不纯而类如杂说——但大多如在晴朗的日子,窗明几净,一边茗茶一边瞧着外边;总是隔了一层,有学者气或佛道气。张是一个俗女人的心性和口气,嘟嘟嘟地唠叨不已,又风趣,又刻薄,要离开又想听,是会说是非的女狐子。

看了张的散文,就寻张的小说,但到处寻不着。那一年到香港,什么书也没买,只买了她的几本,先看过一个长篇,有些失望,待看到《倾城之恋》、《金锁记》、《沉香屑》那一系列,中她的毒已经日深。——世上的毒品不一定就是鸦片,茶是毒品,酒是毒品,大凡嗜好上瘾的东西都是毒品。张的性情和素质,离我很远,明明知道读她只乱我心,但偏是要读。使我常常想起画家石鲁的故事。石鲁脑子病了的时候,几天里拒绝吃食,说:"门前的树只喝水,我也喝水!"古今中外的一些大作家,有的人的作品读得多了,可以探出其思维规律,循法可学,有的则不能,这就是真正的天才。张的天才是发展得最好者之一,洛水上的神女回眸一望,再看则是水波浩淼,鹤在云中就是鹤在云中,沈三白如何在烟雾里看蚊飞,那神气毕竟不同。我往往读她的一部书,读完了如逛大的园子,弄不清了从哪儿进门的,又如何穿径过桥走到这里?又像是醒来回忆梦,一部分清楚,一部分无法理会,恍恍惚惚。她明显的有曹霑的才情,又有现今人的思考,就和曹氏有了距离,她没有曹氏的气势,浑淳也不及沈从文,但她的作品的切入角度,行文的诡谲以及弥漫的一层神气,又是旁人无以类比。

天才的长处特长,短处极短,孔雀开屏最美丽的时候也暴露了屁股,何况张又是个执拗的人。时下的人,尤其是也稍要弄些文的人,已经有了毛病,读作品不是浸淫作品,不是学人家的精华,启迪自家的智慧,而是卖石灰就见不得卖面粉,还没看原著,只听别人说着好了,就来气,带气入读,就只有横挑鼻子竖挑眼。这无损于天才,却害了自家。张的书是可以收藏了常读的。

与许多人来谈张的作品,都感觉离我们很远,这不指所描述的内容,而是那种才分如云,以为她是很古的人。当知道张现在还活着,还和我们同在一个时候,这多少让我们感到形秽和丧气。

《西厢记》上说:不会相思,学会相思,就害相思!《西厢记》上又说:好思量,不思量,怎不思量?嗨,与张爱玲同活在一个世上,也是幸运,有她的书读,这就够了!

1994年12月17日早

狐　石

我想,这世上的相得相失都是有着缘分的,所以赵源在显示它的时候,我开了口,他只得送与了我。赵源说:我保存了它七年,不曾一日离过身的。或许是这样,我说,可我等了它七年。

七年不是个小的时间。

那是在乡下,冬天里的一场雪,崖根下出现了一溜梅花印,房东阿哥说夜里走过狐了。从那一刻起,我极力想认识狐,欲望是那么强烈。曾追了梅花去寻,只寻到梦里。梦里的狐是一团火红,因此它的蹄印才是梅花。以后是朝朝暮暮读《聊斋》,要做那赶考前闭门读书的白面书生。结果是年过四十,误了仕途,废了经济,一身愁病,老婆也离我而去了。一切求适应一切都未能适应,原本到了不惑却事事怎能不惑,我不知道了这是什么命运?好是孤寂一人的时候,又是下雪的冬天,赵源送了它来,我才醒悟我为什么鬼催般地离了婚,又不顾一切地摆脱名誉利禄,原来是它要到来。

多么感念赵源!他从远远的地方来,在这个城市里打问了数天,昔日的同学,今日却做了一回使者了。

我捧在手心,站在窗前的阳光下,一遍一遍地看它。它确实太小了,只有指头蛋大,整个形状为长方形,是灰泥石的那种,光滑洁净,而在一面的右下角,跪卧了那只狐的。狐仍是红狐,瘦而修长,有小小的头,有耳,有尖嘴,有侧面可见的一只略显黄的眼睛,表情在倾听什么,又似乎同时警惕了某一处的动静,或者是长跑后的莫名其妙的沉思。细而结实的两条前肢,一条撑地,使身子坐而不坠,弹跃欲起,一条提在胸前,腰身直竖了是个倒三角,在三角尖际几乎细到若离若断了,却优美地伏出一个丰腴的臀来,臀下有屈跪的两条后肢,一条蓬蓬勃勃的毛尾软软地从后向前卷出一个弧形。整个狐,鸡血般地红,几乎要跳石而出。我去宝石店里托人在石的左上角凿一小眼儿,用细绳系在脖颈上。这狐就日夜与我同在了。

惊奇的是,这狐的模样与我七年前想象的狐十分相似。这狐肯定是要来迷惑我的。但它知道,它是兽,我是人,人兽是不能相见的,相见必是残杀,世间那么多狐皮的制品,该是枉杀了多少钟情的尤物。但它一定是为了见到我,七年里苦苦修炼,终于成精,就寄身在这小小的石头里来相会了。

这样的觉悟使我心花怒放,愈是整日面对了狐石想入非非,一次次呼它而出,盼望它有《聊斋》的故事,长存天地间的一段传奇。我差不多要神经了,四十多岁的人,从不会相思,学会了相思,就害相思,终日想它,不去想它,岂不想它?!身子于是瘦下来,越发多病多愁,疑心是中了狐精之邪了。我不管的,既是这狐吮我的精气而幻生,在那一个美丽的生命里有我的成分,我也是美丽的;既是我被狐吞噬,以它的腹部作为我的坟墓又何尝不是好的归宿呢?我这般企图着,但我究竟还是我,狐石依旧是石头,石头不是鸡蛋,不能暖熟的,倒恍惚了这石上恐怕是没有红狐的,它的显示全因了我的幻想,如达摩石壁的影石吧。

也就在这个冬天的那场雪里,一日,我往园子赏一株梅的,正吟着"梅似雪,雪如人,都无一点尘",梅的那边有五个女子在叫着"狐！狐！"就一片浪笑。原来其中一个,长腿蜂腰,一手往上拥着颧骨,一手抓了鼻子往下拉扯,脸庞窄削变形,眉与眼两头尖尖地斜竖起来,宛若狐相。我几乎被这场面看呆了,失态出声,浪笑戛然而止,该窘的原本属五个女子,我却拽梅逃避,撞得梅瓣落了一身。

这一回败露了村相,夜梦里却与那女子熟起来,她实在是通体灵性的人,艳而不妖,丽而不媚,足风标,多态度,能观音,能听看,轻骨柔姿,清约独韵。虽然有点野,野生动力,激发了我无穷的想象力和创造力。

终有一天,我想,我会将狐石系在了她的脖颈上,说:这个人人儿,你已经幻化了与我同形,就做我的新妻吧。